U0093089

盛期之風貌

與

臥龍生作品 帶動武俠風潮

《飛燕驚龍》開一代武俠新風

《飛燕驚龍》(1958)爲臥龍生成名作，共48回，約120萬言。此書承《風塵俠隱》之餘烈，首倡「武林九大門派」及「江湖大一統」之說，更早於香港武俠巨匠金庸撰《笑傲江湖》(1967)所稱「千秋萬世，一統」達九年以上。流風所及，臺、港武俠作家無不效尤；而所謂「武林盟主」、「江湖霸業」等新提法，竟成爲社會大眾耳熟能詳的流行術語了。

《飛燕》一書可讀性高，格局甚大。主要是寫江湖群雄爲覬覦傳說中的武林奇書《歸元秘笈》而引起一連串的明爭暗鬥；再以一部假秘笈和萬年火龜爲餌，交插敘述武林九大門派（代表正派）彼此之間的爾虞我詐，以及天龍幫（代表反方）網羅天下奇人異士而與九大門派的對立衝突。其中崑崙派弟子楊夢寰偕師妹沈霞琳行道江湖，卻如夢似幻地成爲巾幗奇人朱若蘭、趙小蝶之絕世武功技驚天龍幫，而海天一叟李滄瀾復接連敗於沈霞琳、楊夢寰之手；致令其爭霸江湖之雄心盡泯，始化解了一場武林浩劫云。

在故事佈局上，本書以「懷璧其罪」（與真、假《歸元秘笈》有關）的楊夢寰屢遭險難，卻每獲武林紅妝垂青爲書膽(明)，又以金環二郎陶玉之嫉才害能，專與楊夢寰作對(暗)爲反派人物總代表。由是一明一暗交織成章，一波未平，一波又起，極盡波譎雲詭之能事。最後天龍幫冰消瓦解，陶玉帶著偷搶來的《歸元秘笈》跳下萬丈懸崖，生死不明，卻予人留下無窮想像空間。三年後，作者再續寫《風雨燕歸來》以交代陶玉重出江湖，爲惡世間，則力不從心，當屬狗尾續貂之作。

在人物塑造方面，臥龍生寫男主角楊夢寰中看不中用，固然乏善可陳，徹底失敗；但寫其他三名女主角如「天使的化身」沈霞琳聖潔無瑕，至情至性，處處惹人憐愛；「正義的女神」朱若蘭氣質高華，冷若冰霜，凜然不可犯；「無影女」李瑤紅則刁蠻任性，甘爲情死等等，均各擅勝場。乃至寫次要人物如「賓中之主」海天一叟李滄瀾之雄才大略，豪邁氣派；玉簫仙子之放蕩不羈，爲愛痴狂；以及八臂神翁聞公泰之老奸巨猾，天龍幫軍師王寒湘之冷傲自負等，亦多有可觀。

摘自 葉洪生、林保淳著《台灣武俠小說發展史》

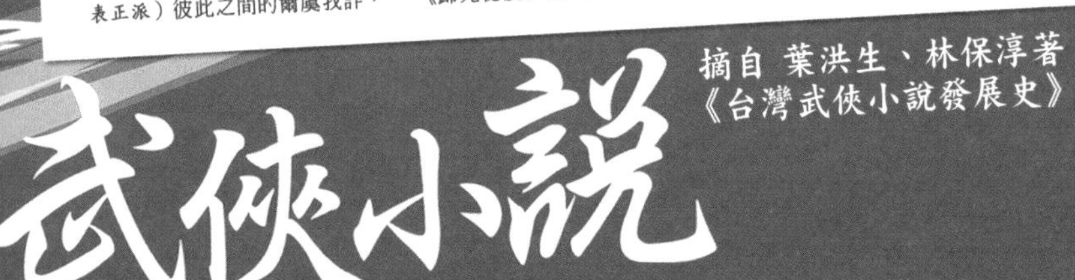

台港武俠文

流行天

臥龍

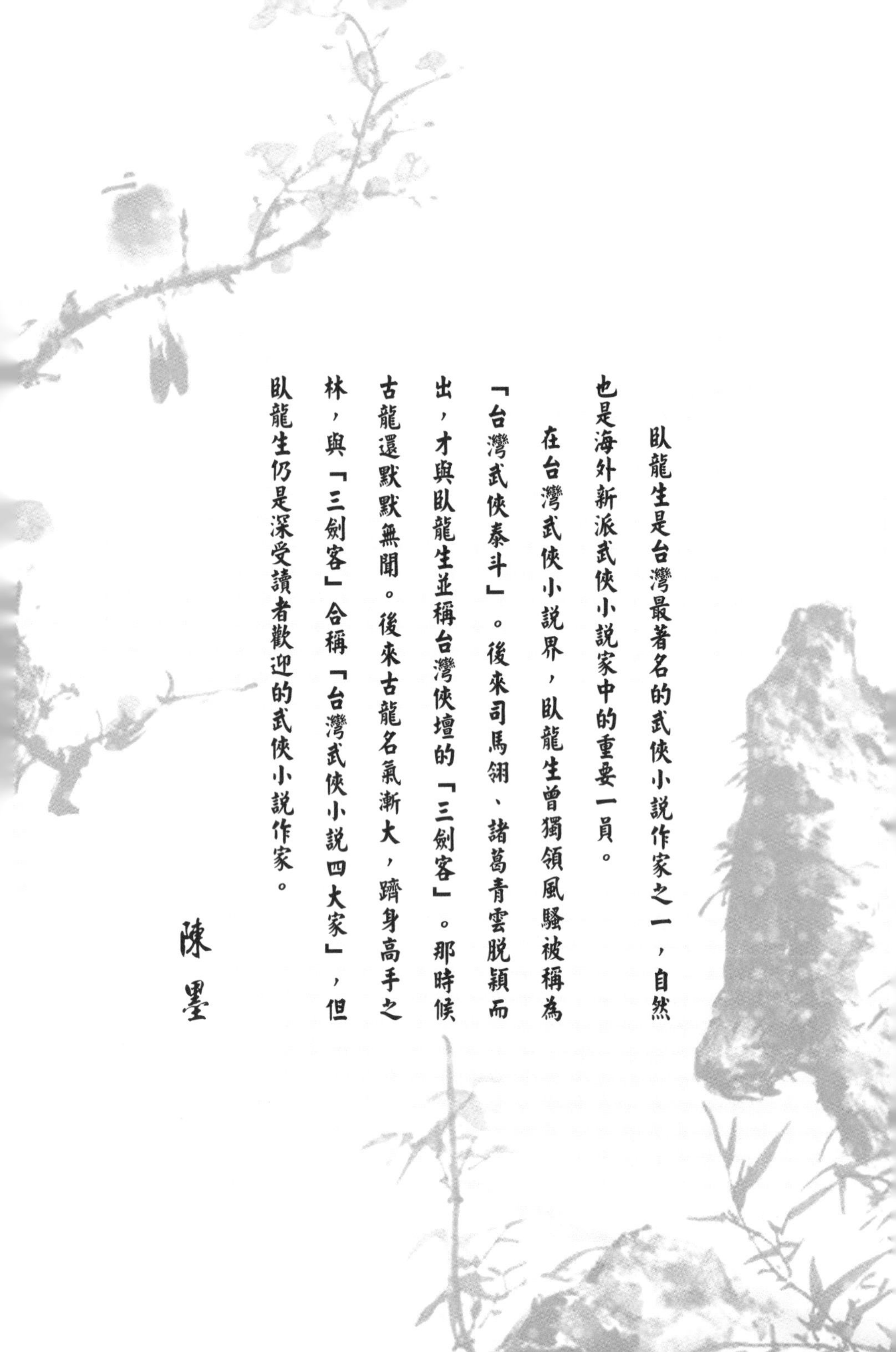

臥龍生是台灣最著名的武俠小說作家之一，自然也是海外新派武俠小說家中的重要一員。

在台灣武俠小說界，臥龍生曾獨領風騷被稱為「台灣武俠泰斗」。後來司馬翎、諸葛青雲脫穎而出，才與臥龍生並稱台灣俠壇的「三劍客」。那時候古龍還默默無聞。後來古龍名氣漸大，躋身高手之林，與「三劍客」合稱「台灣武俠小說四大家」，但臥龍生仍是深受讀者歡迎的武俠小說作家。

陳墨

臥龍生
臥龍生
武俠經典珍藏版
36
雙鳳旗
(四)
大結局

臥龍生精品集㊱

雙鳳旗(四)

四七　敵友之間

容哥兒接道：「田兄是否已胸有成竹？」

田文秀搖搖頭，道：「沒有，在下只是告訴容兄，萬一兄弟死去，請容兄照兄弟之意，設法搏殺我們那位父皇，天下才能算真正平靜下來，他能收服我們四公子，就能收服八公子為他效命。」

容哥兒道：「田兄說出之言，足證田兄確已放下屠刀，回首向善，我武林同道有幸了。」

田文秀苦笑一下，道：「兩年之前，兄弟已有悔悟之心，只是情勢逼迫，內無志同道合聯手之人，外無拔刀相助的援手，兄弟孤掌難鳴，無法掙脫這種枷鎖，只有苟延殘喘拖延時光，眼看武林大劫已成，回天無力，內心中悲痛莫名，但又無法攔阻，整個武林道上，只有萬上門中人未為藥物所傷。幸好，趙天霄物欲迷心，告稟父皇，要兄弟負責指揮七大劍主統率的數百高手，對付萬上門中人，兄弟能做的只有網開一面，希望能保存下這股真純的武林實力，日後能有重振武林正義的機會，因此，兄弟在這番圍殲萬上門中，故意自布陷阱，連番鏖戰之下，使我們有了很大的傷亡，萬上門中卻損失很小。」

容哥兒道：「田兄這番用心，不怕被他們看出來嗎？」

田文秀道：「事情已經如此，縱有被他們發覺之危，但也只好冒險，不過，兄弟這冒險的

成份不大。」

容哥兒道：「這話怎麼說？」

田文秀道：「我們那位父皇，一向是只要求完成何事，從不問自己的損失如何。因爲，雙方都是他要殺的人，若兄弟能夠一舉圍殲萬上門，就算犧牲七大劍主，和他們全部高手，我們那位父皇，也是一樣不會責怪，而且還將大大的誇獎我一番。」

容哥兒道：「原來如此！」

田文秀歎息一聲，道：「所以，我們很少有做不到的事情！」

容哥兒心中雖然有著很多疑團想問，但想到時光已經不早，再談下去只怕要誤了大事，當下起身說道：「咱們可以走了。」

田文秀道：「兄弟覺得很多事該對容兄說明，免得兄弟死後，你將無法應付。」

容哥兒道：「兄弟心中也有千百樁疑問想向田兄請教，只怕時間不多了，此刻，咱們最爲重要的事，是要先行設法阻止那少林、武當掌門人，不讓他們接受降服，這是名象之徵，不能讓你們那位父皇有過霸統武林的事實。」

田文秀點點頭，道：「不錯，咱們去吧！」突然抓起一柄利劍，在船底刺了幾劍，眼看湖水湧入艙來，才拉開艙門，行了出去。

容哥兒看他這怪異的舉動，心中雖然多疑，但卻忍下未問。

只見田文秀舉手一招，對兩個搖櫓大漢說道：「你們過來。」

兩個搖櫓大漢依言行了過去。

田文秀隨手帶上艙門，然後從懷中摸出一個玉瓶，倒出兩粒藥丸，道：「把這兩粒丹藥吃下去。」

兩個大漢也不多問，接過藥丸吞下。

田文秀道：「我們登岸之後，你們把快舟駛入湖中。」

兩個大漢應了一聲，退回後梢。

田文秀低聲對容哥兒道：「咱們走吧。」當先躍登岸上。

容哥兒緊隨田文秀身後登岸。只見快舟轉頭向湖心馳去。

容哥兒忍了又忍，仍是忍耐不住，問道：「田兄，你刺破舟底，讓湖水湧出，那是想沉去快舟了？」

田文秀道：「不錯，而且那兩個搖舟大漢，也服下了一種強性毒藥，一個時辰之內，毒發而死，快舟沉入湖底，兄弟留在人間的痕跡，也永沉湖底了。」

容哥兒歎息一聲，欲言又止。

田文秀輕輕咳了一聲，道：「咱們已入君山腹地，這是我來往的秘道，有著重重防守，外人很難進來。」

容哥兒抬頭看去，只見陽光滿山，已是辰時光景，當下說道：「此地距少林、武林兩派掌門人處，還有多遠？」

田文秀道：「不足二里，不過，沿途上埋伏甚多。」

容哥兒道：「埋伏於此地之人，都是些什麼人物？」

田文秀道：「自然是我們藥物控制的高手，這番生死大會，有我們那位父皇設計，我們四個公子，分頭執行，各有專司之責。」

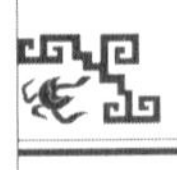

仰天吁一口氣，道：「他計畫周密，使我們四個人都無法了然全盤形勢，但他卻未料到一宵大變，使局勢全部改觀，這叫人算不如天算。」

語聲一頓，道：「不過，如非容兄，有這等豪壯之氣，冒名頂替張四，兄弟若被趙天霄和鄧二所害，此刻情勢又當別論了。」

容哥兒道：「時光已經不早，咱們得早些趕去，只是沿途上重重埋伏，田兄是否可以對付呢？」

田文秀道：「此區中人，都是趙大、鄧二指揮的屬下，能否順利通過，那要看容兄的機智了。」

容哥兒道：「在下雖冒充趙大，但不解內情，如何能夠應付，還要田兄才成。」

田文秀淡淡一笑，道：「我們四人統馭屬下，各有其法，也各有不同的暗記。」

容哥兒道：「那是說，我們通過之時，田兄也無法控制局勢？」

田文秀道：「沒有辦法。所以，要靠容兄。但就兄弟所知，暗號不及於首腦，他們縱有規定聯絡暗記，也不會及到趙大身上，只要你能沉著應付，就不難闖關了。」

容哥兒道：「既是如此，咱們只有靠運氣試試了。」

田文秀淡淡一笑，道：「容兄剛才看到兄弟對付屬下的手段了嗎？」

容哥兒道：「看到了。」

田文秀道：「容兄要和兄弟一般，對待他們愈是沉著冷酷愈好。」

容哥兒嗯了一聲，道：「好吧！如是兄弟做不出來，還要田兄從旁提醒。」

田文秀點點頭，道：「容兄請走前面，兄弟隨在後面。」

容哥兒應了一聲，舉步向前行去。

轉過一個山角，突然一聲低喝，傳入耳際，道：「什麼人？」

容哥兒停下腳步，道：「哪位當值？」

只見人影閃動，三個大漢由一塊巨岩後，閃身而出，攔住了兩人去路。

果然，三人看清容哥兒後，齊齊欠身作禮，垂手肅立，神態十分恭敬。

容哥兒心中暗道：「他們聽慣了趙大聲音，我如說話過多，必將露出馬腳，能不開口，就少開口的好。」

心中念轉，舉手一招，道：「過來！」

他無法辨認出這三人之中，哪一個是領隊，只好含含糊糊地招呼了一聲。

只見三人中那居中大漢，行了過來，緩緩說道：「主人有何吩咐？」

容哥兒心中暗道：「他稱我主人，那是說他是趙大的親隨了。」

當下問道：「此地局勢如何？」

那大漢微微一怔，抬頭望了容哥一眼，又垂下頭去，說道：「情勢變化，屬下已於昨日面報主人……」

只聽田文秀冷冷說道：「大哥的屬下辦事不力，依律該予處死！」

容哥兒怔了一怔，舉手一掌，拍了過去。

但聞啪的一聲，那大漢被容哥兒一掌擊中前胸，只打得口中噴出一股鮮血，身軀搖顫。

那大漢內功十分深厚，容哥兒一掌擊下，竟然未能將他震死當場。

只見那大漢伸出手來，指著容哥兒道：「你不是大……」

容哥兒第二招迅快遞出，砰然一掌，又擊在那大漢的前胸之上。

那大漢雖然武功甚好，但無法連續承受容哥兒兩度重擊，身子一搖，倒地死去。

容哥兒長長吁一口氣，暗道：「只因我一念之仁，幾乎露出了破綻。」

原來，他第一掌用出力道甚大，要擊中那大漢前胸之時，突生不忍之心，減了兩成掌力，未能把那大漢擊斃，如不是及時補上一掌，被那大漢叫出名字，勢必要露出馬腳不可。抬頭看去，只見另外兩個大漢，漠然而立，似是對容哥兒突然殺死屬下一事，漠不關心，毫無兔死狐悲，唇亡齒寒感覺。

田文秀低聲道：「咱們走吧。」

容哥兒望了那被自己震死的大漢一眼，沉聲說道：「收去他的屍體。」

兩個大漢應聲行了過來，收去那大漢屍體，轉身而去。

容哥兒目睹那兩個大漢轉入大岩之後，低聲對田文秀道：「就這樣簡單嗎？」

田文秀也低聲應道：「你第一掌，太仁慈了，幾乎使他傳出警訊。」

容哥兒道：「傳出什麼警訊？」

田文秀道：「我也不知道他們用什麼方法傳出警訊，但我知道他定有方法，也許是一枚竹哨，也許是一聲長嘯，我們兄弟之間的秘密，從來互不公開，不過，如是被傳出警訊，咱們恐再難行到和少林、武當兩派掌門人約定的會晤之處了……」

語聲頓了一頓，接道：「現在是做大事，做大事不拘小節，更不能心存婦人之仁，再要下手，希望再重一些，要一擊置於死命，不讓他有還手還口的餘地。」

容哥兒點點頭，道：「在下記下了。」

田文秀道：「向前走吧。」

容哥兒舉步向前行去，又行十餘丈，到了一個山口之處。

突然嗤嗤幾聲弦音，兩支長箭，掠著兩人頂門而過。

田文秀道：「容兄，這又是你的屬下，招呼他們現出身來。」

容哥兒低聲說道：「如是被他聽出我的聲音，不是趙大，豈不要露出馬腳？」

田文秀道：「世上沒有一個完善萬全之策，目下只有行險求全了。」

容哥兒點點頭，大聲喝道：「哪一位當値？」一面大步向前行去。

田文秀緊隨容哥兒身後，一面低聲說道：「記著這些人都受藥物所控，形同工具，不能以人性善良的尺度，對他們量衡。」

容哥兒心中暗道：「也許他說得不錯。」

心念轉動間，瞥見一個黑衣勁裝大漢，快步奔來抱拳一揖，道：「見過主人。」

容哥兒冷冷說道：「此地情形有何變化？」

那大漢望著容哥兒怔了一怔，道：「一切如常。」

容哥兒舉手一招，道：「你過來。」

原來，容哥兒已然瞧出那大漢聽出了自己聲音不對，動了懷疑。

那大漢望了田文秀，道：「這位是三公子。」

田文秀道：「不錯，你在大公子手下聽差多久了。」

那大漢道：「不足半年。」

田文秀道：「你神智很清醒啊。」

那大漢道：「在下得大公子提拔……」

容哥兒突然揮手一掌，拍在那大漢背心之上。

那大漢吐了一口鮮血，倒臥地上。

容哥兒回顧了田文秀一眼，大步向前行去。

兩人又越過幾道險關，到了一片淺山環繞的青草地上。

容哥兒抬頭看去，只見一個身披黃色袈裟的老僧，和一個長髯垂胸的道人，盤膝坐在草地之上。

四周一片寂靜，不見一個人影。

容哥兒心中忖道：「這局勢靜得有些出奇、可怕……」

田文秀突然快行兩步，到了容哥兒的身旁，低聲說道：「這兩位就是少林、武當的掌門人。」

容哥兒緩步行了過去，沉聲說道：「兩位老前輩，在下這廂有禮了。」

那身披黃色袈裟的和尚，緩緩睜開雙目，望了兩人一眼，道：「兩位是……」

容哥兒輕輕咳了一聲道：「咱們奉命而來，請教兩位……」

黃衣和尚淡淡一笑，道：「客氣，貧僧三思之後，決定不願造成大劫……」

語聲一頓，口氣忽變，道：「閣下是何許人？」

容哥兒心中暗道：「他忽然問起我的身份，那是說他未曾見過趙大了。」

心中念轉，口中說道：「大師和道長此番越渡生死橋，爲了何事？」

黃衣和尚道：「應人之約。」

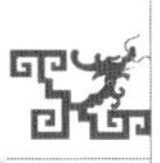

容哥兒道：「這就是了，大師又是何身份呢？」

黃衣和尚道：「貧僧少林寺方丈慈雲。」

容哥兒道：「少林寺的住持方丈，也就是少林派的掌門人了？」

慈雲大師道：「少林規戒，一向如此，凡是少林方丈，也就兼掌少林門戶。」

容哥兒目光掠過那道人身上，道：「道長是武當……」

那長髯道長接道：「貧道武當掌門人，法名三陽。」

容哥兒一抱拳，道：「原來是兩位掌門人，在下幸會了。」言罷，抱拳一揖。

三陽道長滿臉困惑之色，望了慈雲大師一眼，說道：「貧道和慈雲道兄商量之下，覺得目下情勢，大局已定，爲了武林保存一些元氣，因此貧道和慈雲道兄決定，下令本門弟子，停止苦鬥，不過，貧道和慈雲道兄，又深覺愧對我歷代師祖的重托，無顏再生人世。」

容哥兒接道：「兩位是否也身爲奇毒所傷？」

慈雲大師接道：「就貧僧感受而言，並未中毒。」

容哥兒目光轉到三陽道長的臉上，接道：「道長呢？」

三陽道長道：「貧道也未覺出中毒之兆。」

容哥兒冷冷說道：「兩位既然都未中毒，那是說還有搏鬥之能了？」

三陽道長一皺眉，道：「這話是何用意，貧道不解。」

容哥兒道：「在下之意明白，兩位適才說無顏再生人世，那是要以身殉道了？」

三陽道長道：「不錯。」

容哥兒道：「兩位既然決心要死，爲何不肯起而抗拒呢？」

這兩句話大出了三陽道長和慈雲大師的意外，兩個人齊齊睜大了眼睛，道：「施主之意是……」

容哥兒哈哈一笑，道：「少林、武當，乃武林正義象徵，如是兩位已降，整個武林，就算淪入了魔道，對嗎？」

慈雲大師道：「施主究竟是何身份？」

容哥兒道：「大師不用問在下身份，只需用心想想在下之言。」

三陽道長接道：「少林、武當兩門中弟子，十之八九，爲奇毒所傷，如若貧道等決心抗拒，必造成空前大劫。」

容哥兒哈哈一笑，道：「所以你們決心投降，但兩位又覺得愧對歷代先祖，所以，要以身相殉，是嗎？」

三陽道長道：「這又哪裏不對了？」

容哥兒冷冷說道：「兩位既然不怕死，不知世間還有什麼可怕之事？」

慈雲大師道：「老衲等害怕天下大部分中毒武林同道，全部毒發而死，使整個流傳武林千百年的武功，隨著那死去的武林高手，消失人間。」

容哥兒道：「兩位死後，又怎知我等肯放過天下那些中毒的武林同道呢？」

慈雲大師微微一怔，道：「咱們談好的條件，諸位又想變卦嗎？」

容哥兒道：「一個不擇手段，暗中施毒的人，諸位還想要他篤守信義嗎？」

慈雲大師雙目盯注在容哥兒的臉上，道：「閣下究是何許人？」

容哥兒道：「區區姓容。」

三陽道長道：「容施主是……」

容哥兒道：「在下和大師一樣，也不忍眼看天下武林同道毒發而死，使我中原武功，從此失傳，只是在下和諸位採取的手段不同。」

慈雲大師道：「容施主準備如何？」

容哥兒道：「起而反抗，正本清源，搏殺那施毒之人。」

慈雲大師道：「迄今爲止，老衲還無法找出那施毒之人，和老衲接觸的人，似乎都非主腦人物。」

容哥兒輕輕歎息一聲，道：「是的，這也是在下的苦惱之處，不過，咱們袖手論道，縱然能說得天花墜落，頑石點頭，也無補於大局。」

三陽道長雙目神光一閃，道：「高論如暮鼓晨鐘，發人深省，想必智珠在握？」

容哥兒道：「雖然談不上有什麼把握，但區區卻略知門徑，只不過，在下人微言輕，說出來，別人也是不肯相信。」

三陽道長道：「如若容施主相信我等，可否講給我等聽聽？」

慈雲大師道：「慢著。」

三陽道長道：「什麼事？」

慈雲大師道：「昨天和咱們談判之人，道長還記得嗎？」

三陽道長道：「記得。」

慈雲大師道：「和這兩位的衣著一般，唯一不同的是身形、語音。」

三陽道長道：「怎麼樣？」

慈雲大師道：「咱們未弄清楚對方真正身份之前，不能對人輕作承諾。」

三陽道長點點頭，道：「道兄說得是……」

目光轉到容哥兒臉上，接道：「此時形勢，有若使貧道等陷入雲裏霧中，容施主可否坦誠說個明白呢？」

容哥兒道：「奉邀兩位到此之人，不是在下，兩位定可辨別了？」

三陽道長道：「不錯。」

容哥兒道：「兩位可知他們爲何不來嗎？」

三陽道長道：「可是爲容施主等所傷嗎？」

容哥兒道：「正是如此，那邀約兩位的，都已經死去了……」

三陽道長道：「諸位衣著相同，又戴著人皮面具，有如霧中神龍，見首不見尾，真正身份爲何，使人無法了然，容施主若不肯說明內情，貧道實不願冒此大險。」

容哥兒回顧了田文秀一眼，歎道：「兩位老前輩也許一片仁慈之心，不過，你們把對手估計得太善良了……」

但聞田文秀冷冷接道：「容兄，此時此情，哪有時間和他們說明內情，再說，在這四周的山岩之後，還有著無數的敵人在監視著咱們，你也無法取下面具，和他們暢敘內情。」

容哥兒道：「這兩位掌門人，都存大慈大悲救世之心，看樣子很難說服他們了。」

田文秀大行兩步，逼近三陽道長，道：「兩位此刻，已沒有選擇的餘地了，非要聽我吩咐行事不可。」

話聲甫落，突聞步履之聲，傳了過來。

抬頭看去，只見張超、夏琪各帶四個隨身健僕，分由兩個方位而來。

田文秀一跺腳，道：「完了，一番口舌之辯，只怕要影響到整個大局了。」

慈雲大師道：「這不是你們的人嗎？」

容哥兒低聲說道：「來人武功高強，除非你協助，只怕我等難是他們之敵。」

田文秀道：「容兄，沉著一些，非不得已，不要和他們動手。」

容哥兒點點頭道：「田兄可有對付他們的辦法嗎？」

田文秀道：「試試看吧。」

慈雲大師望了三陽道長一眼，低聲說道：「道兄，這是怎麼回事？」

那慈雲大師雖是一代掌門之尊，但他對江湖中的險詐權謀卻是知曉不多，因為平常之日，少林寺掌門方丈，一呼百諾，不論什麼事，只要吩咐一聲就成，絕不用親自出馬，是故，很少知江湖中事。

夏琪、張超行到容哥兒、田文秀身側兩丈左右處，停了下來。

兩人已商量好拒敵之策，同時舉手一揮，隨行之人，立時分佈開，團團把容哥兒和田文秀圍了起來。

不過，這些人都保持了一定的距離，不致太過逼近兩人。

容哥兒心知這兩人武功高強，一旦動起手來，自己和田文秀的勝算不大，心中暗打主意，如若能不動手地把兩人嚇退，那才是上上之策。

只聽田文秀冷冷地說道：「你們到此作甚？」

張超道：「二公子不在嗎？」

田文秀一指容哥兒道：「兩位不認識他嗎？」

夏琪道：「很像大公子。」

田文秀冷冷說道：「不錯，你們見大公子，怎的毫無禮數？」

張超、夏琪四目投注在容哥兒的臉上，望了一陣，齊齊抱拳說道：「見過大公子！」

容哥兒緊記田文秀囑咐之言，裝得愈是冷威愈好，當下冷哼一聲，也不還禮。

夏琪輕輕咳了一聲，道：「二公子大駕幾時到此？」

田文秀道：「大公子在此，二公子來不來都一樣，兩位有事，只管說出來。」

夏琪臉色一變，道：「二公子約我等在此相會，自己怎可不來？」

張超接道：「諸位今日，如若還不履行承諾，我等實無法再為效命了。」

容哥兒心中暗道：「鄧二不知對他們許下什麼心願？」

但聞夏琪接道：「地下石府，已然有變，我等在九死一生之中脫圍而出，對生死之事，早已看得淡了。」

張超道：「如若那二公子再想以死亡威迫我等，只怕是難再如願了。」

田文秀道：「有趙大公子在此，兩位有什麼話，但請明說。」

顯然，那田文秀也不知道鄧二和兩人之間，訂下了什麼協議。

張超冷冷說道：「那鄧二公子約定今日交付我等解藥，何以竟然不肯履約。」

田文秀冷笑了聲，道：「我道什麼大事，原來只是為了解藥！」

張超道：「閣下帶來了？」

田文秀道：「不錯，解藥現在我身上，但你們來此，難道只為取得解藥嗎？」

夏琪道：「咱們答應過的事情，自是不會抵賴，閣下交出解藥，咱們自然會依約行事。」

其實田文秀根本不知道鄧二和兩人相約何事，但此情此景之下，只好硬起頭皮，冷冷說道：「兩位似乎應該先完成約言，我再交付解藥不遲。」

夏琪、張超相互看了一眼，齊聲說道：「好！咱們就此一言爲定，我等辦完事情，請閣下立刻交付解藥？」

田文秀點點頭，道：「那是自然。」

夏琪突然舉手一揮，隨行之人，同時亮出兵刃。

張超縱身一躍，逼近慈雲大師，夏琪卻行向三陽道長。

目睹此情，容哥兒已心中了然，鄧二約夏琪、張超到此，爲了怕慈雲和三陽道長不肯就範，動起手來，特約兩人來此，準備對付兩人。

張超行近慈會大師之後，冷冷說道：「你是少林掌門慈雲了？」

慈雲大師道：「不錯，老衲正是慈雲。」

張超道：「目下江湖情勢，大師十分了解了？」

慈雲大師道：「不錯。」

張超道：「那很好，大師是否準備作最後一戰？」

慈雲滿臉迷惘，道：「此言何意？」

張超道：「大師如能認清大局，當知掙扎無益，你武功再高，也無法和身中藥毒抗拒，還不如束手就縛算了。」

慈雲大師道：「老衲並無和諸位動手之心。」

容哥兒舉步行了過來，道：「這和尙口不應心。」
張超突然回過臉來，說道：「這話怎麼說？」
容哥兒道：「兩位未來之前，這和尙還有不服之意。」
張超道：「此話當真嗎？」
容哥兒道：「不錯，閣下不信，不妨問問這位大師。」
容哥兒突然出手一指，點向張超的背心「玄機」要穴。
張超武功高強聞聲警覺，身子一側，避開要穴。
但他卻無法完全避開，被容哥兒一指點在肩後。
那張超果然有著過人的武功，雖被容哥兒點中一指，但因未傷到要穴，身子竟然未倒下，容哥兒迅快地又補上一掌。
張超中了一指，雖然未倒下去，人卻疾快地轉過身子。容哥兒掌勢迅快，剛好一掌擊到。
但聞砰然一聲，掌勢正擊在那張超的前胸之上。
這一掌勢道雄渾，只打得張超張嘴吐出一口鮮血。
只見那張超身子搖動，但卻仍然未倒下去。
容哥兒心中暗道：「這人好深厚的功力。」心中念轉，又是一掌劈了出去。
就在容哥兒第二掌劈出之時，突見人影一閃，夏琪陡然欺身而上。田文秀一橫身子攔住了夏琪的去路。
夏琪右手一抬，一招「飛鈸撞鐘」，直向田文秀劈了過來。田文秀右手一抬，硬接一擊。
只聽砰然一聲大震，田文秀整個的身軀，吃那夏琪一掌，震得向後連退了三步。

但這一耽誤，那容哥兒第二掌，又劈中了張超的前胸。

張超武功雖高，也無法承受容哥兒兩掌一指。只見張超身子一搖，摔倒地上。

容哥兒擊倒張超之後，右手一抬，拔出長劍，攔在夏琪身前。

夏琪一掌擊退田文秀，正待再度揮掌擊出，容哥兒已然仗劍擋在身前。

三陽道長和慈雲大師看他們忽然自相殘殺起來，心中大感奇怪，一時之間，兩人倒也不知該如何應付才好，茫然相互望了一眼，只好靜坐觀變。

大變之後，夏琪突然冷靜了下來，望了張超一眼，緩緩對容哥兒說道：「閣下是何許人？」

這時，夏琪、張超隨來的屬下，雖然已拔出兵刃，但因未得主人之命，仍然團團圍在四周，沒有出手。

容哥兒肅然說道：「你雖不認識我，但我認識閣下是地下石府中四大將軍之一，鄧玉龍老前輩費盡心血，造就了你們四位絕世武功，希望你們代他行道，想不到你們四人竟然是仗以濟惡。」

夏琪厲聲接道：「閣下不是大公子，究竟是何許人物？」

容哥兒冷笑道：「你不用管我是誰，但此刻是你最後一個改過向善的機會……」

夏琪冷漠一笑，道：「好！在下姑妄聽之。」

容哥兒道：「整個武林正面臨著從未有過的大劫。」

夏琪道：「這個在下早已知道了。」

容哥兒道：「夏兄知曉，兄弟也不用再解說了，夏兄等得那鄧老前輩絕世武功，受他重托，以維護武林正義自任，但爾等不但未能履行承諾，反而濟惡造成大劫，如非你們四大將軍以絕世武功助他，諒他也無法在極短時間內，造成這等局面。」

夏琪道：「那是因爲老夫也遭劇毒所害，不得不爾。」

容哥兒道：「你認爲你幫助他完成霸統武林大業之後，他會爲你解毒嗎？」

夏琪怔了一怔，道：「他承諾之言，豈有不守信諾之理？」

容哥兒道：「如若他肯守信諾，那就給閣下解藥了。」

夏琪沉吟了一陣，道：「閣下究竟是何身份？還望先能見告，在下才能考慮。」

容哥兒心中忖道：「他和我有過過節，我如以本來面目和他相見，他定然是不肯相信。」心中念轉，一時間，不知該如何回答才好。

但聞夏琪接道：「閣下如若不肯說出姓名身份，在下自是難以相信了。」

田文秀經過一陣調息，身體大見好轉，冷然接道：「那鄧二失約不來，不替兩位送上解藥，難道還不夠嗎？」

夏琪望了臥在地上的張超一眼，道：「兩位既然勸在下改過自新，不知何以竟然要先傷了在下的同伴？」

容哥兒道：「這是情非得已。」

夏琪道：「怎麼說？」

容哥兒道：「兩位武功太強了，我等一對一和兩位動手，絕非其敵……」

夏琪接道：「暗施算計，豈是俠義行爲？」

容哥兒道：「爲了大局，那只好不拘小節了。」

夏琪道：「聽你口氣，咱們似乎是見過面？」

容哥兒道：「見過。」

夏琪道：「既然已經見過，閣下怎的還不願以真正面目相見？」

容哥兒道：「如若閣下答允棄邪歸正，在下就取下面罩。」

夏琪道：「我先認出閣下身份之後，才能決定。」

田文秀突然接口說道：「你就算不答應，也難是我等之敵，容兄弟不妨取下面具，讓他見識一下。」

容哥兒心中原有苦衷，但田文秀既然講明了，只好舉起左手，緩緩脫下面具。

夏琪望了容哥兒一眼，駭然說道：「是你。」

容哥兒輕輕歎息一聲，道：「咱們動手吧！我知道，我如露了真正的面目，你決然不會再相信我的話了。」

夏琪道：「爲什麼？」

容哥兒道：「先入爲主，咱們有過一次敵對，自然是很難使你相信了。」

夏琪緩緩說道：「你冒險闖入地下石府，也是爲了此事嗎？」

容哥兒道：「一天君主選擇此地，做爲舉行求生大會之地，天下英雄，都將聚會於此，在下等挽救這次劫難，也混來此地，但我們發覺了所謂的一天君主，並非是固定的某一個人，他只不過是一個被人利用的徵象，真正幕後，還有惡毒的魔頭操縱，用奇毒和女色，征服了中原武林同道……」

夏琪接道：「所以，你找上了地下石府？」

容哥兒道：「如是在下的推斷不錯，在此舉行求命大會一事，已徵得你們四大將軍的同意。」

夏琪怔了一怔，點頭說道：「不錯，在下等事先已知此事。」

容哥兒冷冷說道：「中原武林同道，勾心鬥角，逐鹿名利，授人以可乘之機。」

慈雲大師高宣了一聲佛號，道：「此話似是別有所指。」

容哥兒道：「不錯，此一番武林中逐鹿爭霸之戰，似是和以往有些不同。」

慈雲大師道：「哪裏不同？」

容哥兒道：「那暗中施毒之人，不但用心在控制武林同道，而且還似要使中原武功從此消失。」

三陽道長怔了一怔，道：「無量佛，善哉，善哉！容施主可否再說明白一些？」

容哥兒道：「據在下所知，這一次我武林同道，中毒之廣，人數之眾，幾乎網羅了所有的有名人物，而且所中之毒，隔時發作，每次發作都要服用解藥，奇怪的是每服用一次解藥，中毒就更深一層，是否世間真有解藥，目下還未能證實。」

慈雲大師道：「不錯啊。」

容哥兒接道：「因此，在下想到，如若只是我中原武林同道互爭霸主之權，那就不至於下此等毒手，也用不著在這等廣大之人身上下毒。」

夏琪心中一震，道：「閣下之意是……」

容哥兒道：「我懷疑這是一國對一國的陰謀，準備先行設法消滅我武林中人，然後再占我山河，役我同胞。」

慈雲大師點點頭，道：「有此可能，容施主有線索嗎？」

容哥兒搖搖頭，肅然說道：「此刻，在下還未查出內情，不過就情勢而論，這推斷絕然是不會錯了。」

夏琪一皺眉頭道：「有這等事？」

容哥兒道：「閣下可以想想，如若是一般的武林同道爭名奪利，怎會用此等惡毒手段，毒傷了武林中大部人物？」

夏琪道：「有些道理……」

田文秀道：「這次求生大會在他的預計之中，那就算征服了整個武林人物，從此之後，江湖上武林人物，都在他號令之下了。」

容哥兒接道：「數年之後，武林中各大門派，也都星散人間，中原道上，再也無會武功的人了。」

夏琪道：「爲什麼？」

容哥兒道：「因爲會武功的人，都將毒發死去，無人再傳授下代弟子。」

慈雲大師突然一瞪雙目，神光有如冷電，逼注田文秀臉上，道：「此話當真？」

田文秀點點頭，道：「不錯，因爲中毒之人，所服用的解藥，並非是真正的解藥，而是一種飲鴆止渴的辦法，服用一次解藥，那毒性就加重一些，人的武功，在奇毒侵襲之下，慢慢地消退，最重要的是精神上和心理上的折磨。」

慈雲大師輕輕歎息一聲，道：「好惡毒的手段。老衲長年受我佛慈悲薰陶，也不禁要動嗔念了。」

三陽道長神情肅然地說道：「道兄，情勢確然有些不對了，這位容施主說得不錯，如是武林中一般爭霸爭權之爭，絕不會施展這等惡毒的手段，看來，還不止關乎我們武林同道命運，天下蒼生，都被牽入這場大劫了。」

慈雲大師點點頭，道：「咱們不能爲他所愚，束手就戮了。」

田文秀道：「就是兩位願爲所用，也無法挽回那中毒武林同道性命。」

夏琪突然仰天長嘯，其聲淒涼、悲壯，直衝雲霄，似是要借這一聲長嘯，盡洩內心中的悲忿。

慈雲大師道：「這位田施主既是說過，中毒之人並無真正解藥可治，縱是能夠抓住那位父皇，也不知是否有用。」

夏琪道：「依大師之見呢？」

慈雲大師怔道：「依老衲之見，這個……這個……」

顯然這位掌門人也並未想到什麼辦法，故而夏琪這一反問，他一時之間，竟是無話可答。

田文秀忽然笑道：「唯一之法，只有保存武林下一代的實力，化整爲零，暫不露面江湖。」

容哥兒冷笑道：「好主意，這與向你那位父皇投降又有什麼差別？」

田文秀道：「容兄，這差別可大著啦。」

容哥兒道：「願聞其詳。」

田文秀道：「咱們剛才曾想到，會武功的人物，都可能在那父皇的毒藥日益侵蝕下，變成了不會武功，如趁此時機多傳上幾個弟子，命令他們暫時不得露面江湖，等到那父皇一死，他

們再行開宗立派，重整雄風，不等於替武林保留了元氣嗎？」

容哥兒道：「田兄高見，在下倒是領教了。」

語聲一頓又道：「但不知這區區十天的時間，又能傳得了幾名弟子？田兄，只怕你是白說了這番高論了。」

慈雲大師微微一笑，道：「容施主說得是……」

目光一掠夏琪，接道：「夏施主能夠懸崖勒馬，棄邪歸正，咱們還有可爲。」

突然站起身子，行近張超，探手從懷中取出了一個玉瓶，打開瓶塞，倒出了兩粒補藥，放入張超口中，接道：「施主請吞下此藥，此乃我們少林寺中療傷聖品，除了不能解毒之外，療傷卻是神效異常。」

張超受傷雖然不輕，但對他們一番對答之言，仍是聽得甚是清楚，當下微微點頭，吞下靈丹，目光中滿是謝意。

容哥兒忽然轉臉望了田文秀一眼，道：「田兄，兄弟倒是想到一個法子，不知是否有用？」

張超道：「什麼法子？」

容哥兒道：「在下可以扮做趙大，這位夏兄和大師，似也可以改做鄧二、張四。」

田文秀道：「是了，容兄之意，可是找四位武林高手，扮做我們四公子。」

容哥兒道：「不錯，平常之人，也無法接近你們那位父皇，眼下，咱們已然了解敵情，處境和過去那等盲人騎瞎馬的情勢，大不相同了，只要能生擒你們那位自稱父皇的神秘人物，才可收拾一局殘棋。」

三陽道長道：「就此刻情勢而言，此計確不失爲上策。」

田文秀道：「問題是我等見他之前，也同樣要失去武功。」

目光轉動，打量了幾人一眼，接道：「還有一件事，使在下擔憂。」

慈雲大師道：「什麼事？」

田文秀道：「我等雖有面具，可掩飾真正面目，但諸位的身材，和鄧二、張四等，卻有很多不同之處，以他爲人的慎密，豈有瞧不出來之理。」

語聲一頓，接道：「他如當面揭穿，咱們還可放手和他一搏，如是他裝作不知，先讓咱們失去武功，那豈不是任他宰割了嗎？」

談話之間，突聞一聲步履聲，傳了過來。

慈雲大師低宣一聲佛號，道：「老衲一生中從未殺過一人，今日，要開殺戒了。」

這位少林方丈語聲一落，果然滿臉上泛現一片殺機。

容哥兒暗道：「少林武功，名震江湖，他既爲少林掌門，必已得真傳，不知來的是何許人物，要一試這位高僧掌勢了。」

心念轉動之間，身著黑衣的水盈盈，已然疾奔而至。

只見慈雲大師右掌微揚，似是要推出掌力。

容哥兒心中大急，一橫身，攔在慈雲大師身前，低聲說道：「大師不可發掌。」

水盈盈來勢匆急，直衝到容哥兒身前，才停下腳步。

抬頭望容哥兒一眼，突然一揚右手，點向容哥兒前胸，口中冷冷道：「我寧死，也不願再聽你們擺佈了。」

容哥兒知她把自己誤認趙大，縱身避開，說道：「江二姑娘，在下容哥兒。」

水盈盈收了右掌，奇道：「你是容哥兒？」

容哥兒取下面具，道：「正是在下。」

水盈盈奇道：「你怎麼戴了趙大的面具？」

目光轉動，望了田文秀一眼，道：「三公子。」

田文秀微微一笑，道：「四夫人。」

水盈盈冷笑一聲，道：「容哥兒，這位三公子，在四公子中最富心機，和那趙大分庭抗禮，咱們先合力殺了他再談不遲。」

容哥兒搖頭說道：「多虧他幫忙，我們才能搏殺趙大，殺死鄧二。」

水盈盈眨動一下大眼，道：「那是說，他也棄邪歸正了？」

容哥兒接口道：「大變於俄傾之際，能阻止這場大劫全仗他之力了……」

水盈盈接道：「楊三陰沉多智，不可相信，你是否已知曉他真正的身份了？」

容哥兒道：「在下已見過他真正面目了。」

水盈盈道：「他究竟是誰？」

田文秀接道：「容兄，咱們相約有言，希望容兄能夠遵守承諾。」

容哥兒道：「楊兄放心。」

目光轉到水盈盈的臉上，說道：「我已經答允過楊三兄，不洩露他真正身份，這還要姑娘原諒了！」

水盈盈沉吟了一陣，道：「那趙大、鄧二，都是他幫你殺的嗎？」

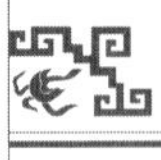

容哥兒道：「是的，在下可以奉告姑娘，如非楊兄相助，此刻大局早定，回天乏力了。」

田文秀接道：「江二姑娘匆匆來此，必有大事奉告，容兄怎不快些問個明白？」

容哥兒心中暗道：「不錯！」

不容那水盈盈多問話，接口說道：「那位張四公子呢？」

水盈盈道：「死了。」

田文秀道：「屍體呢？」

水盈盈道：「我把他埋起來了。」

田文秀哈哈一笑，道：「他死得很値得，有你這樣紅粉知己爲他收屍，死也瞑目了。」他雖然是縱聲而笑，但笑聲中卻充滿著淒涼悲傷。

水盈盈雙目中迸出了忿怒的火焰，冷冷說道：「你們那麼可恨，憑藉著藥物，不知糟蹋了多少少女的貞潔，揉碎了她們的心。你們卻陶醉其中，恣欲縱情，如論你們的罪惡，當真是死有餘辜，就算碎屍萬段，也不爲過……」

田文秀道：「是的，在下想不通的是，姑娘竟然還埋了他的屍體。」

水盈盈道：「唉！我心中雖然恨他入骨，但他究竟是第一個得到我的男人啊！」

田文秀道：「女人心就是這樣矛盾，恨中有愛，愛中有恨，無法叫人明白。」

水盈盈長吁一口氣，道：「如今他已經死了，但他在未死之前，卻做了一件好事，我就爲此趕來……」

容哥兒接道：「什麼事？」

水盈盈道：「他們那位父皇遣人送上一封書信，那時他本已難再支持，但聽得那相約暗訊

之後，掙扎而起，拚耗最後一口氣，和那人見了面，取得書信，在燈火下拆閱之後，要我匆匆趕來此地，將此信公諸趙大、鄧二的面前，或可使他們及時悔悟。」

田文秀接道：「那信上寫的什麼？」

水盈盈道：「我沒有看，他一迭連聲催我快來，我就匆匆趕來，但當我正要離開時，他已不支倒地，氣絕而逝。因此，我只好帶著他的屍體，把他埋了起來。」

容哥兒道：「那書信在姑娘身上嗎？」

水盈盈探手從懷中摸出一封書簡，遞了過去，道：「書信在此。」

容哥兒拆開封簡，只見上面寫道：「趙大、鄧二勾結為患，楊三孤芳自賞，不馴，惟爾生性誠厚，忠於為父，少林、武當兩派掌門人就範之後，武林大局底定，爾可暗中下手，施放毒針，一舉而除去三人，日後承吾大業，自非爾莫屬了。」下面署名父皇手示。

容哥兒看完書信之後，緩緩交給田文秀道：「如若趙大、鄧二未死，你們父皇這一道手諭，也許能使他們好夢清醒了。」

田文秀接過書信，看了一遍，道：「果然是手段惡毒，可惜那趙大、鄧二，未能親見手諭，死得實在遺憾！」

容哥兒輕輕歎息一聲道：「把這信拿給兩位掌門人和夏將軍瞧瞧，讓他們知道咱們並非是信口胡言！」

三陽道長接過信箋，夏琪和慈雲大師同時探過頭去，瞧了一遍。

夏琪怒聲道：「這自稱父皇的究竟是何許人物，區區如能見他，非把他碎屍萬段不可！」

四八　英雌天下

三陽道長望了慈雲大師一眼，道：「道兄，咱們殺來殺去都是自相殘殺，那真正的敵人，卻隱身在幕後，不肯現身，咱們早該想到此事……」

田文秀道：「不錯，以你們少林、武當兩派在江湖聲譽之隆，人手之眾，如若稍有準備，本不難阻止此事，但你們卻故步自封，不肯留心天下大事。」

慈雲大師道：「老衲有一樁事，想不明白，請教閣下？」

田文秀道：「什麼事？」

慈雲大師道：「我少林寺，一向規戒森嚴，就算用毒高手，也不易在少林寺中施展手腳，不知你們如何毒倒了我寺中大部高僧。」

長長歎息一聲，道：「目下我寺中僧侶，除了極少人之外，大都爲毒藥所傷了。」

田文秀道：「在下雖然奉命對付你們少林派，但卻對我們那位父皇手段，知曉無多，以少林寺守護之嚴，如若不是寺中之人，絕難在寺中施放奇毒，只要你留心想想，也許能找出可疑線索。」

慈雲大師沉吟了一陣，道：「老衲想不出，本寺清規森嚴，層層監督，除了幾位長老，行動稍有自由之外，任何人有何舉動，都無法逃過監視。」

田文秀道：「若我們來找，也一樣要一個身分較高、行動自由之人，施放毒物。」

慈雲大師歎息道：「但他們都是長老身分，對我寺中立過大功之人……」

田文秀接道：「如若許他以重酬、高位？」

這位很少在江湖上走動的高僧，仍似有些不解，說道：「位居長老，已算高位，還要如何呢？」

田文秀道：「如若要他接你的掌門方丈之位，算不算高位呢？」

慈雲大師一怔，道：「不錯，一寺中可有十位、二十位長老，但只有一位方丈。」

田文秀道：「如今說亦無益，眼下最爲要緊的一樁，是借大師的聲望，號召弟子，重行反擊。」

慈雲大師接口道：「解救大厄，最具體的一件事，就是設法取得解藥……」

田文秀道：「這個在下也知道，但就目前在下所知而言，解藥是否存在，大成疑問。」

三陽道長接口道：「醫道之理，能夠毒人，必有解藥，至少它有配方……」

夏琪接道：「不錯，如是他誤服了毒藥之後，又如何解救呢？」

容哥兒道：「總結一句，如若能夠取得解藥，天下大厄，片刻可解。」

夏琪冷冷說道：「這個誰都知道，但問題是那解毒之藥在何處？」

三陽道長突然長長歎息一聲，道：「這是一個死結，可惜是咱們知曉的太晚了，沒有時間去仔細分析、推索……」

語聲一頓，接道：「但貧道的想法，天生萬惡，必有克制之法，只要能夠造成毒藥，就必能製出解藥。」

田文秀突然把目光轉到水盈盈的臉上，一直瞪著眼睛瞧看。
水盈盈被他看得大爲不安，說道：「你瞧著我幹什麼？」
田文秀輕輕咳了一聲，道：「在下看到姑娘，想到一件事情。」
但聞水盈盈說道：「什麼事？」
田文秀道：「在下先問姑娘一事，還望姑娘據實回答。」
水盈盈道：「你問吧？」
田文秀道：「你見過我們那位父皇嗎？」
水盈盈目光中，突然泛現出一種羞意，緩緩垂下頭去，低聲應道：「見過。」
田文秀道：「在下也聽過我們那位父皇談過，他說姑娘之美，可謂人間絕色。」
水盈盈歎息一聲，道：「但已被毀容了啊，還有什麼絕色可言！」
田文秀道：「如若他早見姑娘之美，也許不會毀你之容了……」
語聲微微一頓，接道：「姑娘在何時何地，和我們那位父皇相見？」
水盈盈道：「在一個風雨之夜，張四不在，他遣人找我，到一座美麗的巨舟之上……」
田文秀說：「他說什麼？」
水盈盈道：「他問我，若要我去服侍一個天下最醜的男人，不知我是否願意？」
田文秀道：「姑娘怎麼說？」
水盈盈道：「我說賤妾已委身四公子，此生此身，已爲他所有，雖然我恨他，但我不能再侍另一個男人。」
田文秀沉吟了一陣，道：「我們那位父皇，有何反應？」

水盈盈道：「他問我願不願恢復過去的真正美麗。這句話如杵撞心，我沒有思索就答應願意。」

田文秀道：「以後呢？」

水盈盈道：「他要我仔細地想想，如若我願長伴一個既醜陋又終年纏於病榻的男人，他可以設法恢復我美麗之容。」

容哥兒只覺腦際靈光連閃，失聲叫道：「要你伴一個長年臥病的醜陋男人？」

水盈盈道：「是的，但我想想，沒有答應他。」

田文秀道：「姑娘聰慧絕世，又和張四談不上夫妻情意，何不將計就計呢？」

水盈盈道：「因爲，他還有一個條件，使我無法答允。」

田文秀道：「什麼條件？」

水盈盈道：「他要廢去我武功，永遠陪伴那人，我已失去了美麗，不能再失去武功。」

夏琪暴躁地叫道：「在下毒性即將發作，你們既知那位父皇是罪魁禍首，咱們設法找他才是，爲什麼卻談起了這些兒女情事來？」

田文秀冷冷說道：「剝繭必得抽絲，挖樹要設法找根，枝枝葉葉雖無補大局，咱們此刻所談，正是在覓根究源。」

夏琪道：「在下聽不出你們談的事，於大局有何補益？」

田文秀道：「簡單得很，咱們想找出那位自稱父皇人物的真正身分……」

慈雲大師突然從懷中摸出一個玉瓶，倒出兩粒丹丸，低聲對夏琪說道：「這是少林寺去毒神丹，雖然不能除你身上之毒，但卻可延遲毒性發作，施主先請服用。」

夏琪望了慈雲一眼，接過丹丸服下。

三陽道長插口接道：「女施主拒絕那位父皇之求，那人有何反應？」

水盈盈道：「他冷笑一聲，就遣人送我回來。」

田文秀道：「那時，他正在用人之際，不便對你下手，開罪了張四，影響大局。」

容哥兒道：「如若姑娘說的字字真實，從口氣不難聽出，欲使姑娘終生常伴之人，並非是那位自稱父皇的本人。」

夏琪道：「不是本人是誰呢？他經過易容，自然你們瞧不出他的醜陋了。」

容哥兒道：「至少他不是終年臥榻……」

語聲一頓，接道：「那人必然是他最關心、最親近之人，只有父母之心，才肯如此。」

田文秀一皺眉頭，接道：「容兒之意，可是說我們那位父皇還有一個兒子？」

容哥兒微微一怔，道：「這個，在下只不過是這麼想罷了。」

慈雲大師道：「虎毒不食子，只有天下父母心，才肯爲子女思慮得這般周全。」

田文秀道：「在下和容兄講過一件事，容兄還記得嗎？」

容哥兒道：「什麼事？」

田文秀道：「在下懷疑那位父皇，不是一位男人。」

夏琪道：「他如是女人，爲什麼要自稱父皇呢？」

田文秀道：「這樣才使人有些混淆不清。」

夏琪啊了一聲，道：「原來如此！」

三陽道長突然站起身子，道：「坐而言，不能起而行，對大局有何補益？」

慈雲大師道：「我少林派中，還有幾位長老，未曾中毒，他們原想追隨老衲來此，但老衲卻想爲我少林寺留下一點元氣，勸他們遁跡深山，苦練武功，日後待機而起，但如情勢有變，老衲等還有幾個可用之人。」

田文秀道：「那很好。」

三陽道長道：「我武當門下，還有三個弟子，未曾中毒。」

目光轉注到三陽道長的臉上接道：「道長，貴門中還有什麼可用之人？」

田文秀道：「那三人武功如何，現在何處？」

三陽道長道：「武功十分高強，都已得武當劍術真傳。」

望了望慈雲大師一眼，道：「貧道也和道兄一般，想爲我武當門中，留下一點實力，因此，指命他們遁跡深山，保命求全。」

田文秀道：「貴門中餘下的幾個高手，恐怕是我們唯一可用之人，須設法找到他們才成，唉！如是他們已遵從兩位掌門之命，遁跡而去，咱們就要憑仗眼下幾人之力，對付強敵。」

慈雲大師道：「我少林門下，並未去遠，老衲可在一個時辰之內找到他們。」

三陽道長望望天色，道：「我武當派中人，要日落時分才會離開，此刻時光還早。」

田文秀道：「那很好，請兩位掌門人快召請他們來此。」

慈雲大師緩緩說道：「不用找他們來此地了，諸位約一個會面之地，老衲等直接帶他們在約定之地相會。」

田文秀道：「此事關係著整個武林的命運，也許和整個蒼生有關，希望大師言而有信。」

慈雲大師道：「少林派中戒律有戒誑一條，老衲既然答應了，豈有失信之理？」

田文秀道：「好！咱們就此一言爲定……」

目光轉到三陽道長道：「道長之意呢？準備如何？」

三陽道長道：「貧道和慈雲道兄一般行動，咱們約好一處地方，準時會面。」

田文秀道：「今晚初更時分，咱們在五龍廟大殿之中會齊。」

慈雲大師搖搖頭道：「不成！」

田文秀道：「爲什麼？」

慈雲大師道：「我等來此之時，暢行無阻，但離此之時，只怕無此可能了。」

田文秀回顧了夏琪一眼，道：「夏兄，可否送他們安全離開此地？」

夏琪長歎一聲，道：「在下解毒之藥已服完，今朝就要毒發，只怕無能再支持下去了。」

水盈盈道：「我有解藥。」

夏琪道：「那很好，快些拿來。」

水盈盈探手從懷中摸出一瓶藥物，道：「這藥物不治你毒傷，且只有使它逐漸加重，效用只能解一時之危。」

夏琪道：「這一瓶解藥，可使我四將軍多活上數日時光，如是在這數日之中，還找不到解藥，那只有認命。」伸手接過解藥，打開瓶塞，當先吞下一粒。

倒臥在地上的張超，突然接口說道：「夏兄，給我一粒。」

夏琪道：「你身上受傷未癒，這藥只解毒，不能療傷。」

張超道：「我知道，兄弟已覺得腹內奇毒似要發作。」

夏琪打開瓶塞倒出一粒解藥，放入張超口中，道：「好，你快吞下去。」

張超吞下解藥，長長吁一口氣，自言自語道：「希望我傷勢早好，能夠會會那下毒之人。」

夏琪服下解藥之後，精神大振，望了慈雲大師和三陽道長一眼，道：「大師、道長，咱們走吧。」

慈雲大師道：「希望能夠按時趕到。」

隨夏琪、張超進來之人，這時分成兩路，四個隨夏琪而去，四個留下保護張超。

田文秀望了張超一眼道：「閣下的傷勢如何？」

張超抬頭打量了田文秀一眼，緩緩說道：「還未完全復元。」

田文秀道：「如是此刻，有人要殺你，你是否還有抗拒之能力？」

張超道：「有！如是在下拚死還擊，或可和那殺在下之人同歸於盡。」

田文秀道：「那很好，閣下既然還有還擊之力，那就請留在此地。」

張超道：「留此作甚？」

田文秀道：「你有四位屬下，可供調遣，渡過這生死橋的少林、武當兩派弟子，人數甚眾，閣下遣人去找幾件袈裟、道袍，不算難事，你就從四個屬下中，選一人扮做少林掌門，閣下著道裝扮做三陽道長，餘下之人，請他們埋伏石後，但不要相距太遠，以便聽你招呼之後，出手助你。」

張超道：「閣下之意，是……」

田文秀道：「爲你借箸代籌，因你傷不輕，不適行動，易容療傷，藉以掩護，閣下幾時覺得傷勢好轉，就可以離開此地了。」

張超道：「目下這君山之中，十分複雜，各門派的人物都有，在下留此，只怕要引起誤會。」

田文秀道：「這裏情勢雖然複雜，但閣下別忘了，他們都在藥毒控制之下，大都是聽憑宰割而來，閣下留此，藉機養傷，如你自覺傷勢已好，自然可以離去了。」

也不待張超答覆，目光一掠容哥兒和水盈盈道：「咱們走吧。」轉身向前行去。

容哥兒、水盈盈，隨在田文秀身後，一口氣轉過了兩個山彎。

容哥兒停下腳步，道：「田兄。」

田文秀重重咳了一聲，道：「兄弟姓楊。」

容哥兒知他不願水盈盈了解他真正身分，轉口說道：「楊兄把那張超留在那裏，可有特別的用意嗎？」

田文秀道：「沒有……」語聲微微一頓，接道：「此後時光有什麼變化，咱們都無法了解，但我想那位父皇和趙大、鄧二之間，必有一種特定的聯絡法，咱們殺了趙大、鄧二，卻忘記逼問他們聯絡辦法了。」

容哥兒道：「這和張超留在那裏假充少林掌門和三陽道長，有何關連嗎？」

田文秀道：「自然有關了。」

仰臉長長吁一口氣，接道：「趙大、鄧二都已死去，自然再無人知曉那聯絡之法了，如若那父皇遣派有人，久久不見聯絡，自然會找上門去，那時，有他們兩人假扮做慈雲和三陽道長，或可掩人耳目一時……」

水盈盈接道：「他們難道不會被人發覺嗎？」

田文秀道：「自然會，但那正是咱們期待之局。」

容哥兒道：「爲什麼？」

田文秀道：「因爲，他發覺之後，必然警覺有變，但趙大和鄧二已經死去，無法尋找他們，自是最先尋到張四……」

容哥兒急急接道：「不錯，他們要先找張四，那時，不用咱們費心，自然可以見到那位父皇了。」

田文秀搖搖頭，道：「不一定能夠見到那父皇，但至少可以知曉他在何處。」目光轉注到容哥兒的臉上，道：「容兄，這要看你的膽氣了。」

容哥兒道：「要在下假冒張四？」

田文秀道：「正是如此。」

容哥兒道：「好，爲了挽救武林大劫，赴湯蹈火，在下萬死不辭。」

田文秀道：「容兄有此豪氣，兄弟是深信不疑，不過，必得詳密的計畫才成，咱們此番之計，是只許成功，不可失敗。」

容哥兒道：「楊兄有何高見？」

田文秀道：「我們那位父皇，狡猾無比，而且以他自恃之尊，雖然驚悉大變，也不至親臨小舟找你，但除了我們四公子外，他別無心腹，料想他必會派人找你。」

容哥兒點點頭道：「大概是如此了。」

田文秀道：「你如隨那人同去，自然可以見到父皇，不過，在他驚變之後，必然有著很妥

善的準備，你必須有著抗拒他們的信心，不過，在下所說的信心，並非指武功而言，而是說一個人的心機，能夠隨機應變。」

容哥兒道：「多謝指教，兄弟記下了。」

田文秀目光轉到水盈盈的臉上，道：「如若容兄冒充張四之名，唯一能隨他身側，幫助他的，只有姑娘了。」

水盈盈點點頭，道：「好吧！我跟他同去。」

田文秀道：「那是最好不過，容兄本來還將爲人所疑，但如有姑娘同行，就不至於啓人疑竇了。」

水盈盈道：「閣下呢？你分配了我們的工作，你自己做什麼？」

田文秀道：「我麼？去會合少林、武當兩派掌門人，然後再設法去接應你們。」

水盈盈道：「接應我們？」

田文秀道：「不錯，兩人去時，請一路留下暗號，在下如若能夠說服兩派人物，將一路追蹤兩位，找尋那父皇存身之處。」

容哥兒道：「好吧！不過，要是事出意外，那父皇並未派人找我們呢？」

田文秀道：「那麼，各位就留舟上，在下和兩派人物見面後，有了結果，就設法找你們。」

容哥兒道：「如若三更之後，還無消息，也不見楊兄來找，我就離開小舟了。」

田文秀道：「好！那時，兩位趕往咱們定下約會之處，看看兄弟是否還活著……」

語聲一頓，道：「兩位去吧。」

容哥兒、水盈盈相互望了一眼，齊聲說道：「楊兄保重。」

田文秀道：「兩位珍重。」轉身而去，三人分開行動。

容哥兒和水盈盈匆匆趕回舟上。

水盈盈細看過臨去前留下的暗記，並未破壞，長吁一口氣，道：「還好，此時為止，還無人來過。」

容哥兒低聲說道：「令姊呢？」

水盈盈搖頭道：「這幾個時辰中，一直在驚風駭浪中掙扎，哪有工夫尋她？」

容哥兒道：「還有鄧老前輩，不知他們是否找出了一些眉目了？」

水盈盈帶著容哥兒行入舟中，道：「我先幫你易容，此番去見父皇，非同小可，不能有一點馬虎。」

容哥兒道：「多謝二姑娘了。」

水盈盈道：「也許，見到那父皇之時，難免有了一番搏鬥，容兄如肯信得過我，請藉此時光，坐息一陣。」

容哥兒微微一笑，盤膝而坐，閉目調息。

不知過去了多少時間，突聞一個冷森的聲音，傳入艙中，道：「四公子在嗎？」容哥兒一躍而去，舉步向艙外行去。

水盈盈低聲說道：「容兄止步，由賤妾對付他們。」

容哥兒暗道：「自己口音既生，又不知他們習慣用語，萬一應對失措，露出馬腳，反而大

爲不妙了。」

心中念轉，口中說道：「好！二姑娘去招呼他們吧。」

水盈盈起身行到門口處，道：「什麼人？」

那冷森的聲音接道：「是四夫人嗎？在下飛龍使者，四公子在舟中嗎？」

水盈盈道：「正在坐息，使者有何吩咐？」

飛龍使者道：「父皇傳下了金牌令諭，要公子立時趕往參見。」

水盈盈道：「可要賤妾同行？」

飛龍使者道：「夫人最好是一同前往。」

水盈盈道：「使者可要登舟小息？」

飛龍使者道：「急命在身，還望兩位早些登程。」

水盈盈道：「使者稍候，我們立刻下舟。」

緩步行入船中，低聲說道：「看來那田文秀的推斷不錯，那飛龍使者，爲人十分機警，如非必要，少和他搭訕，一切由賤妾應付，唉！爲了拯救武林，賤妾只好不擇手段了。」

容哥兒暗道：「不知她如何對付那飛龍使者。」

水盈盈取出了四柄匕首，分給容哥兒兩支，道：「藏入懷中，咱們晉見父皇時，不能身帶兵刃。」

水盈盈轉對飛龍使者道：「可知父皇召見我們有何要事？」

飛龍使者道：「在下看不出來……」

停了片刻，接道：「似乎微有怒意，兩位小心一些最好。」

水盈盈嗯了一聲不再多言，小舟上立時沉寂下來。

容哥兒倚在小舟一角，望著天上閃閃的繁星，心中暗忖道：「算時刻，那田文秀此刻應該已和武當、少林兩派掌門會面，如若他們按照計畫行事，此刻也應該設法尋找我等。」

小舟如箭，飛弛約半個時辰，突然一轉頭，靠岸而停。

飛龍使者當先一躍上岸，道：「到了，兩位下船吧。」

容哥兒暗道：「原來那父皇也就在這君山附近。」心中念轉，人卻隨在水盈盈身後，躍登上岸。

飛龍使者指著數丈外一座竹籬環繞的茅舍道：「那就是父皇的暫時落腳之處，兩位自己去吧。」

水盈盈道：「使者不去嗎？」

飛龍使者道：「父皇交代，要兩位自行晉見。」

水盈盈輕輕咳了一聲，搶在容哥兒前面行去。

容哥兒暗暗提聚真氣戒備，行到竹籬之前，只見籬門緊閉，不見一點燈光透出。

容哥兒心中暗道：「這分明是一座農舍，那父皇怎會在此？」

只聽水盈盈道：「兒媳水盈盈攜夫君求見父皇。」

室中火光一閃，傳出一個冷肅的聲音，道：「自己進來。」

水盈盈推開籬門，取下身上佩劍，示意容哥兒取下身上兵刃，放在竹籬門口處，緩步向前行去。

這籬門距正廳大約還有兩丈多遠的距離，地上落葉積土，似是久已無人打掃。
兩人行到正廳門口處，兩扇廳門突然大開，廳中高燃著兩支火燭，照得一片通明。
容哥兒抬頭看去，只見大廳正中，一張太師椅上，端坐著淡黃長衫，花白長髯垂胸的老者，兩個青衣童子，分列那老者椅子後兩側，一個抱劍，一個抱著一面杏黃旗。
他曾聽田文秀說過，在那父皇身前，燃著一種毒煙，使人聞得那毒煙之後，立時暈迷了過去。是以，他未入廳前，已然留心瞧著那毒煙放置之處。
奇怪的是，大廳中並未點燃毒煙。
水盈盈搶前兩步，拜伏於地，道：「見過父皇。」
容哥兒也跟著拜了下去，心中暗道：「那田文秀說他是女人，不知是何處瞧出的破綻？除了仔細聽他的聲音之外，最為簡易之法，就是瞧他頸間，是否有喉頭了。」
只聽黃衣老者冷冷地說道：「張四公子……」
容哥兒應道：「不敢，父皇有何吩咐？」
黃衣老者道：「你們辦的事情如何了？」
容哥兒道：「趙大、鄧二，主持大局，內情如何，臣兒知曉不多。」
黃衣老者冷笑一聲，道：「他們人呢？」
容哥兒搖搖頭道：「臣兒不知。」
原來，見到父皇如何自稱，那水盈盈早已告訴了容哥兒，他才能從容應付。
黃衣老者冷笑一聲，道：「他們的膽子很大，竟敢不把行蹤告訴老夫……」
語聲一頓，接道：「就算他們敢背叛於我，諒他們也難活過明日午時。」

容哥兒人雖拜伏於地，目光卻四下轉動，心中暗道：「看來，這廳中縱有埋伏，人手也不會太多，往日見他，必須先爲毒煙迷倒，此刻，他大約也覺到局勢不妙，召我等來此，連毒煙也免除了，時機難再，今日絕不能放過他。」

心念轉動，人卻突然一挺而起。

那黃衣老者似是大感意外地怔了一怔，道：「張四，誰叫你起來了？」

容哥兒雙目炯炯盯注在他臉上瞧看了一陣，希望能瞧出他是男是女。

但是那黃衣老者衣領甚高，無法瞧出個所以然來。當下冷笑一聲，道：「臣兒呢？也活不過明日午時了。」

黃衣老者續道：「只要你能聽從老夫之言，自然可度過明日之劫。」

語聲一頓，道：「給他解藥。」

那抱旗童子應了一聲，探手從懷中摸出玉瓶，倒出一粒紅色丹丸，遞了過來。

容哥兒心中暗道：「這解藥也可救田文秀、水盈盈的性命。」

右手突然伸出，一把扣住那抱旗童子的脈穴，向回一帶，順勢把一瓶解藥，盡都搶到手中，迅速地納入懷中。

那捧劍童子右腕一始，長劍出鞘，右手一振，長劍劍花連閃，刺向容哥兒。

容哥兒身子一側，避過一劍，飛起一腳，踢了過去。

捧劍童子劍勢橫削容哥兒的右腿。

但見寒光一閃，砰的一聲，擋開了容哥兒的劍勢。

原來，水盈盈抽出了懷中藏的匕首，擋開了那青衣童子一劍。

但聞那黃衣老人冷冷喝道：「住手。」

那青衣童子仗劍而退，仍然站回原位。

黃衣老人目光一掠容哥兒和水盈盈，接道：「看來你們是早已準備好了？」

容哥兒冷笑道：「閣下用毒，使天下英雄大都爲你控制，但仍然有少數人脫出你毒物控制，而且他們即將趕來此地，閣下一生用毒，今日是惡貫滿盈之日。」

那黃衣老人神情肅然，雙目盯注在容哥兒的臉上，看了一陣，目光又轉到水盈盈的臉上，道：「你也要背叛我嗎？」

水盈盈道：「兒媳怎敢？」

黃衣老人接道：「我可以原諒你，只要你重依父皇之下，我不但可以原諒你此次錯誤，而且還可以使你恢復容貌。」

水盈盈道：「當真嗎？」

黃衣老人道：「父皇許下的諾言，幾時不算了？」

用這招是擊中水盈盈要害的一招，使得水盈盈動搖起來，女人，尤其是一個以美貌自負的女人，容貌受損，在她心中的重要，有時超越生死。

容哥兒暗暗一皺眉頭，忖道：「看來她已被這位父皇說得動心了。」

心中念轉，口中冷冷接道：「二姑娘，別忘了他是最善用詐的人，你已經吃過了很多虧，難道還要再吃一次虧嗎？」

黃衣老人冷笑一聲，道：「我要你立刻嘗試到背叛的痛苦。」

右手一探，取過杏黃旗，緩步向容哥兒逼了過去。

水盈盈急急說道：「當心那旗中有毒。」

黃衣老人怒道：「死丫頭，死有餘辜。」杏黃旗一展，攻向了水盈盈。

容哥兒側身而上，手中匕首，攻向那黃衣老人的側背。

水盈盈眼看黃旗攻來，縱身一躍，避開了七、八尺。顯然，她對那黃旗畏懼甚大。

那黃衣老人借攻向水盈盈旗勢，突然一個轉身，順勢避開了容哥兒的一擊。

那黃衣老人一擊未中，旗勢回轉，點向容哥兒。

容哥兒心中暗道：「水盈盈對這黃旗，避之唯恐不及，只怕其間有鬼，想個法子試它一試。」心中念轉，右手匕首一揚，疾向那黃旗之上擋去。

但聞水盈盈尖聲叫道：「不能封架。」

其實容哥兒早已閉住了呼吸，施用匕首封擋，也不過一個虛招，匕首舉起的同時，人也同時用出鐵板橋工夫，全身向後仰臥下去。

果然，只見那黃衣老人右手一抖，杏黃旗中陡然間噴射出一股毒水。

容哥兒疾快地兩個翻轉，避開了毒水。

黃衣老人突然停下手，道：「你不是張四？」

容哥兒道：「不是。」

黃衣老人道：「張四呢？」

容哥兒道：「死了。」

黃衣老人道：「你殺了他？」

容哥兒道：「可以這麼說，在下可以奉告的是，除了張四之外，連同那趙大、鄧二，都已經死去，目下，只餘你一個人。」

黃衣老人道：「你是什麼人？」

容哥兒心中暗道：「此時此地，就算揭露了真正的身分，那也不要緊了。」心中念轉，口中緩緩說道：「在下麼？也不是楊三。」

黃衣老人道：「我知道你不是，我要知曉你真正的身分。」

容哥兒心中已有準備，伸手抹去臉上易容的藥物，道：「區區姓容。」口中答話，兩道眼神卻盯注那黃衣老人身上瞧著，希望從他的神情中，瞧出一些蛛絲馬跡。

果然，那黃衣老人臉上神色微變，目中神光盯注在容哥兒身上，瞧了一陣，道：「是你？」

容哥兒道：「是我，你認識我？」

黃衣老人輕輕歎息一聲，道：「你來此作甚？」

容哥兒道：「挽救天下武林同道千百人的性命。」

黃衣老人搖搖頭，道：「你沒有這個能耐，帶著她走吧！找一個深山大澤，人跡罕至的地方，過幾年安適生活，美女相伴，終老林泉，當該是人生最大的樂事。」

這時，容哥兒的心中，已然想到對方的身分，亦不禁長歎一聲，道：「那樣多武林健者，都爲你藥物所毒，使他們的才慧和武功，都在不知不覺中消失，這比殺他們更慘酷百倍千倍，你爲什麼要這樣做呢？」

黃衣老人臉色一變，冷冷說道：「老夫好言相勸，你竟是如此不知進退，那是逼我殺你

了。」

容哥兒歎息一聲，道：「少林、武林兩派中未爲你毒藥所傷的高手，即將趕來此地，鄧玉龍老前輩……」

黃衣老人接道：「你說什麼？」

容哥兒道：「我說鄧玉龍……」

黃衣老人接道：「他還活在世上？」

容哥兒道：「不錯，他還好好的活在世上，而且，很可能找來此地。」

黃衣老人喃喃自語，道：「不可能吧！他不是已經死了嗎？」

水盈盈接道：「沒有死，我已見到過他。」

黃衣老人沉吟了一陣，突然一展黃旗，疾向容哥兒前胸點去，口中厲聲喝道：「你如不肯離此，那是自尋死路了。」

容哥兒身子閃開，匕首一探，刺向那黃衣老人右臂，口中說道：「你雖然不肯說，但我知道你身分。」

黃衣老人不再答話，杏黃旗展開來，一片旗光，招招攻向容哥兒致命大穴。

顯然對方已有心把容哥兒傷在旗下。

容哥兒奮起神勇，全力抗拒，手中匕首，幻起一片銀芒，封擋杏黃旗的攻勢。

他心中想到天下英雄的安危，全在這一戰之中，強烈的正義感、責任心，激起了他軒昂鬥志，在那黃衣老人杏黃旗的攻勢之下，竟然能支持不敗。

那黃衣老人連攻上百招以上，仍然無法傷得容哥兒，心中大是焦急，杏黃旗疾攻三招，迫

得容哥兒退了兩步，陡然躍退三尺。

杏黃旗交到左手，右手一探道：「拿來。」

那仗劍青衣童子應了一聲，倒握劍尖，緩緩把長劍遞到那黃衣老人的手中。

黃衣老人接過長劍，道：「這是你最後離此的機會了，如是再不肯走，那就別怪我手下無情。」

容哥兒道：「為著武林同道的安危，戰死亦是無憾，只是……只是……」

黃衣老人怒道：「只是什麼？」

容哥兒道：「只是無法奉報養育之恩。」

那黃衣老人似是大為震驚，右手長劍，幾乎脫手落地，沉吟了良久，道：「你說我是誰？」

容哥兒道：「如若我猜得不錯，你是對我有過養育之恩的母親。」

黃衣老人全身抖顫，冷冷說道：「我早該殺了你，明知留下你是禍患，不知何故，我下不了手，想不到你身歷重重險關，也都被你脫危而出。」

這番話，無疑承認了她的身分。

容哥兒輕輕歎息一聲，道：「看來，我也許不是你親生兒子，但那深厚的養育之恩，在下不能不報。此情此景，好生叫孩兒為難！」

黃衣老人道：「你不用為難，有多大本領，儘管全部施展出來就是……」

容哥兒道：「母親當真要孩兒以命相拚嗎？」

黃衣老人道：「你的武功，是我傳授，十回合內，我可取你之命。」

容哥兒沉吟了一陣，緩緩道：「母親也許確有此能，孩兒死不足惜……」

黃衣老人道：「那你就出手吧。」

容哥兒道：「母親如有必殺我而後快之心，孩兒是恭敬不如從命，但孩兒在未動手前，想請教母親幾點事情，不知母親能否見告？」

黃衣老人道：「不要叫我母親，你也不是我的兒子。」

容哥兒道：「母親要否認我爲子，那是母親的事了，但孩兒仍然要奉你爲母。」

黃衣老人道：「不論你叫我什麼，我一樣要取你之命。」

容哥兒道：「孩兒不敢求活，只望能死得明白。因此，希望母親能答覆孩兒幾個疑問。」

黃衣老人似是爲容哥兒言情所動，黯然歎息一聲，道：「你說吧。」

容哥兒道：「暗中施毒謀霸武林，自稱父皇收羅四公子，可是母親所爲嗎？」

黃衣老人道：「不錯，如今事實真相已明，你還要多問什麼呢？」

容哥兒道：「在母親身後，是否還有主謀之人？」

這幾句話，大義凜然，問得聲色俱厲。

黃衣老人怔了一怔，道：「這個麼，我無法答覆你。」

容哥兒神情肅然地說道：「母親不說，孩兒也可猜測一二。」

黃衣老人道：「我倒不信。」

容哥兒道：「在母親身後，定然還有主謀人物，而且，孩兒可斷言，那人不是我中土之人，母親所作所爲，不但殘害生靈，而且是不惜賣身番邦，以求自榮。」

黃衣老人怒道：「你胡說！」

容哥兒道：「母親不用惱羞成怒，孩兒說的句句真實。」

黃衣老人怒道：「我身爲故國效忠，怎能講賣國以求自榮？」

容哥兒呆了一呆，道：「這麼說來，母親不是我中土人氏了。」

黃衣老人道：「不錯，我本就不是你們中土人氏。」

容哥兒長長吁一口氣，道：「母親不是中土人氏，何以會到了中國，而且又嫁於我國人爲妻？」

黃衣老人冷笑一聲，道：「你要拖延時間，等待援手趕到嗎？」

右手一振，劍光閃動，連劈三劍。

容哥兒手中匕首揚揮，連躲帶架地把三劍避開，道：「母親住手。」

黃衣老人停下手道：「這是你最後一次說話機會。」

容哥兒道：「好！孩兒請教一事，希望母親據實回答。」

黃衣老人道：「那要看你問的什麼事了。」

容哥兒道：「在下那生身之母呢？」

黃衣老人道：「死了。」

容哥兒激動地說道：「你害死了她？」

黃衣老人道：「不錯，我先使你們容家家破人亡，然後，再加害你們中原武林。」

仰天長長歎息一聲，道：「想不到，在我大功將成之日，竟然會起了變化。」

容哥兒雙目中暴射出忿怒的火焰，道：「無怪，在我們相處十餘年中，在下一直感受不到一點母親的慈愛之情。」

黃衣老人道：「我未殺你，已是極大恨之事，唉！這也是怪我一念仁慈。」

容哥兒高聲喝道：「還有一位終日纏綿病榻的人，是我兄弟？」

黃衣老人怒道：「你已經問得太多了。」右腕加快，長劍突然展開了猛攻。

她劍法精奇，一輪猛攻，迫得容哥兒險象環生。

水盈盈突然一振匕首，道：「我助你一臂之力。」側身而上，和容哥兒雙戰那黃衣老人。

容哥兒心知母親劍術上的成就，絕非自己和水盈盈能夠抵拒得住，如若把水盈盈變做了江煙霞，雙劍合璧，或可和她一爭長短，只憑自己和水盈盈和她硬行抗拒，只怕是難以支持過二十招。

果然，那黃衣老人的劍勢突然加強，劍芒流動，壓力大增，容哥兒和水盈盈已完全被流轉的劍招，迫得手忙腳亂。

容哥兒目睹形勢，至多再支持十招，必傷在母親劍下，不禁黯然一歎，忖道：「今日戰死此地，並不足惜，只怕他們無法找到此地，我必須在死亡之前，給他們一次找到此地的機會。」

念轉志決，右手用力，運轉匕首，擋開了那黃衣老人劍勢，長嘯一聲，道：「武林禍首在此！」這一句話，字字出自丹田，聲沖霄漢。

黃衣老人冷笑一聲，道：「你想召請援手嗎？」

容哥兒道：「不錯，他們和孩兒有約，自會及時趕來。」

黃衣老人冷冷說道：「我不信……」

只聽一個沉重的聲音，接道：「他說得一點不錯，援手會及時而來。」

黃衣老人目光一轉，道：「你是誰？」

那人應道：「楊三。」

黃衣老人道：「你們都背叛了我？」

楊三道：「趙大、鄧二沒有。」

黃衣老人道：「他們呢？」

楊三道：「死了。」

黃衣老人道：「什麼人殺了他們？」

楊三道：「自然是區區在下了。」

黃衣老人怒道：「你還和誰來受死？」

楊三道：「在下既然來了，自然要設法揭露你真正面目。」

黃衣老人道：「你敢對父皇如此無禮？」

楊三道：「閣下明明是婦道人家，爲何硬要充堂堂男子。」

黃衣老人道：「你胡說！」

但見人影一閃，慈雲大師、三陽道長，並肩衝入室中。

一向赤手空拳的慈雲大師，此刻右手中卻拿著一柄戒刀。

三陽道長背上的長劍也出了鞘。

田文秀仍是一身黑衣，緊隨著慈雲大師和三陽道長，行了進來，道：「就是他了，那位自稱父皇的人物。」

慈雲大師戒刀一揚，道：「阿彌陀佛，施主已被圍困，聽老衲所勸，放下兵刃吧。」

楊三道：「你那幾個埋伏在茅舍外面的使者，都已經被生擒殺害。」

黃衣老人怔了一怔，道：「當真嗎？」

楊三道：「不錯，你縱然武功高強，也難是當代少林、武當兩派掌門人聯手之敵；何況，在這茅室之外，還有著無數的少林、武當高手，待命出手，只要這兩位掌門人一聲令下，他們即可一擁而上。」

黃衣老人冷冷說道：「還有嗎？」

楊三道：「有，所有可能趕來援救你的人物，不是背叛了你，就是已經死亡，你已經完全孤立無援，抗拒只有兩條路，一條死亡，一條是被人生擒。」

黃衣老人淡淡一笑，道：「你怎知我沒有別作安排？」

長劍一抖，突然向容哥兒刺了過去。

容哥兒揚動匕首，正待封架，突然寒芒一閃，三陽道長疾快側身而上，噹的一聲，封擋開那黃衣老人的劍勢，道：「閣下請退，貧道接他幾招。」

容哥兒目光一轉，突然向一個青衣童子撲去。

水盈盈也同時撲向另外一個青衣童子。

黃衣老人和三陽道長展開了一場惡鬥，雙劍並舉，相互搶攻。

慈雲大師手執戒刀，站在一側，冷眼旁觀。

那黃衣老人劍招精絕，似是不在三陽道長之下，雙方惡鬥百招之後，劍招更見惡毒凌厲。

惡鬥中，突然聽得一聲大叫，一個青衣童子，吃容哥兒一刀刺入前胸，當場氣絕而逝。

另一個青衣童子，眼看同伴死於對方手中，心中一慌，也被水盈盈一劍刺死。

但那黃衣老人和三陽道長的惡鬥，卻是愈來愈凶惡，只見劍光流轉，不見人影。

容哥兒望著那流轉的劍光，呆呆出神，心中說不出是什麼滋味，暗道：「這兩人鬥到如此境界，未分出勝負之前，別人是很難預測出誰勝誰敗了，若傷的是我母親，我是否應該出手救她呢？」

忖思之間，突聞楊三低聲對慈雲大師說道：「大師武功高強，是否已瞧出了勝敗之機？」

慈雲大師搖搖頭，道：「老衲也瞧不出來，對方似是正鬥在難分勝負之中。」

楊三道：「既是如此，大師何不出手，助那三陽道長一臂之力。」

慈雲大師道：「武當、少林兩派掌門人，聯手合鬥一人，只怕要在武林中留爲笑柄。」

楊三急急道：「此時此刻不是拘泥於情面之時，咱們不但要勝，而且要早些勝，還不能重傷對方，必須留下活口逼問出解藥。」

慈雲大師接道：「施主說得是。」一揮戒刀，雙戰那黃衣老人。

少林、武當兩派掌門人，雙雙合鬥一人，實是從未有過的事。

就算在場中之人，傳揚出去，只怕聽的人，也是不肯相信。

武當、少林各有絕技，刀劍之上各擅奇妙變化，那黃衣老人，登時爲之相形見絀。

惡鬥中，突聞得一陣連環兵刃撞擊之聲，那黃衣老人手中長劍，突然跌落在地。

原來，他手中兵刃，吃少林慈雲大師「大力降魔掌」一擊，震落手中兵刃。

三陽道長劍鋒削過，割落了那黃衣老人胸前大半長鬚。

黃衣老人突然向後退了兩步，左手回擊，拍向自己前胸。

楊三顫聲叫道：「不能讓他自絕死去。」

慈雲大師左手疾出，拍出一擊，但聞砰然一聲，正擊在那黃衣老人的左肘之間。

這時，那黃衣老人正退在水盈盈的身前，被她揚手一掌，點中了她的穴道。

楊三大步行了上來，伸手向那黃衣老人頭上抓去。

容哥兒急急叫道：「住手，你要幹什麼？」

楊二道：「我想他是女扮男裝，我要證實他的身分，看我猜想是否有錯。」

容哥兒道：「你猜對了，她是女人，還是請江二姑娘動手吧！」

楊三略一沉吟，點頭退下。

水盈盈取下那黃衣老人臉上的人皮面具，脫下她身上黃衫，果然是一個身著青衣的婦人。

容哥兒仔細看了那婦人一眼，黯然歎息一聲，行向前去，拜伏於地。

慈雲大師道：「容施主，這婦人是……」

容哥兒道：「是我母親。」

慈雲大師怔了一怔，道：「阿彌陀佛。」緩步向後退去。

三陽道長道：「容施主事前可曾知曉？」

容哥兒搖搖頭道：「完全不知。」

三陽道長道：「現在容施主準備如何？」

容哥兒道：「在下不能因一己之私，貽害天下武林，諸位秉公辦理。」

三陽道長道：「容施主深明大義，使我等減少很多爲難。」

目光轉到水盈盈的臉上，道：「姑娘點了她何處穴道？」

水盈盈道：「左右『帶脈』二穴。」

四九　化外異人

三陽道長道：「點她四肢穴道，解開她左右帶脈二穴，我要和她談話。」

水盈盈依言，點了那青衣婦人四肢穴道，解開她左右帶脈二穴。

只見那青衣婦人長長吁一口氣，睜開了雙目。

三陽道長緩緩說道：「女施主對目前情景，想必十分了然，貧道不希望施展什麼手段，逼迫夫人說話。」

青衣婦人冷笑一聲，道：「你要問什麼？」

三陽道長道：「真正的解毒藥物現在何處？貧道希望女施主能夠體念上天好生之德，說出內情真相。」

青衣婦人淡淡一笑，道：「不知道。」

化名楊三的田文秀接道：「兩位掌門人這等問法太君子了。」

容哥兒起身行出室外，不忍再看下去。他心中知曉，慈雲大師、三陽道長自恃身分，不會施展毒手，但田文秀卻是不會顧及於此。

那青衣婦人目睹容哥兒行出室去，不禁臉色微微一變。

田文秀緩步行近那中年婦人，右手一揚，舉起了一把鋒利的匕首，冷冷說道：「如若是情

勢逼人，在下要下手了。」

青衣婦人道：「殺了我，你就是要成千上萬的武林人物爲我償命。」

田文秀道：「不殺你，我們也是一樣要死。」

青衣婦人道：「殺了我，你們連一線希望也將斷去。」

田文秀道：「如是堅不吐露，不管你死與活，對我們都無價值。」

只聽慈雲大師道：「一個婦道人家，竟然下得如此毒手，一毒數千人，如非老衲親見，說給老衲聽，老衲也是難信。」

田文秀輕輕咳了一聲，道：「夫人想必心中知道，在下是下得了手的。」

青衣婦人道：「你要怎樣？」

田文秀道：「我要一刀一刀地割死你！」

青衣婦人緩緩說道：「你們服用的毒藥，可以說沒有解藥。」

田文秀冷冷說道：「這就是你所說的實話嗎？」

青衣婦人道：「不錯。」

田文秀道：「我先挖你一隻眼。」匕首一揮，割破了那青衣婦人的左面眼皮。

慈雲大師道：「阿彌陀佛，楊施主暫請住手。」

目光轉到青衣婦人臉上，道：「老衲不忍目睹這等殘忍的屠殺，若施主執意不肯說出實言，老衲只好先行退出了。」

青衣婦人道：「我說的句句實言，你們不肯相信，那是沒有法子的事了。」

慈雲大師道：「哪有毒藥沒有解藥之理，這話叫人難信。」

青衣婦人道：「說實話別人反而無法相信，倒是那花語巧言容易使人上當。」

慈雲大師道：「女施主能夠說出理由嗎？」

青衣婦人道：「自然能夠說出來。」

慈雲大師道：「老衲洗耳恭聽。」

青衣婦人這：「這些毒藥不是一個人配製而成，而是很多名醫，聚在一起，長時間地研究製成此藥。」

三陽道長道：「那些大夫呢？」

青衣婦人道：「死了。」

三陽道長道：「怎麼死的？」

青衣婦人道：「用他們自己製成的毒藥，自毒而死。」

田文秀道：「這又是你的手段了！」

青衣婦人道：「我怕他們暗藏解藥，那也是沒有法子的事，他們如製有解藥，必然會自己取來服用，但他們沒有製成解藥。」

田文秀苦笑一下，道：「幾千名武林高手，都將死在你這惡毒婦人的手下。」

青衣婦人道：「我自恨太慈善下不得手，讓你們中原武林保存下一些元氣。」

水盈盈突然接道：「中原武林，武功之高，只怕你想像不到，有很多內功精純的武林前輩，能把你製的毒藥，逼集身體一側，使它們永不發作。」

青衣婦人道：「那是用的藥不夠惡毒，如果施用毒性最烈之藥，片刻之中，可取人之命，那自然不會給你們運氣抗毒的機會了。」

三陽道長道：「貧道想不出女施主製造這些毒藥的目的何在？」

青衣婦人道：「我想一鼓作氣，毒死你們中原武林中所有之人！」

三陽道長道：「聽女施主之言，似是你不是中原人氏？」

青衣婦人道：「不是……」

語聲一頓，道：「你們問夠了嗎？我要說的話，都已經說完了，再問也無法問出更多事了。」

田文秀道：「你想很快地死掉，是嗎？」

青衣婦人道：「不錯，只求速死而已。」

田文秀搖搖頭，道：「你不用想得這等輕鬆，你能狠得下心，毒害武林中數千高手，難道就沒有承受痛苦的勇氣嗎？」

青衣婦人道：「你要如何對付我？」

田文秀道：「如若是我們死定了，這一股怨氣，自然要出在你頭上了。」

目光一顧三陽道長和慈雲大師，接道：「兩位請退出此室，此地交由在下辦理。」

三陽道長、慈雲大師互望了一眼，緩步退了出去。這兩人心中明白，以自己掌門之尊，無法施下毒手，迫她講出內情，這毒刑逼供的事，只有借重田文秀了。

田文秀回手掩上大廳門戶，室中只餘下他和水盈盈兩個人。

青衣婦人面上突然現出緊張之色，緩緩說道：「你準備如何？」

田文秀道：「要你講出解藥。」

青衣婦人道：「如是我不說呢？」

田文秀道：「你將很悲慘地死去，那是人世間最悲慘的死法。」

水盈盈接道：「你是容世兄的母親，容夫人？」

青衣婦人道：「你們可以這樣叫我。」

水盈盈道：「你雖然罪大惡極，但我們看在容世兄份上，不願對你施用太惡毒的方法，不過我們也不能坐以待斃，也許，那持有解藥的人，不在中原，但你必須要說出來。」

容夫人突然一閉雙目，似是不願再理兩人。

水盈盈疾出一指，點中容夫人「天容」、「地倉」兩穴，道：「夫人想自絕嗎？」

容夫人穴道被點，口齒再難自主，緩緩流出血來。

田文秀左手伸出，抓起容夫人的右手，道：「你替我們訂下刑法中，有一種利刃穿指的刑法，不知可還記得？」匕首緩緩向容夫人中指點去。

水盈盈低聲道：「慢著。」

田文秀停下手，道：「四夫人可是動了惻隱之心，但你如果想到你那如花似玉的容貌所受的損傷，那就不難想到，堆集在你心中的仇恨。」

水盈盈道：「我知道，我心中對她之恨，比起你有過之而無不及，不過，此刻，咱們不能只爲了私仇雪恨。」

田文秀道：「姑娘有何高見？」

水盈盈道：「我相信她有法取得解藥，目前困擾江湖數千人的，說穿了只有一個原因，那就是解毒藥物，若我們不能找出解毒藥物，就永遠無法解除江湖之厄運。」

田文秀道：「至少，咱們可以一消胸中之恨，處置這個罪魁禍首。」

水盈盈道：「自然，她如執意不肯說出那解藥存放之地，咱們自然要用十倍的殘酷手段對付於她。」

她望著容夫人道：「只怕她還不知道我們的決心，因此賤妾想最後再勸說她一次。」

田文秀道：「姑娘請說。」

水盈盈目光轉注到容夫人的身上，道：「你如不肯交出解藥，咱們之間恩怨，只有私了一法，但私了的手段，必使你精神肉體，都受到無法抗拒的折磨，如若那時道出，何不現在說出呢？」

容夫人望著水盈盈欲言又止。

水盈盈道：「你可是想講話？」容夫人點頭。

原來她「天容」、「地倉」兩穴被點，已然無法說話。

水盈盈道：「好！我解開你兩處穴道，不過，希望你不要妄生嚼舌自絕之心，在我們嚴密注視之下，你沒有機會死去。」容夫人又點點頭。

水盈盈伸手去解了容夫人「天容」、「地倉」兩穴，接道：「我知道你有一個兒子，我們將先捉他來，在你面前，施以慘刑，讓你眼看著親生兒子在痛苦中死去。」

容夫人臉色一變，道：「你怎麼知道？」

水盈盈道：「因爲你洩露了秘密。」

容夫人道：「我沒有告訴你。」

水盈盈道：「我會推想，你說過你使我恢復容貌之後，要常伴一個纏綿病榻的人，除了母子之情外，還會有什麼人，對一個人有此等關注之情呢？」

容夫人長長歎息一聲，道：「想不到，我功敗於垂成之時，唉！我應該早殺了容小方。就不會有今日之局了。」

田文秀道：「容小方，就是容哥兒了？」

容夫人冷笑了一聲，道：「不錯，是容哥兒。」

田文秀道：「虎毒不食子，親情比海深，在下從未見過一個身爲母親的人，處處要設法謀害自己的兒子。」

容夫人抬頭望了田文秀一眼，道：「他不是我的兒子。」

田文秀道：「那你這容夫人，也是冒充的了？」

容夫人沉吟了一陣，道：「這是一樁隱秘，我原想讓它隨著我的死亡，永遠埋葬泉下，但現在，卻又想把它公諸於人世間。」

水盈盈道：「爲什麼你要改變心意？」

容夫人道：「我要你們知道，你們口中的北遼番女，智謀和能力，並不在你們中原人物之下。」

田文秀心中暗想要她吐實，只怕不是易事，唯一的辦法，就是誘使她不知不覺中，洩露出隱秘，而且這番大劫的經過，就我中原武林而言，也算得一樁驚天動地的大事，問個明白，也是應該。

心中念轉，口中說道：「你自稱容夫人，想來，定然是和那姓容的有過婚姻生活了？」

這一句話，似是勾起了容夫人心中的回憶，仰起臉來，望著屋頂，長長吁一口氣，道：「他傷害了我的兄嫂，我無力報仇，只有委身以侍，徐圖報復之機。」

臉上泛出了一股慷慨激昂的神情，緩緩說道：「我要利用你們中原武林高手先行殘殺，然後，再分遣他們謀刺你們當朝重臣，挾天子以令諸侯，暴政虐民，造成民間亂象，再迎我狼主進兵中原。」

田文秀倒抽一口冷氣，道：「想不到，你一個婦道人家，竟有這等大志！」

容夫人黯然說道：「但因我一念仁慈，不忍殺害容小方，種下後患，今日敗局，是咎由自取了。」

仰起臉來，長長吁一口氣，接道：「你們中原武林高手，幾千條人命，都死於我安排的計畫之下，我一人的死亡，自然是值得了，目下唯一使我不安的是，可惜我二十餘年的苦心，竟然落得一場空幻，天不亡你們漢人，那也是沒有法子的事了。」

田文秀道：「還有一件事，在下想告訴夫人，肯不肯說出你經歷之秘，那是你的事了，在下決不再多問。」

容夫人道：「什麼事？」

田文秀道：「若夫人不肯說出內情，你不但在中原武林道上要落下千古罪名，而且你那番遼故國也不知你成敗生死，他們可能會貿然進兵，那是自取亡國之禍了。」

容夫人沉吟了一陣，道：「我可以說出內情，但你們必須要答應我一件事才行。」

田文秀道：「什麼事？」

容夫人道：「替我傳一封信。」

田文秀道：「傳給何人？」

容夫人道：「自然是敝國狼主的特使。」

語聲一頓，道：「若是這封信不能傳到，他們可能三月內進兵中原。自然也可能猜想到我已經遇難，進兵中原之事作罷。」

田文秀道：「好！你如肯據實說出內情，在下答應辦到此事。」

容夫人搖搖頭，道：「你不成。」

田文秀：「爲什麼？」

容夫人道：「有兩個原因，你絕難當此大任。」

田文秀道：「請教是什麼原因？」

容夫人道：「第一，你無法活過三日，三日內毒發而亡。」

田文秀道：「我飲鴆止渴，再服用你那含有毒素的解藥，也無法拖延時刻嗎？」

容夫人道：「不成，我已對你們存有戒心，『求生大會』完後，也就是你們死亡之期，防患未然，我已給你們服過藥物，那藥物很惡毒，三日內再也無法可救。」

田文秀道：「第二個原因，又是什麼呢？」

容夫人道：「你生性狡詐，不可寄予信任。」

田文秀點點頭道：「好吧！那如何才成？」

容夫人道：「我要少林寺慈雲大師，當面承諾，才能信。」

田文秀道：「好！我去請少林大師來。」舉步向外行去。

片刻之後，果然，請來了少林慈雲大師。

田文秀目睹容夫人道：「現在，你可以說出來了。」

容夫人望著慈雲大師道：「你們少林派，乃中原武林中大門派，你身爲少林掌門人，自然

是言而有信了？」

慈雲大師道：「貧僧答應的事必將辦到，除非貧僧和整個少林派都無能爲力。」

容夫人道：「那很好，我有一封信，你給我送到長安。」

慈雲大師早已得田文秀事先說明，當下應道：「好！送給何人？」

容夫人道：「長安東大街，有一家南通蔘行……」

望了望水盈盈，道：「取下我頭上玉釵。」

水盈盈依言取下容夫人頭上玉釵。

容夫人道：「把玉釵交給慈雲大師。」

水盈盈應了一聲，把玉釵遞給了慈雲大師。慈雲大師無可奈何地伸手接過玉釵。

容夫人道：「衣袋有封書信，幫我取出來。」

水盈盈又遵照吩咐，伸手從容夫人衣袋取出了一封書信。

慈雲大師道：「好！老衲這就派人動身。」

容夫人淡淡一笑道：「賤妾自會有以回報大師，大師但請放心。」

慈雲大師道：「老衲爲我武林同道求命。」

容夫人道：「我將盡我心力。」慈雲大師接過密函轉身而去。

田文秀突然一抱拳。道：「夫人，在下請求一事，還望夫人應允。」

容夫人道：「什麼事？」

田文秀道：「望夫人保留在下身分之秘。」

容夫人道：「好！你叫容哥兒進來。」田文秀應了一聲，快步而出。

片刻之後，容哥兒滿面淚痕，緩緩行了進來，含淚望著容夫人，緩緩拜伏於地，道：「孩兒罪該萬死，只怕無能相救母親了。」

容夫人平靜地一笑，道：「孩子，你起來，我不是求你救我。」

容哥兒怔了一怔，道：「母親有何吩咐？」

容夫人緩緩道：「我已決心把幾年中所作所為的經過之情都說出來……」

容哥兒道：「當真嗎？」

容夫人道：「自然是當真了，不過，有一個條件，我必須先行說明。」

容哥兒道：「什麼條件？」

容夫人道：「我要你們中原武林道上所有的人，都要會齊，我要當他們之面，說明詳細內情。」

容哥兒道：「所有之人，大都為你奇藥所毒，哪會還到此地來呢？」

容夫人道：「還有很多人，他們縱然中了奇毒，但他們的神智還清楚，孩子，你和他們商量一下，幫我這個忙。」

容哥兒道：「孩兒盡力。」轉身向外行去。

片刻之後，三陽道長、慈雲大師、容哥兒魚貫而入。

容哥兒一欠身，道：「他們都願盡力，母親請說明內情吧？」

容夫人道：「中原武林道上，雖然大部分人為我奇毒暗算，但他們死亡的並不多，雖然武功才智，都受了很大的影響，但他們大都還能說話，神智還很清醒，他們可以為我證實幾件事情。」

慈雲大師道：「女施主之意，可是要老衲把他們全都請來此地？」

容夫人道：「不錯，要他們一一和我對質，這一來，如果我說得不錯，你們也可找到人證。」

慈雲大師道：「少林一門，老衲自信他們都會聽我之命，但其他門派……」

容夫人道：「他們大都在此，並不難邀。」

三陽道長道：「咱們雖然制服了女施主，但你那些屬下，大都還不知內情，要他們如何肯聽從我等之命？」

容夫人道：「你們是否生擒我四個傳令使者？」

慈雲大師道：「有四個施主守望，倒是不錯，但已被我擊斃兩人，重傷一人。」

容夫人道：「不要緊，你叫他來見我，助你們一臂之力。」

三陽道長道：「如是女施主的屬下，不肯受我等之命，豈不引起一場屠殺？」

容夫人道：「他們知曉真相後，人人恨我入骨，哪裏還會助我？」

三陽道長歎道：「這話倒也有理，但此行太過冒險，貧道不敢獨作決定。」

容夫人道：「如若那些人不能聚齊，只怕我很難爲諸位解說清楚，你們中原武林人物，雖然英雄人物很多，但其中也有不少貪愛女色、好大喜功之輩，給我以可乘之機，我要當面揭破他們的虛僞，數說他們的劣行，我毒害了你們中原很多武林人物，但也無疑替你們清除一些外被俠名、內藏堅詐的僞君子。」

三陽道長輕咳一聲，道：「這個貧道要和慈雲大師詳細計畫一下，才能決定。」

容夫人道：「好！我知道兩位在江湖上的威望，如能出面召集，必可獲得信任，不過，兩位決定了，就請立刻進來。」

慈雲大師、三陽道長、容哥兒和田文秀等一番計議之後，覺得事已至此，召集天下英雄，於此當面對質了然詳情，也算辦法之一。

商議之中，田文秀一直默然不語，但他也未反對。

於是，少林、武當兩位掌門人出面，各遣出門下弟子，召請天下英雄，就君山求生大會場，安排一次從未有過的盛會。

有很多雲集於洞庭湖畔，尙未渡過「求命橋」的各方豪雄，在局勢明朗之後，也安下了心。

容夫人也在田文秀和少林、武當弟子嚴密地監視中暫居於茅舍。

容哥兒和水盈盈、慈雲大師，連同容夫人手下的一位使者，重渡過求命橋。

那僅有的一個傳令使者，他本是中原人物，在大局已去，容夫人命令之下，和慈雲大師等極爲合作。抗拒的力量，在傳令使者的說明下瓦解了。

大部分中毒的武林人物，都在極力忍受毒性發作的痛苦，等待最後機會，希望慈雲大師能夠取得解藥解救他們，一種神秘、殘酷的力量頓然消失。

這時，容哥兒心中最爲擔憂的一件事，就是那江煙霞和鄧玉龍，始終不見露面，兩人似乎突然間消失了一般。容哥兒、水盈盈找遍了君山，仍然不見兩人。

容夫人控制的勢力，雖然瓦解了，但他們並未屈服，仍然自居一處。

慈雲大師、三陽道長率領之人，雖然都是少林、武當兩派中精強人物，但在人數上，他們

卻不及敵方甚多。因此，兩人盡量避免和對方衝突。

田文秀查看了敵我形勢之後，低聲向慈雲大師說道：「目下縱然容夫人不為我等所困，她似乎也無法再指揮這雲集君山，身受藥物控制的高手了。」

慈雲大師微微一怔，道：「為什麼？」

田文秀道：「因為四位助她統治的人手，死亡其三，在下又背叛了她，這些人，需要用那控制藥物，但無人供給，使他們性格急變，有如一座火藥桶，只要火星沾燃，立刻爆發，不可收拾。」

慈雲大師道：「這麼說來，咱們處境很險惡了，隨時有和他們衝突之可能。」

田文秀道：「這衝突，不只是他們和我們而已，而是他們自己之間，也可能爆發一場惡鬥……」

聲音立轉低沉，道：「不過，大師和道長也不用害怕，他們在藥性侵蝕之下，武功和內力都已經大受損耗，尤其是藥物將要發作之時，更是不易自主，大師等先行選擇一處險地，可作固守，以作戒備。」

慈雲大師交代隨來的僧侶，分頭佈置，一面問田文秀道：「如若咱們把容夫人請出來，能否控制他們？」

田文秀道：「不行，如若用容夫人，還不如用在下一試……」

三陽道長望了田文秀一眼，道：「貧道想問一聲，閣下身上毒藥，幾時發作？」

田文秀緩緩說道：「我們服用的一種藥物，在三種藥物中，一是最好的一種，也是最惡毒的一種。」

三陽道長道：「此言何意？」

田文秀道：「我們服用的一種藥物，不會使一個人智力消退，但如不按時服用解藥，會突然毒發而亡，死前全無徵兆，使人無法防備，道長問在下幾時毒發，在下就很難答覆了，我看隨時可能死去。」

三陽道長盯注田文秀臉上，瞧了一陣，道：「閣下對生死之事，看得很淡。」

田文秀道：「何止很淡，如據實而言，在下實有求死之心，如非我活下去，對江湖大局，稍有助益，在下早就自絕而死，沉屍湖底了。」

慈雲大師道：「施主求死，可是爲了想洗刷兩手血腥，彌補犯下的罪惡嗎？」

田文秀道：「此不過原因之一。」

慈雲大師道：「除此之外，還有什麼原因？」

田文秀道：「在下有一個很好的家世，我被藥毒迫害，誤入歧途，實不願使我祖宗蒙羞，因此希望沉屍早死。」

三陽道長沉吟了一陣，道：「我明白了，閣下不願使真面目和身分，暴露天下英雄之前。」

田文秀道：「是的，還望兩位掌門人成全小可的心願。」

三陽道長道：「好！貧道盡我之力。」

慈雲大師接道：「老衲也將全力成全閣下。」

田文秀心頭略寬，一抱拳，道：「多謝兩位掌門人了。」

三陽道長合掌還了一禮，道：「此後借重正多，不知貧道等要如何稱呼閣下。」

田文秀沉吟了一陣，道：「兩位掌門叫在下文三就是。」

一頓，又道：「照在下的看法，那容夫人也已無能控制大局，所以她要趕在近日之內，完成控制江湖，屠殺武林同道的工作。」

慈雲大師道：「容夫人既然能造成今日這等局面，想來，她有著很精密的計畫，爲什麼會讓大局脫去自己的控制呢？」

田文秀道：「兩位不要把容夫人估計過高，她所以能有今日的成就，一是依仗藥物，二是我們中原武林人物助她之故，三是她舉動神秘，使人無法了然……」

抬頭望了慈雲大師和三陽道長一眼，接道：「如若咱們能夠早知那容夫人是幕後人物，只要你們兩派中，隨便遣出兩位高手，就可取她之命，是嗎？」

慈雲大師道：「不錯，咱們不知敵人何處，才被他們攪亂整個武林。」

田文秀道：「是的，兩位能夠想通個中的內情，那就好了。」

三陽道長道：「文施主，貧道還有一點想不通的地方請教施主。」

田文秀道：「不敢當，道長有何吩咐，儘管請說。」

三陽道長道：「那容夫人爲什麼在一敗塗地之後，還要舉行類似求命大會的這一場英雄大會呢？」

田文秀道：「那是個很殘忍的集會，她要撕下武林中很多僞善高人的面具，使他們無法再在武林之中立足。」

沉吟了一陣，道：「這也許是她私人怨恨的發洩，也許存心使一些高手自絕於武林。不論如何，這件事對中原武林而言，利害各半。」

雙鳳旗

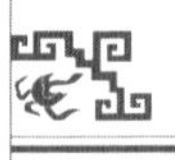

三陽道長道：「利、害何在？」

田文秀道：「害是，這舉動可能使很多武林高手，羞愧自絕，使我中原武林中實力大減，絕藝失傳，如是那人是一門一派之主，也可能使這個門派爲人所不齒，從此沒落……利的是，經過這一番洗刷，餘下之人，可能都是武林忠義之士，今後武林，必有一番新氣象。」

慈雲大師道：「施主言之有理，只是，這一番清洗之後，中原武林，十去六、七，這淒慘之狀實叫老衲不忍去想。」

田文秀輕輕咳了一聲，道：「事已至此，大師雖有悲天憫人之心，但也是無力回天，只有設法應變，盡量減少死亡就是。」

慈雲大師道：「老衲擔心，是那解藥的下落，如是無法尋得解毒之藥，單是我們一門，就要有數百人死去。」

田文秀道：「愛莫能助，在下也是等待毒發死亡的人。」

三陽道長道：「刑逼容夫人，是否有希望取得解藥？」

田文秀道：「使不得！」

三陽道長道：「爲什麼？」

田文秀道：「那容夫人自知罪大惡極，就算咱們放了她，那些被她陷害之人，也不會饒過她，因此，咱們如用刑求，必使她咬牙苦忍，縱然知曉那解藥之法，定然也不說出來了。」

三陽道長道：「文施主說得有理，不過，咱們難道就放手不問？」

田文秀沉吟道：「我們唯一的機會，就是設法從她的談話中，找出破綻。」

三陽道長望了慈雲大師一眼，目光又轉到田文秀的臉上，接道：「貧道和慈雲兄，一向不

善機詐，這方面還要文施主多留心了。」

田文秀苦笑一下，道：「如若我還能活，在下自應盡心……」

稍一沉吟，接道：「我如在場，那容夫人勢必提高警覺，在下想改變一下裝束，扮做道長門下，也許她會少些戒心！」

三陽道長道：「文施主如覺這辦法妥當，悉憑尊意。」

且說容哥兒、水盈盈找遍了君山，都無法找到鄧玉龍和江煙霞，最後只有行回那茅舍。

只見少林派的一瓢、一明大師，和丐幫無影岳剛、崑崙赤松子、武當上清道長，仍然是布成方陣，各自盤膝而坐。五人本是微閉雙目，聞聲睜開了眼睛。

容哥兒先入室，一抱拳道：「諸位前輩。」

岳剛道：「想不到啊！你居然還活著。」

容哥兒道：「在下帶來一件重大消息，奉告諸位老前輩。」

一瓢大師道：「什麼事？」

容哥兒道：「那位主持其事，造此空前大劫的幕後人物，已經出來了，而且已爲貴派所擒。」這幾句話，使得五個身中奇毒的武林高手，全都爲之一呆。

一明大師驚愕了一陣之後，道：「什麼人？」

容哥兒道：「容夫人，在下的母親。」

一明大師道：「是令堂？」

容哥兒道：「不錯，是家母。」

無影神丐岳剛道：「令堂是何許人？」

容哥兒道：「據家母言，她並非我的生身之母，而且也非中原人氏！」

目光轉動，望了一明大師等一眼，接道：「諸位都是武林中有名人物，數十年前的往事，定然還想得出來。」

岳剛道：「令堂不是中原人氏？」

容哥兒道：「她這麼告訴晚輩。」

岳剛沉吟了良久，突然雙目一睜，道：「老叫化想起一件事了。」

容哥兒道：「這件事關係著晚輩的身世，也關係著武林大局，老前輩不用顧慮，希望能據實而言。」

岳剛目光轉到一瓢大師的臉上，道：「大師記得，快劍容俊，在北遼搏殺十二北遼高手的往事嗎？」

一瓢大師道：「那一役，我少林亦有高手參與，只是老衲未曾親自參與罷了。」

岳剛道：「快劍容俊，在北遼大露鋒芒，憑仗手中快劍，搏殺了北遼十二勇士，老叫化晚去了一步，未能親睹那場盛會……」

赤松子道：「這和那容夫人有何關連呢？」

岳剛道：「當時，只是一樁小事，現在想來，就因那點忽視，種下今日之因。」

一明大師道：「岳施主直截了當地說吧，我等急於知曉內情。」

岳剛道：「事有因果，若老叫花說得粗枝大葉，只怕諸位也聽不明白了。」

一瓢大師道：「好！岳施主慢慢地說。」

岳剛緩緩說道：「那次出征北遼，乃本幫幫主發動，邀請中原高手北上，快劍容俊最出風頭，大展神威，但他卻在一次搏殺後，突然失蹤……」

容哥兒凝神傾聽，十分用心，只是不便插口多問。

只聽一明大師道：「怎會失蹤呢？」

岳剛道：「老叫化等爲第二批援手，趕到時大戰已過，容俊等已懾服了北遼勇士，據說，那容俊帶了北遼美女，悄然回了中原，那位美女，還是一位郡主身分。」

容哥兒暗道：「如果她是一個親王之女的身分，主持其事，那就大有可能了。」只覺心中的疑竇，解去了不少。

但聞上清道長說道：「以後，你們就沒有查證此事嗎？」

岳剛道：「這番武林同道聯手北征，只是阻止他們一次陰謀，一切事實，都在暗中進行，未驚動官府中的一兵一卒，事後，大家都不再提起。」

一明大師目光突然轉到容哥兒臉上，道：「你是容俊的公子？」

容哥兒道：「晚輩的身世，目前還未查明，不過，我自幼在母親身側長大，十幾年來，她待我一直很慈和，在我記憶之中，她很少出外走動，我們居住之處，從未有江湖人物造訪，除了兩個女婢，和一個照顧我的男僕之外，別無他人……」

他滿腔正義，爲了使真相大白，不惜講出身世之謎，一則他所知有限，二則有很多事實，也不便出口，說了一半，停口不言。

一明大師道：「容施主，貧僧等實也不願追問一個人生活中的隱秘，但目下情勢不同，貧僧等希望容施主和我等合作，聽出可疑之處，就自行說明。」

目光轉到岳剛的臉上，道：「咱們幾人之中，以岳施主的江湖消息見聞最多，經驗最爲廣博，過去，咱們一直無法想得出敵人首腦是誰，也就無法研商，如今有此線索，岳施主必可想出個中內情了。」

岳剛搖搖頭，道：「大師把我估計得太高了，老叫化也一樣無從著手。」

一明大師道：「你和那容俊不相識嗎？」

岳剛道：「很熟識。」

一明大師道：「你見過那位郡主了？」

岳剛道：「沒有，那容俊自回中原之後，就不再和武林同道交往。」

赤松子道：「那是說，咱們見著容夫人時，你也無法認得出來？」

岳剛道：「認不出來。」目光轉到容哥兒的臉上，凝注良久，欲言又止。

容哥兒道：「老前輩有何見教，只管吩咐。」

岳剛沉吟了一陣，道。「沒有什麼。」

容哥兒道：「那位鄧老前輩，可曾來過？」

上清道長道：「沒有，他杳如黃鶴，不見蹤影，還有那位江煙霞姑娘，也是一去無回。」

容哥兒回顧了水盈盈一眼，道：「姑娘能想出令姊的去處嗎？」

水盈盈搖搖頭道：「不知道，姊姊從未告訴過我。」

容哥兒道：「那鄧玉龍昔年雖聲名不好，沾惹情孽，但他晚年向善，極力求補昔年之錯，他既然答應了，決然會盡力而爲，晚輩想他定然會來。」

無影神丐岳剛突然站起身子，目注容哥兒道：「此刻這茅舍外面的情勢如何？」

容哥兒道：「由少林的慈雲大師、武當三陽道長，率領著兩派未爲毒藥所傷的高手，已然進駐君山。暫時，保持個平靜之局。」

岳剛道：「老夫已久未出過這茅舍，小娃娃你扶老夫出此茅舍瞧瞧如何？」

容哥兒略一沉吟，忖道：「他並非不能行動，要我扶他出去，分明是別有用心了。」心中念轉，口中應道：「晚輩遵命。」行近岳剛，扶他向外行去。

兩人行出室外，岳剛指了兩丈外一塊大石，道：「咱們坐在那裏談談。」

兩人行近大石，岳剛當先坐下，道：「你是快劍容俊之子？」

容哥兒道：「晚輩目下還無法確實查明身世，但就所知而言，晚輩似是……」輕輕歎息一聲，住口不言。

岳剛點點頭，道：「容俊北征之前，已有一位妻子，以後，他由北遼帶了一位番女回來，家庭就生了變故……」

容哥兒心中震動，忍不住問道：「他那位前妻呢？」

岳剛道：「詳細內情，老叫化不知道，但聽說夫妻反目，容夫人一怒而去。」

容哥兒若有所悟地點點頭，道：「那也許才是在下的親生之母。」目光轉到岳剛的臉上，道：「老前輩可知那位容夫人現在何處？」

岳剛搖搖頭道：「這個老叫化就不知道了，以後，江湖上發生大變，那容夫人何去何從，江湖上再無傳言。」

一幕恐怖的經歷，突然出現在容哥兒腦際之間，那具石棺中的女人，雙目對自己流露出無限愛憐之情……

只覺一陣心悸，不自禁地喝道：「是她了……是她了……」

岳剛一皺眉頭：「你說是什麼人？」

容哥兒心中一驚，心情鎮靜了下來，道：「晚輩想到了一件驚怖的往事，失聲而叫。」

爲了不讓岳剛問下去，急急轉過話題，道：「老前輩對貴幫幫主看法如何？」

岳剛道：「是敝幫中下一代傑出的一位人才，但他卻不幸爲人所困……」

容哥兒輕輕咳了一聲，接道：「老前輩早知道了？」

岳剛淒涼一笑，道：「如非他以幫主身分，對我施用暗算，那一天君主，縱有本領，也無法使我岳剛中她之毒。」

五十　難言之隱

容哥兒道：「天下無數俊傑之士，都受藥毒控制而為其所用，也不能獨怪黃幫主。」

岳剛沉思了一陣，道：「老夫如能脫離此間之困，必要設法召集長老會，除去幫主的職位，以免使丐幫蒙羞……」

輕輕咳了一聲，接道：「老夫帶你出室，就是要告訴你父母之事，我已然盡言所知。」

容哥兒略一沉吟，兩道目光突然轉注到岳剛的臉上，道：「老前輩，就晚輩感覺之中，老前輩似是還未暢所欲言。」

岳剛微微一怔，笑道：「你果然聰明，不過……」

容哥兒道：「不過什麼？」

岳剛道：「道聽塗說的事，不足憑信。」

容哥兒道：「老前輩儘管請說，不要顧忌晚輩的情面，唉！此刻此情，晚輩與孤兒何異，晚輩自信能承受任何打擊。」

岳剛道：「你一定想知道，老叫化就說出來，但我要先說明，這件事只是武林一樁傳言，是否真實，卻難保證，老叫化子就不信這項傳聞。」

容哥兒道：「老前輩儘管說吧。」

岳剛道：「令堂是一位很有名的美人，江湖上人人皆知……」

容哥兒道：「前輩會不會看錯人呢？」

岳剛道：「不，這是千真萬確的事，老叫化也見過容夫人，當真天香國色。」

容哥兒一皺眉頭，接道：「以後呢？」

岳剛道：「據說容夫人和鄧玉龍有段私情，也是促成那容俊帶回番女的主因。」

容哥兒冷笑一聲，道：「果不出我的預料。」

岳剛輕輕咳了一聲，道：「怎麼？你早已經想到了？」

容哥兒答非所問地道：「老前輩既說了，還請說個明白。」

岳剛道：「老叫化只知這些。」

容哥兒一抱拳，道：「多承見告，晚輩感激不盡，咱們回到茅舍中去吧？」

岳剛道：「小兄弟氣度的恢宏，遇事的鎮靜，實是一派宗師之量，你如是我丐幫中人，老叫化必將盡我所能，設法推薦你為本幫幫主。」

容哥兒道：「盛情心領，愧不敢當。」轉身大步向茅舍行去。

岳剛緊隨容哥兒，行入了茅舍。

赤松子道：「叫化子，茅舍外有何動靜？」

岳剛道：「一片平靜。」

一瓢大師道：「除非咱們內腑中藥毒解去之後，咱們五人最好是不要分開，如果咱們合在一起，可以一舉擊斃一個武功最強的高手，但如咱們分開之後，那就變成了百無一用的人。」

赤松子道：「大師之意，可是咱們五人還守在一起了？」

一瓢大師道：「老衲正是此意。」

赤松子道：「同去見貴派掌門人？」

一瓢大師道：「照老衲之意，劇毒未解之前，咱們就守在此地，我等花了很久的時間，才研商布成一座攻敵的陣勢，各人才能把掌力發揮到極致，這也是咱們在死亡之前，唯一能夠拚死一個強敵的辦法，如是驟然離此，萬一途中遇敵，來不及各占方位，只要有一人被敵所傷，餘下之人，都成了廢物，任人宰割了……」

目光掃掠了幾人一眼，接道：「諸位請三思老衲之言。」

赤松子點點頭，道：「大師之言，甚有道理，但不知岳兄如何？」

岳剛道：「咱們五人合手出掌，能一舉搏殺世間第一高手，分開成幾個老廢物，老叫化贊成不走。」

上清道長點點頭道：「大師和岳兄這一分析，咱們是非留此不可了。」

言之下意，無疑是也贊同留下了。

一明大師目光轉到容哥兒的身上，道：「容施主。」

容哥兒道：「大師有何吩咐？」

一明大師道：「勞請轉告敝派掌門人一聲，就說我等身中劇毒，不能迎駕。」

容哥兒道：「晚輩記下了。」

岳剛豪放地接道：「如是對敵之中，發覺了對方高手，設法把他引來此地，老叫化想在死亡之前，再爲武林正義，一盡心力。」

容哥兒道：「我了解諸位老前輩的用心。」

上清道長道：「記著，敵人越強越好。」

容哥兒道：「就目前形勢而言，家母似是已有些覺醒，不至於再作最後掙扎，她要求慈雲大師，佈置一場群豪集會，以便當場宣佈心中之秘，真正用心，晚輩還無法了然，但想來似是別有所圖……」

岳剛道：「你是說，那容夫人用心，是把我等集合起來之後，再行設法施下毒手，是嗎？」

容哥兒道：「她已然被擒，而且幾處重要的穴道，都被點中，我想她不致再會施下毒手了。」

岳剛道：「她如是毫無用心，絕然不會有此一求。」

容哥兒道：「晚輩也是這樣想法，只是想不出她要做些什麼。」

一瓢大師道：「不論她做什麼，只要她不是用毒害人，那就成了。」

目光環顧了一明、上清道長等一眼，接道：「老衲覺得咱們也該去。」

岳剛道：「不錯，咱們暗中留心監視，如是看出情形不對，咱們合力出掌，把她擊斃，也算償了咱們心願，臨死之前，替武林做一件好事。」

一瓢大師道：「看來，這是咱們唯一的機會了。」

岳剛望著容哥兒道：「小娃兒你去瞧瞧，如安排好了，別忘了通知我們一聲。」

容哥兒道：「晚輩知道，鄧老前輩和江姑娘來此時，叫他們在此等候晚輩。」

岳剛道：「好！」

容哥兒目光轉到水盈盈的臉上，道：「二姑娘，你留在這裏，這幾位老前輩，是武林名

宿，和他們多談談獲益非淺！」

水盈盈柔順地點點頭，道：「好！見著我姊姊時，告訴她來這兒見我一面，我身中奇毒，隨時可能發作而死。」

容可兒道：「記下了。」轉身行了出去。

出得茅舍，打量了一下周圍形勢，舉步向前行去，一面走，一面度量地形。原來，他突然想到，重入地下石府中去，看看那石棺中的女人，是否是自己母親。一縷孺慕的親情，由心中泛起，化成了強烈的願望。

雖然他知曉這希望不大，但仍決定盡心力一試。

他憑藉記憶，找到了那脫身的洞口，只見那堆集的山石，有很多已為人推開。顯然，已有人先進了地下石府。

敵對雙方之人，似是都受了一種嚴厲的約束，容哥兒經過之路，竟無人出面攔阻。

容哥兒望著那洞口，出了一會兒神，側身向洞中行去。

突然間，身後響起了一個冷厲的聲音，道：「停下來……」

容哥兒連經凶險、大敵，人已變得極為沉著，暗中一提真氣，轉過身子，向外看去。

只見一個全身黑衣，面目肅冷的人，留著五綹長鬚，站在石洞之外。

那人炯炯的目光，逼注容哥兒的臉上，直似要看穿容哥兒的內腑。

容哥兒輕輕咳了一聲，道：「閣下什麼人？」

黑衣人冷肅道：「老夫該先問你的姓名。」

容哥兒心中暗道：「這洞中十分狹窄，他如施用暗器，我就防不勝防了。」心中念轉，口中應道：「閣下想知曉我的姓名嗎？」

黑衣人道：「不錯。」

容哥兒道：「好！在下可以先行通報姓名，不過，閣下要向後退出三丈。」

黑衣人冷冷說道：「洞中形勢我比你熟悉，你如想逃走，那是自找苦吃了。」

容哥兒道：「在下決不逃走。」

黑衣人道：「老夫也不怕你逃走。」緩步向後退去。

容哥兒緩緩行出洞口，說道：「在下姓容。」

那黑衣人身軀微微一震，道：「姓容？」

容哥兒道：「不錯。閣下怎麼稱呼？」

那黑衣人答非所問地道：「你叫什麼名字？」

容哥兒道：「容哥兒。閣下問得這樣清楚，不知是何用心？」

黑衣人神情冷肅，緩緩說道：「你母親還活在世上嗎？」

容哥兒怔了一怔，暗道：「這人話問得很奇怪，不知是何用心。」口中說道：「家母是否還活在世上，和閣下何關？」

那黑衣人道：「你最好只回答老夫的問話。」

容哥兒道：「閣下若不說出一個適當的理由，在下似不必遵從閣下之意吧。」

黑衣人沉吟了一陣，道：「你父親可是叫容俊，人稱快劍，又名閃電劍。」

容哥兒只覺胸前突然被人重擊了一拳，長長吁一口氣，道：「你是……」

黑衣人道：「你答覆過老夫的問題之後，再問老夫不遲。」
容哥兒沉吟了一陣，道：「家母還活在世上。」
黑衣人道：「她的左耳之後，可有一顆紅色小痣？」
容哥兒點點頭，道：「不錯。」
黑衣人厲聲喝道：「她現在何處？」
黑衣人道：「爲什麼？」
容哥兒鎭靜一下緊張的心情，道：「她現在何處，在下不能告訴閣下。」
容哥兒冷然說道：「因爲，到此爲止，閣下還未明白地說出身分。」
黑衣人道：「你一定要知道嗎？」
容哥兒道：「不錯。」
黑衣人道：「好，老夫就是快劍容俊。」
容哥兒黯然多於驚訝地長長吁了一口氣，道：「二十年前，遠征北遼，劍創北遼武士高手之人，就是你嗎？」
容俊道：「正是老夫！」
容哥兒略一沉吟，道：「地下石府中四大將軍……」
容俊接道：「老夫亦是其中之一。」
容哥兒道：「你也受了奇毒暗算？」
容俊搖頭道：「老夫滿懷激忿，處處謹慎，豈是他們鬼蜮伎倆所能傷得！」
容哥兒道：「那是說你並未中毒？」

容俊道：「不錯，不過，老夫未中奇毒之事，他們並不知曉。」

語聲一頓，道：「老夫答覆你的問題太多了……」

容哥兒道：「是的，在下也要回答老前輩的問話，關於家母。」

容俊冷笑一聲，道：「她在哪裏？」

容哥兒道：「也在這君山之上。」

容俊雙目神光一閃，道：「帶老夫去找她。」

容哥兒道：「老前輩意欲何爲？」

容俊道：「我要取她之命。」

容哥兒搖搖頭，道：「你怎知道一定能夠殺她？」

容俊道：「老夫知她武功，就算這二十年來，她日夜苦練，也不是老夫之敵。」

容哥兒淡淡一笑，道：「老前輩知曉一天君主嗎？」

容俊點點頭，道：「知道，老夫也知曉那一天君主之稱，只是一個捧上台的偶像，真正幕後，另有其人。」

容哥兒道：「老前輩可知那人是誰嗎？」

容俊道：「這個，老夫還未查明。」

容哥兒道：「晚輩可以奉告，那人就是家母。」

容俊一怔道，「她！一個番女竟然能攪得天翻地覆！」

容哥兒道：「她有足夠的才慧，也有北遼的支持……」

語聲一頓，道：「想來，老前輩，已知在下是何許人了？」

容俊仰天打個哈哈，道：「你要我認你爲子嗎？」
容哥兒道：「父子天性，難道你連自己的兒子也不肯相認嗎？」
容俊臉上肌肉抽動，痛苦地說道：「你不是老夫之子。」
容哥兒心中早有成竹，尙能保持著外形的鎭靜，黯然歎息一聲，道：「我知道，容夫人也不承認我是她的兒子。」
容俊道：「因爲你本來就不是。」
容哥兒道：「但我想你一定知曉我的身世、來歷，是嗎？」
容俊怒聲說道：「你一定要知道嗎？」
容哥兒點點頭，歎息一聲，道：「我要知道，對我而言，也許比你的打擊更大。」
容俊道：「大丈夫難保妻賢子孝，告訴你也不妨事。」
容哥兒道：「晚輩洗耳恭聽。」
容俊道：「你是鄧玉龍的骨血。」
容哥兒強忍心中激動痛苦，抬起頭來長長吁一口氣，道：「我那位生身之母呢？」
容俊冷冷說道：「也在地下石府之中。」
容哥兒道：「她把守石棺那道門戶？」
容俊道：「不錯，她告訴了你？」
容哥兒道：「沒有告訴我，但我感受得到那慈愛的親情，母性的光輝……」
容俊突然仰天大笑起來。
容哥兒奇道：「你笑什麼？」

容俊道：「有其父、其母，其子一脈相傳，果然是不錯了。」

容哥兒道：「此話是何用意？」

容俊冷冷說道：「老夫說出來，太過難聽，你娃兒受得了嗎？」

容哥兒道：「只要老前輩說的是真實之言，晚輩自信還有聽下去的修養。」

容俊冷冷說道：「好，那鄧玉龍玩世不恭，淫人妻女，不知多少個美滿的家庭，都毀在了他手中。」

語聲稍頓，接道：「還有你那生身之母，也是個很壞的女人。」

容哥兒一抱拳，道：「老前輩，我希望知曉事情經過，不是聽老前輩的謾罵。」

容俊道：「老夫心中滿是激忿，如是不罵，如何能說出口？」

容哥兒道：「好，那你就罵吧。」

容俊道：「她既喜愛那鄧玉龍，為什麼又允我婚約？女人禍水，誠然不錯了。」

容哥兒已然了解大部內情，怕他說下去，越來越難聽，急急改口，道：「老前輩？」

容俊道：「什麼事？」

容哥兒道：「家母守石棺門戶，也是你的傑作了？」

容俊道：「正是老夫的手段。」

容哥兒道：「鄧玉龍知道嗎？」

容俊道：「不知道。」

容哥兒長長吁了一口氣，住口不言。

容俊仰天打個哈哈，道：「你心中可是覺得，那鄧玉龍如知曉她被囚於石棺之中，定然會

去救她，是嗎？」

一頓，又道：「殺父之仇，奪妻之恨，自然使人難以忍受。」

容哥兒道：「那你爲什麼要投入地下石府，爲鄧玉龍的手下？」

容俊道：「我想殺他，但我又自知武功難以是他之敵，那只有行此一途了。」

容哥兒略一沉吟，道：「老前輩見那鄧玉龍時，可是以真正面目相見？」

容俊道：「自然是以真面目相見了。」

容哥兒道：「那鄧玉龍才智、武功比你如何？」

容俊道：「才智、武功，都非我能及。」

容哥兒道：「他難道認不出你嗎？」

容俊怔了一怔，道：「這個，這個，也許他早已把我忘懷了。」

容哥兒緩緩說道：「不會吧！他裝出不認識你，那是對你的優容。」

容俊冷冷說道：「在下從未想到過此事。」

容哥兒道：「現在你想到了。」

容俊突然仰起臉來，縱聲狂笑。

容哥兒一皺眉頭，道：「你笑什麼？」

容俊止下大笑之聲，道：「老夫想到一件大爲可笑的事，我前後有過兩位妻子，她們都是不平凡的人物，一個是中原道上出名的美人，一個是北遼明珠的郡主身分……」

臉上的肌肉，突然輕微地抽動，流現出他內心中，正有著強烈的激動。

容哥兒也不多問，很耐心地等著。

良久之後，才聽容俊長長吁一口氣，道：「到現在我還不明白，當初她們要嫁給我容某人，後來，卻又一個個的叛我而去。」

容哥兒道：「我想這中間自有原因。」

容俊道：「什麼原因？」

容哥兒道：「因爲，她們並非真正的喜愛你……」

容俊怒道：「胡說八道，那她們爲什麼要嫁我爲妻呢？」

容哥兒道：「老前輩如肯冷靜一些，晚輩願竭盡智慧，助你找出內情。」

容俊稍一沉吟，道：「這等事，老夫本不願和人談起，但對你不同。」

一頓，又道：「不論你是否真是我的兒子，但名義上你姓容，如是咱們榮辱相共，我有個不賢之妻，你卻有一個身犯七出之首的母親。」

容哥兒心中暗道：「不論我的出身，是多麼卑下，但我總要確實找出父母的身分才成。」

心念一轉，緩緩說道：「老前輩不肯認我爲子，晚輩也不能勉強……」

容俊接道：「老夫明知你不是我的骨肉，爲什麼硬要認你？」

容哥兒道：「此事，是老前輩眼見呢？還是耳聞？」

容俊道：「你那母親自己告訴我的。」

容哥兒心中暗道：「她肯把內情坦坦然然地說給容俊聽，這其間，只怕是別有內情了。」

心中念轉，口中說道：「老前輩可以不要一個不忠的妻子，但晚輩不能不要生身之母……」

長長吁一口氣，道：「子不嫌母醜，縱然她做有什麼不爲人恭之事，我這身爲其子的，也

不能坐視不管啊。」

容俊冷冷說道：「說了半天，原來你是想從我口中套出救她的辦法。」

容哥兒道：「救她，倒用不著前輩相助，我知道那地方，我自己會去救她。」雙目中神光一閃，道：「不管鄧玉龍武功上有何成就，他做了多少件為民除害的事，積了多少善功，但對他的為人，我卻不恥。」

容俊接道：「別忘了，他才是你的父親啊！」

容哥兒道：「就算日後證明他確是我父親，我一樣不恥他的為人，不過……」

容俊道：「不過什麼？」

容哥兒道：「對母親，我卻有著一份深深同情，鄧玉龍一代情魔，母親非有大智慧，絕無法和他抗拒，我又憑什麼能要求母親，是一位身具大智大慧的人呢。」

容俊突然吁一口氣，道：「還有一件事，老夫一直未曾想到。」

容哥兒道：「什麼事？」

容俊道：「你母親太美了。」

容哥兒怔了一怔，道：「看來他似是有些回心了。」

容俊道：「這些年中，我對她折磨得很慘，但她卻是逆來順受，從未反抗，有幾次，她本有機會對鄧玉龍說出身分，但她卻避開不言。」

容哥兒道：「為什麼呢？」

容俊搖搖頭，道：「那鄧玉龍對一個女人的喜愛，全憑她的美貌為主，你那位母親，大約自知我已把她折磨得不成人形，無法再討那鄧玉龍的歡心，所以，她不敢再見那鄧玉龍了。」

容哥兒輕輕歎息一聲，道：「老前輩，你怎麼老是往壞處想呢？爲什麼不想她是爲懺悔，故願忍受痛苦折磨呢？」

容俊冷冷說道：「世人多狡詐，女人尤甚，老夫一生之中，受過兩個女人的騙，如何還能相信女人？」

容哥兒望了望天色，道：「老前輩，四大將軍有三位受毒物控制，爲人所用，唯獨你沒有中毒，你認爲這是自己的才智也好，運氣也好，但晚輩卻有不同的感覺。」

容俊道：「有什麼感覺？」

容哥兒道：「我覺得這不是一種偶然的事，它中間，該有著一份情義。」

容俊搖搖頭，道：「老夫不相信！」

容哥兒淡淡一笑，道：「老前輩堅持不相信，那也是沒有法子的事了……」

語聲一頓，抱拳接道：「這君山之中，即將有一場從未有過的古怪大會，會中定然會有很多古怪的事情傳出，希望老前輩屆時也能出席大會。」

容俊道：「那大會在哪裏？」

容哥兒道：「在君山。」

容俊道：「什麼地方？」

容哥兒道：「你自己留心些，不難找到，晚輩告辭了。」

容俊一皺眉頭，道：「你要到哪裏去？」

容哥兒道：「找我那位可憐的母親。」

容俊道：「哼！那樣的壞女人，你還找她作甚？」

容哥兒道：「天下沒有不是的父母，她有生我之恩，晚輩怎能不報？」

容俊沉吟了一陣，道：「這條石道，十分危險，很多佈置的機關，都已經失了控制，你要小心一些。」

容哥兒喜道：「多謝老前輩的指教。」

容俊似是已和容哥兒談得投緣，輕輕歎息一聲，道：「你母親生機很少，她整個的人，都被扣在石棺之中。」

容哥兒搖搖頭，道：「不要說了。」轉身向洞中行去。

但聞容俊叫道：「站住！」

容哥兒回過頭來，道：「老前輩，還有什麼吩咐？」

容俊道：「老夫贈你一物！」

容俊探手從懷中摸出一柄鐵鑰匙道：「這是她身上枷鎖的鑰匙，你帶著吧。」

容哥兒心中暗道：「看來，他似是已對母親有了諒解。」

但見容俊轉身行了兩步，又回過身來，說道：「你要多多小心，這石洞很多地方，都已爲巨石封擋，而且佈置的機關，也無法再加控制，你稍有差錯，就有性命的危險。」

容哥兒歎息一聲，道：「多謝你三番兩次的提醒，但我心意已決，雖有危險，那也是顧不得了。唉！就算死於石道之中，也算盡了一點孝心。」

容俊略一沉吟，道：「老夫倒有一個法子，可以使你減少一些危險。」

容哥兒喜道：「晚輩請教高見。」

容俊道：「找一個熟悉石道中路徑埋伏的人，爲你帶路。」

容哥兒苦笑一下道：「這個我也知道，可是又到哪裏尋找這一個人呢？」
容俊道：「那人遠在渺不可期，近在你的身前。」
容哥兒略一沉吟，道：「老前輩願助我嗎？」
容俊冷冷地說道：「是的，老夫為你帶路，但你要和老夫保持五尺以上的距離。」一側身，越過容哥兒，向前行去。
容哥兒道：「老前輩？」
容俊回過臉來，道：「你可是怕老夫加害你嗎？」
容哥兒道：「老前輩誤會了……」
容俊道：「你如相信老夫，那就請隨在老夫身後就是。」
也不待容哥兒回答，舉步向前行去。
容哥兒心中暗道：「他脾氣古古怪怪，看來非要遵照他的吩咐才成。」心念一轉，也不多言，保持和那容俊五尺的距離，向前行去。
容俊對這地道，似是比那鄧玉龍更為熟悉，每行到險惡之處，就停下來告訴容哥兒閃避之法。
在容俊的指引下，兩人很快地進入了地下石府。
這地下石府，雖然遭過大劫，但除了那石道損毀較大之外，石府中大部完整。
容俊對地下石府道路極熟，帶著容哥兒，避開險徑，直奔石棺停放之處。
兩人行速極快，容哥兒正覺折轉得暈頭轉向時，容俊突然停了下來，道：「出了這前面的

門，就可見到那石棺了……」

容哥兒抬頭看去，果見一扇門橫在面前。

激動的心情，使得容哥兒失去了鎮靜，大步向門外闖去。

突然，一雙手伸了過來，抓住了容哥兒的右腕，道：「哼！你如這樣迷迷糊糊地接近石棺，很可能被人殺死。」

容哥兒怔了一怔，神智頓然一清，道：「多謝容老前輩指教。」

容俊鬆開了容哥兒的右腕，道：「小心吧！那裏有兩具右棺。」

容哥兒道：「晚輩知道。」緩步向室外行去。

出了石門，轉眼望去，只見兩具石棺，並列一處。

容哥兒感覺中，景物上似乎是有了很大的改變，但容哥兒又無法說出是哪裏改變。

原來，他匆匆行過，對石棺附近的景物，只是有一個大略的印象，只能感覺和過去不同，但卻又無法說出和過去有何不同。

那石棺並未加蓋，遠遠望去，也不見棺中有人。

這時，四周一片冷寂，使人有一種凄涼的恐怖。

容哥兒步履沉重地緩步向前行去。

接近石棺時，容哥兒心情感覺到一種莫名的緊張，忍不住輕輕咳了一聲，道：「有人在嗎？」容哥兒一連問了數聲，不聞有人回應，只好舉步向前行去。

他記得這石棺中各有一人，左面一具石棺中，似是裝著自己生身的母親。容哥兒緩步行近石棺，低頭看去，只見棺中空無一人。

容哥兒凝注著石棺，長長吁一口氣，道：「老前輩，晚輩容哥兒，特來拜見。」

一面運目力搜尋石棺中可疑之處。

他心中已然明白，其中另有存身的地方，在棺中，必有著控制的機關。他希望能找到開啓石棺的機關。但見棺中一片平整，竟是無法找出可疑之處。

突然間，一雙手伸了過來，抓住了容哥兒的右腕。

變出突然，容哥兒毫無防備被人一把扣住了脈穴。

這一驚非同小可，只覺一股寒意由背脊上升，直沖腦際，幾滴冷汗落了下來。

容哥兒暗暗吸一口氣，正待轉過身子，突聞一個冷冷的聲音，傳入耳中，道：「你是什麼人？」

容哥兒輕輕咳了一聲，道：「在下姓容。」

轉目望去，只見一個面色蒼白，長髮披垂的人，上半身探出石棺，看情形，似是坐在棺中。

但見那長髮人口齒啓動，冷冷說道：「你姓容？」

容哥兒穴脈被他扣拿，無能反抗，只有以冷靜應變，點點頭，道：「不錯，在下姓容。」

長髮人道：「你也是這地下石府中人？」

容哥兒略一沉吟，搖搖頭，道：「在下不是。」

長髮人蒼白的臉上，閃掠一絲訝異之色，道：「你到此作甚？」

容可兒心中暗道：「那日我到此之時，這具石棺也曾有人出現，只不知是否是他，我已全無印象。」

心中念轉，口中說道：「晚輩到此，想求見一位老前輩。」
長髮人道：「什麼人？」
容哥兒道：「就是那座石棺中一位夫人。」
長髮人蒼白恐怖、充滿著悲苦的臉上，突然擠出笑容，道：「你找容夫人？」
容哥兒道：「不錯，我找容夫人，老前輩認識她嗎？」
長髮人道：「本來不認識，但同在這兩石棺中住了很久，自然認識了。」
容哥兒心中一喜，道：「老前輩貴姓啊？」
長髮人道：「在下麼……唉！不提姓名也罷，提起來，實是羞於見人。」
容哥兒道：「老前輩既是不願以姓名見告，在下也不勉強，但想請教老前輩一事，還望能夠指示一二。」
長髮人道：「好！你說吧！」
容哥兒望望左棺，道：「這具石棺中住的容夫人現在何處？」
長髮人道：「你要見她？」
容哥兒道：「是的，晚輩冒險行入地下石室，就是希望能一見容夫人。」
長髮人緩緩說道：「你是她的什麼人？」
容哥兒道：「那位容夫人是在下的母親。」
長髮人道：「你是容俊的兒子？」
容哥兒暗道：「此中情形複雜，實是難以啓齒。」
只好點頭應道：「不錯。」

長髮人道：「那容夫人，就是被容俊鎖在這石室中啊！」

容哥兒道：「這個在下知道了，晚輩請教的是，那容夫人現在何處？」

長髮人道：「這地方發生了巨大的變動。」

容哥兒道：「是的，這石室，所有的機關，都受了很大的損害，老前輩卻安然無恙，但不知那容夫人……」

長髮人接道：「那次大變之後，就沒有再見過容夫人。」

容哥兒似是陡然被人在前胸打了一拳般，心頭突然一震。

半晌之後，才緩緩說道：「老前輩，可以放開晚輩的脈穴嗎？」

長髮人道：「自然可以。」鬆開了容哥兒的手腕。

容哥兒緩緩向後退了兩步，道：「這石棺之中，可有門戶？」

這時，容哥兒停身之地，已在那長髮人手臂可及之外。

如若那長髮人再想抓到容哥兒，勢必要站起身子不可。

只見長髮人兩道森冷的目光，盯注容哥兒身上望了一陣，道：「小娃兒，你想冒險嗎？」

容哥兒道：「不錯，如若前輩肯見告這石棺門戶開啓之法，晚輩自會對老前輩有以回報。」

長髮人道：「你要如何報答我？」

容哥兒道：「我替老前輩開啓枷鎖，放你離此。」

長髮人道：「你有鑰匙？」

容哥兒道：「有。」

緩緩從懷中取出鑰匙，接道：「可是此物。」

長髮人目光盯在容哥兒手中鑰匙之上，神情微現激動。

片刻之後，才輕輕歎息一聲，道：「你很聰明。你想用懷中的鑰匙，誘使老夫助你。」

容哥兒道：「江湖上太險詐了，晚輩不得不稍作準備。」

長髮人哈哈一笑，道：「老夫剛才應該搜搜你才對。」

容哥兒道：「現在，已經晚了，老前輩只有誠心誠意地助我，才有離開這囚居石棺之望。」

長髮人黯然說道：「小娃兒，容夫人已久未出現，老夫也曾呼叫於她，一直未聞她相應，只怕是凶多吉少的了。」

容哥兒道：「就算她已遭不幸，晚輩也要看到她的屍體。」

長髮人道：「好，你用手按石棺右角，這石棺就可現出門戶了。」

容哥兒道：「咱們全心合作，晚輩希望老前輩不要心生貪念，搶我鑰匙。」

長髮人淡淡一笑，道：「好！但你答允開啓老夫的枷鎖，想來也不會是欺騙老夫，不論容夫人的死活，你都要力行承諾？」

容哥兒道：「不錯。」

探出手去，遵照那長髮人之言，伸手按在石棺右角之上。

果然，那石棺之底，迅快地向一方收縮大半，露出一扇門戶。

容哥兒目光到處，只見那棺底縮開的門戶，一片漆黑，而且四壁光滑，不見有深入的梯階，不禁一皺眉頭，道：「這下面很深嗎？」

長髮人道：「一丈三、四，只要是輕功稍有造詣之人，就不難上下。」

容哥兒心中忖道：「縱然這石棺之下充滿著凶險，我也該下去瞧瞧。」

心念意決，暗中一提氣，飛身跳入了石棺之中。

那長髮人說得並非謊言，那石洞只不過一丈多深，容哥兒腳落實地，那開啟的棺底，突然又關了起來。

容哥兒長吸一口氣，納入丹田，暗作戒備，一面運足目力，四下瞧瞧。

這是石棺下的一座小室，地方雖然不大，但因太過黑暗，容哥兒有過於常人的目力，也無法在很快的時間內，看清楚室中的景物情形。

片刻之後，容哥兒的目光，已逐漸可適應黑暗，室中景物，依稀可辨。

目光轉動，隱隱可見小室一角中，有一圈突起的黑影。

容哥兒只覺得一陣劇烈的心臟跳動，幾乎失聲而叫。

他鎮靜了一下激動的心情，緩緩說道：「老前輩。」

只聽那蜷伏於一角的黑影，響起了輕微的回應之聲，道：「你是誰？」

聲音雖然微小，但容哥兒已然辨出是女子的聲音，當下應道：「晚輩姓容。」

一陣淒涼的笑聲道：「你可是叫容小方嗎？」

容哥兒道：「他們都叫我容哥兒。」

那女子聲音應道：「哥兒是你的乳名……」

黯然歎息一聲，道：「你怎會找到此地來了？」

容哥兒道：「你是容夫人？」
女子聲音應道：「可以這樣說吧！但那容俊早已不認識我了。」
容哥兒道：「你知道我是誰嗎？」
那女子黯然說道：「我已爲世人遺棄，滔滔人間，只有一個人會來找我。」
容哥兒道：「那人是誰？」
那女子應道：「你，我生的兒子。」
容哥兒歎息一聲，道：「不錯，在下就是，母親在上，受孩兒一拜。」言罷，拜伏於地。
但聞那女子聲音，緩緩說道：「其實，你也用不著來找我。」
容哥兒接道：「孩兒覺得，還有一人，也應該來找母親。」
容夫人道：「什麼人？」
容哥兒道：「鄧玉龍。」
容夫人呆了一呆，道：「鄧玉龍……」
容哥兒道：「是的。」
容夫人道：「孩子，你好像知道很多事情？」
容哥兒道：「不錯，孩兒到此之前，對任何事情，都已打聽得清清楚楚了。」
容夫人道：「你有這樣一個母親，心中有何感覺……」
長長歎息一聲，接道：「你一定感覺到有我這樣一個母親爲恥了。」
容哥兒道：「子不談母過，母親的錯失，自有別人評論，但孩兒身爲人子，自然要盡一番孝心。」

容夫人道：「什麼孝心？」

容哥兒道：「我要設法救助母親離開此地。」

容夫人長長歎息一聲道：「不用了，一則我傷病交織，只怕也無法活好久了，再者我也不願面見世人。」

容哥兒緩緩站起身子，舉步向黑影行去，一面說道：「母親不願面見世人，那是心中有愧了？」

容夫人輕輕歎息一聲，道：「我該死了，這鐵鎖鎖枷，只能鎖住我的人，卻無法鎖住我心中一點希望。」

容哥兒道：「母親心中的希望爲何？」

容夫人道：「希望能再見你一面……那一天看到你，就本能感覺到，你是我的孩子。」

容哥兒道：「那時，母親何以不認孩兒呢？」

容夫人道：「我怕玷汙了你的聲名，也怕你不肯認我這個母親。」

容哥兒苦笑一下，道：「天下的羞辱，都已集齊在孩兒身上了，母親不必再爲孩兒的聲名擔憂了。」

容夫人道：「如我死了，這事就像沉在海中的大石，再無人知曉此事了。」

容哥兒苦笑一下，道：「容俊還活著，鄧玉龍也沒有死，還有孩兒，我也知曉了這件事。」

容夫人慘然說道：「孩子，那是逼爲娘說出這段羞於見人的往事了？」

容哥兒道：「孩兒有多大膽子敢逼母親，只是母親和孩兒，都已經捲入了江湖悲慘的殺劫

之中，孩兒身世，牽連著整個江湖恩怨之中，自然是不能不說了。」

容夫人輕輕歎息一聲，道：「你要爲娘把這段醜惡的往事，親口說給你聽嗎？」

容哥兒道：「除了孩兒之外，母親又能告訴何人呢？」

容夫人沉吟一陣，道：「好吧！我告訴你，不過你要答允爲娘兩個條件。」

容哥兒道：「娘有什麼事，吩咐孩兒就是，怎麼和孩兒也說起條件來了？」

容夫人道：「一個不齒於人間的母親，怎敢期望她的兒子，還認她做娘呢？」

容哥兒道：「孩兒如無這一番孝心，也不會冒險來見母親了。」

容夫人道：「唉！你聽完爲娘述說的往事之後，認不認母親，任憑於你，但你勿要找人報仇。」

容哥兒道：「找誰呢？」

容夫人道：「鄧玉龍和容俊。」

容哥兒道：「好！孩兒答應，母親請說吧。」

容夫人長長吁一口氣，道：「爲娘的昔年，在武林中稍有名氣，不過，那名氣並非我武功博得，而是我的美麗……」

她掙扎著坐起身子，靠在牆壁上，接道：「在我未認識容俊之前，已和那鄧玉龍先行相識……」

容哥兒接道：「孩兒很不解。」

容夫人道：「什麼事不解？」

容哥兒道：「母去既和鄧玉龍先行相識，爲什麼不肯以身……」

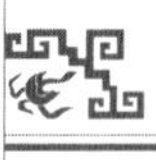

突然覺得話說得太冒失，急急住口不言。

但聞容夫人黯然接道：「那時鄧玉龍已有妻室，而且他行爲不端，到處留情，爲娘心中對他極是痛恨。」

容哥兒心中暗道：「你對他極是痛恨，爲什麼又和他暗相往來呢？」但想到對方乃是母親，忍下未問出口。

容夫人望了容哥兒一眼，緩緩接道：「那時，你爹正苦追爲娘，我雖心中痛恨那鄧玉龍，但對容俊，亦無好感……孩子！你可是覺得奇怪，爲娘的既然對容俊並無好感，何以肯下嫁於他，是嗎？」

容哥兒道：「孩兒愚笨，對此確然不解。」

容夫人道：「那容俊不知在何處弄了一些迷神的藥物，暗下我飲食之中，趁我服用之後，神智暈迷未醒，把我……」

她似是覺得在自己的孩子面前，不能說得太過詳細，望了容哥兒一眼，改口接道：「待我藥物醒來，心中憤怒異常，如能一劍把他殺死，也無日後之事了。」

容哥兒感覺用不著聽下去，這就是母親值得原諒的地方。

事理上，容哥兒對母親有著痛恨，但親情上，他又覺母親是那樣孤獨可憐，他很想找出一個心理上能夠原諒母親的理由，是以，當他聽到容俊施用藥物，心中突然開朗了很多……

只聽容夫人接道：「但他苦苦求我，表明愛心，矢志不移，爲娘的確爲他說動，就下嫁了容俊。」

容哥兒望了容夫人一眼，道：「以後的事，孩兒想到了。」

容夫人搖搖頭，道：「你想不到，你只不過是不願聽到母親的罪惡罷了。為娘嫁給容俊之後，立時棄置刀劍，一個嫁了丈夫的女人，自是不便在江湖上爭雄鬥勝了，我立志想做一個好妻子，為娘不善烹飪，從那時起，我開始學習做菜，不足一年，我學會了一手好菜，容俊每有好友到訪，為娘的必親自下廚，做幾道菜，每次都使客人誇獎不已，容家的菜餚，很快在江湖上出了名。

「有一天，鄧玉龍也突然降臨，而且告訴容俊，因慕容府的菜餚而來，容俊引以為榮，告訴了我這件事情。當時，我就有著不詳的預感，因此，力勸容俊，要他吩咐廚上，備上一桌酒席，要他食用之後，盡快離開，不要他在我們的府中多停留。

「哪知容俊不解為娘之意，反而駁斥為娘，說那鄧玉龍名滿天下，不知有多少武林高人，希望能與謀一面而不可得，他肯紆尊降貴，到我們這裏求進美食，足見賢妻手藝之高，堅持要我下廚，親手做幾樣美餚，以待佳賓。為娘推卸不過，心想下廚做幾樣美餚，等他食用之後，再勸容俊，下令逐客，當下依言下廚。」

容哥兒突然接道：「母親似是早對鄧玉龍心存戒備，是嗎？」

夫人道：「正是如此，但可憐容俊不知。」

容哥兒道：「母親對他戒備如是森嚴，怎還能失足鑄錯？」

容夫人道：「鄧玉龍有一種使女人無法抗拒的魔力，逃避他的最佳辦法，就是不見他面。」

容哥兒啊了一聲，道：「原來如此。」

五一 咫尺天涯

容夫人長吁一口氣，道：「爲娘不願見他之面，是以下廚之後，就進入內宅。據聞鄧玉龍在筵席之上，再三誇獎爲娘的手藝，並要容俊遣人請我入席，以便面致謝意。可憐那糊塗的容俊，竟然真的派人進入內宅，請我入席，但卻爲娘堅決拒絕，他一連遣三人，都爲我託病推辭。

「鄧玉龍大約看出我深具戒心，反勸容俊說，既是令正有恙，過幾日再見也是一樣。

「從那日起，一連三日，容俊沒有回到內宅，起初之時，我還未在意，待到了第三日，我覺出不對，遣派丫頭到前宅探聽，丫頭回報說，容俊和鄧玉龍避居於花廳之中，習練武功，任何人均不得入內干擾。」

容哥兒道：「難道這是鄧玉龍的安排嗎？」

容夫人道：「不錯，我一得丫頭回報，就猜到了鄧玉龍的用心，唉！那鄧玉龍確實也付出一番心血。」

容哥兒道：「什麼心血？」

容夫人道：「容俊日後在北遼能夠搏殺一十二個北遼勇士，那次花廳習劍，實是主要原因，鄧玉龍就傳了他十二招劍法，使他武功在數日間，擠上武林第一流頂尖高手。」

容哥兒歎息一聲，道：「那是說鄧玉龍早存了不良之心……」突然想到鄧玉龍乃是自己的生身之父，趕忙住口不言。

容夫人緩緩點頭，道：「是的，容俊沉醉在鄧玉龍傳授的劍招之中，半月未到後宅一步，爲娘心中惦念，忍不住往花廳探視。哪知容俊竟然閉門不見，隔窗告訴爲娘，他習練劍術，不能分心，要我轉回後宅，等他練好劍術之後，再和我相見……

「當時未見到他，但爲娘回到內宅時，鄧玉龍卻已在爲娘閨房之中，他輕功高強，神出鬼沒，青天白日，竟然無法瞧到他混入了內宅。爲娘見他之後，心中怒火甚熾，隨手抓過一枚金鉸，刺了過去，以他武功而言，就算十個我，圍攻於他，也不是他敵手，但我那一鉸，卻刺傷了他。」

容哥兒不自禁地問道：「傷在何處了？」

容夫人道：「臉上，在他左頰上，割了一道三寸長短的傷口，鮮血順著他面頰滴下，滴濕了前胸衣服。我見他受傷甚重，心中沒了主意，呆呆地站在那裏……」

容哥兒道：「鄧玉龍沒有反擊嗎？」

容夫人道：「沒有，那一鉸好像刺在了別人身上，和他完全無關一般，他站在原地，動也未動一下，兩道目光一直盯著爲娘，那目光，不是忿恨，也不是仇恨，而是，一種動人憐惜的情意。」

她望了容哥兒一眼，接道：「我看他流血不止，心中大爲不忍，不自覺地伸出手去，擦拭他臉上的鮮血。哪知他一伸手抓住我的右腕，望著我說，我心中對他仍有愛意，這一鉸本可刺瞎他的眼睛，但他動也未動過一下，我卻故意一側，那是手下留情了……

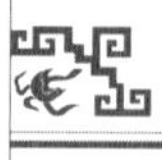

「他這般一說，爲娘細想當時之情，確也如此。但我仍然掙脫了右手，替他包紮好傷勢，要他離開此地，但他卻推說傷勢嚴重，無法行動，就留在了爲娘的房中。就這樣，他在我房內養傷三日，鑄下大錯後，飄然而去，爲娘越想越覺愧對容俊，留下一封書信出走。

「我離家之後，本想尋死，幸好，遇上了昔年一個同門師姊，她把我留在家中，百般慰勸，她爲了不讓我有尋死的機會，寸步不離爲娘。那兩個月中，我心已死，生活平靜得有如枯井死水，料不到這時，我卻覺出了身懷有孕，唉！我和那容俊成婚年餘，渴望著有一個孩子，但卻未能如願！想不到，鄧玉龍留我房中三日，竟然造成我有孕在身。唉！爲娘不得不相信天命了。」

容哥兒黯然說道：「母親那時所受非人之苦，都是爲了孩兒。」

容夫人道：「母子天性，何足爲怪，我雖然被囚於斯，受盡了折磨苦難，但我心中卻是毫無痛苦之感。」

容哥兒道：「爲什麼？」

容夫人道：「一個人做錯了事，自然要有報應，我這樣自然也是應受的報應了。」

容哥兒道：「孩兒又怎會回到容府中去？」

容夫人道：「爲娘的生你之後，左思右想，覺得我可以養你長大，但我總不能讓自己的孩子沒有姓名。因此，在你兩歲之後，我把你送回容府，那時，容俊已然遠征北遼，仗憑鄧玉龍傳他的十二劍，大露鋒芒，一口氣擊斃了北遼十二位勇士，一舉間成了武林中風雲人物，但他也從北遼帶回了一位美女，我把你送回容府時，同時留下了一封信，要容俊照顧你。

「送你回容府之後，爲娘的仍不放心，在容府附近住了一個月，確知已收養了你，而且你

那位新的母親，待你也不錯，爲娘的才放心離去。」

容哥兒道：「母親是否知道，目下江湖造成如此大劫，全是我那位養母所爲？」

容夫人道：「聽說，那位新的容夫人，不但貌美如花，而且待人和藹，想不到她竟心懷奸謀，造成江湖目下的大劫慘情，爲娘的委實也要負些責任。我如不背棄容俊而走，他也許不會帶一個番女回來，所以，容俊投入地下石府後，追捕爲娘，把我鎖此石室，爲娘心中毫無半點怨恨。」

容哥兒長長吁一口氣，道：「我的身世孩兒已大部了解，爲了使江湖大爲明朗，孩兒不想再隱瞞自己的身世。」

容夫人吃了一驚，道：「怎麼！你要把此事公諸於天下嗎？」

容哥兒道：「我那養母，已然被擒，她願說明全部內情，不過，一定要少林、武當兩派掌門，把天下英雄會聚一堂，然後，她才肯說明全部內情，孩兒想來，集會之中，我那養母必然有驚人之論。」

容夫人道：「什麼驚人之論？」

容哥兒道：「唉！不論孩兒的養母，心機多深，智謀多高，她也無法造成如此形勢，這其間必還有著無數的中原武林高手協助她。」

容夫人緩緩說道：「那些武林高手，又爲什麼甘心協助她呢？」

容哥兒道：「人生之中，最難勘破兩件事，一件是生死之關，一件是美色迷惑，她就利用這兩件大事，控制了整個武林。」

容夫人道：「唉！地下石府中，也爲她所用了嗎？」

容哥兒道：「何止為其所用，而且是我那位養母的主要力量，四大將軍，各有用心，除了容俊之外，全都為毒物所困，擺不脫生死之關，只有為人效命了。」

長長歎息一聲，接道：「在這場集會之中，我想我那位養母，必然揭穿很多武林中的隱秘，唉！這樣也好，可以使混亂的武林，比較澄清一些，那些平日裏自命清高的偽君子，自然也將在這一場大會中，暴露出其邪惡的本性。」

容夫人道：「那將毀了很多人。」

容哥兒道：「這是武林中一場大罪惡的揭發，相比之下，母親罪後自懲，甘受痛苦的折磨，比他們清高多了……」

容夫人道：「孩子，可是你……」

容哥兒道：「我不在乎，容俊不認我，鄧玉龍不養我，但我並未做一件壞事，不論他們對我的看法如何，我總覺得比那些假道以行惡，外貌偽善的人，強得多了。」

容夫人道：「為娘這一代犯的錯，卻把這痛苦，加諸在你的身上。」

容哥兒道：「孩兒並不覺得，也許我若……」

容夫人突然接道：「有人來了，小心戒備。」

容哥兒一吸氣，背貼牆壁而站，蓄勁於掌。

只見石棺一開，一道火光，疾沉而入。

容哥兒凝目望去，只見來人一張怪臉，難看無比，手執燈火，白鬚飄拂，正是那地下石府主人鄧玉龍。

鄧玉龍揚揚手中燈光，一照容哥兒，道：「孩子，你也來了？」

容哥兒長歎一聲，道：「我該怎樣稱呼你？」

鄧玉龍道：「隨便叫吧。」緩緩舉步向前行去。

只見明亮的燈光，照射在容夫人的臉上，她臉色蒼白，見不到一點血色。

鄧玉龍神情淒愴，緩緩道：「剛剛我碰到容俊，他才告訴我這件事情。」

容夫人緩緩說道：「你知道了又有什麼用呢？我已經被囚於此十餘年了。」

鄧玉龍歎息一聲道：「我一生充滿著罪惡，因此，我自毀容貌，隱於此不見天日之處。羅致了四個充滿正義感的俠士，執行我行善不為人知的計畫。」

容夫人道：「但你失敗了。」

鄧玉龍歎聲道：「因為我，容納了一個容俊，也因為他，暴露了我的存身之地，引來那位容夫人暗中施毒，控制了我整個地下石府，我雖然沒有中毒，但卻為他們所欺騙，等我覺出情勢不對，為時已晚……」

容夫人道：「目下江湖，正面臨空前的浩劫，你難道就坐視不管？」

鄧玉龍道：「唉！我會盡力，死而後已。」

容哥兒接道：「我那位養母，已答應少林掌門人，要他召集天下英雄，她要在群雄面前，說明造成江湖大亂的內情。」

鄧玉龍點點頭，道：「那很好。」

容哥兒道：「但這場大會中，有很多聲譽清高的武林高手，都要暴露原形。」

鄧玉龍沉聲說道：「我鄧玉龍身犯一戒，不論我做多少好事，都不能彌補，有很多人，卻做盡卑下無恥的事，反落得一身清名，這番江湖大劫，如能挽救，那無疑替武林做了一次清洗

工作，雖然傷了不少武林元氣，焉知非福呢？」

目光轉到容哥兒的臉上，接道：「孩子，容俊說，已把鑰匙交給了你。」

容哥兒道：「是的。」

鄧玉龍道：「打開你母親身上枷鎖。」

容哥兒取出鑰匙，緩步行到容夫人身側，開啓了加在容夫人琵琶骨上的兩個堅牢鐵鎖。那傷口因時日過久，早已變得乾枯。

容夫人理一下頭上亂髮，緩緩說道：「你們父子相見，爲娘唯一的一樁心事已了，這人間已無我留戀的事了。」

容哥兒道：「聽母親之言，似乎是不想活了？」

容夫人黯然說道：「我縱然能活下去，還有什麼味道，倒不如死了的好。」

鄧玉龍道：「你可是感覺到紅顏老去之苦？」

容夫人搖搖頭道：「我覺得活在世上，已然別無他用，回首前塵，盡屬恨事，豈不是生不如死了？」

鄧玉龍輕輕咳了一聲，道：「都是在下之過，希望此後餘生能對你有所補償。」

容夫人淡淡一笑，道：「往事已矣，還談什麼補償？」

容哥兒突然接口說道：「母親覺著自己身犯大錯，羞於見人？」

容夫人沉吟了一陣，道：「有些道理，不過，也並非全然如此。」

容哥兒道：「孩兒有數語回報母親，但不知是否同意？」

容夫人道：「什麼事？」

容哥兒道：「母親就算要死，也請參與過這場大會再死不遲。」

鄧玉龍接道：「我也要在這場大會之上，坦供罪狀，說出我一生的惡跡。」

容夫人道：「不行，你要保留下我們的事……」

望了容哥兒一眼，接道：「你我造下之孽，死而何憾，但孩子何辜，讓他如何見人？」

容哥兒突然仰天打個哈哈，道：「母親，不用爲孩兒擔心，我一點也不怕。」

伸手扶起了容夫人道：「咱們走吧！」

容夫人望了容哥兒一眼，道：「孩子，他是你爹，難道你就不叫他一聲嗎？」

容哥兒沉吟了一陣，舉步行近鄧玉龍屈下膝，道：「見過父親。」

鄧玉龍伸出手去，扶起了容哥兒，道：「孩子，爲父很慚愧。」

容哥兒道：「父親如肯盡心挽救這場江湖大劫，也可稍補昔年鑄下的錯誤。」

鄧玉龍點點頭，道：「我會盡力。」

容哥兒道：「希望爹爹能夠全力施爲。」

鄧玉龍道：「好！你扶你母親，先離此地，這一生中我對兩個人負咎最深，一個是你母親，一個就是俞若仙，如是她陷身地下石府，我必得找出她的生死才行。」

容哥兒不再理會鄧玉龍，回頭對母親說道：「娘，咱們走！」

容夫人也感覺到，容哥兒心中，對那鄧玉龍有著很深的成見，一時之間，只怕是無法化解開去，點頭說道：「咱們走吧！」

鄧玉龍按動機關，石棺現出門戶。

容哥兒抱住母親，一提氣，縱身向上飛躍而去。

鄧玉龍右掌探出，輕輕在容哥兒身上一推，容哥兒借此一股掌力相助，輕易躍出石棺。

只見一隻蒼白的手掌，突然從另一座石棺內飛了過來，抓向容哥兒。

容哥兒擔心母親，左手一探，拍出一掌。噗的一聲，雙掌接實，容哥兒借勢飄出數尺，放下母親。轉眼望去，只見那長髮人坐在石棺之中，目光如炬，盯注在容哥兒臉上。

容哥兒道：「閣下陡然出手，是何用心？」緩步向石棺逼去。

容夫人高聲說道：「不要傷他。」

那長髮人目光轉到容夫人的臉上，冷冷說道：「你要走了？」

容夫人道：「是的，這些年來，承你照顧，我心中很感激。」

長髮人冷笑道：「感激有什麼用？爲什麼不讓你的兒子，把我也救出去？」

容夫人道：「此人生性惡毒，嗜殺如命，如若放他離開此地，他滿懷怨毒，必然將造出一番殺劫。」

但聞那長髮人冷冷笑道：「容夫人，你在此地數年，在下待你如何？」

容夫人道：「待我不錯。」

長髮人道：「你爲什麼不肯救我離此？」

容夫人道：「因爲你不能。」

長髮人緩緩說道：「在下被囚於此十餘年，早已經變得沒有了火氣，你如放我離此，我感恩圖報，永遠聽從夫人之命。」

容夫人道：「江山易改，本性難移，我對你實在無法相信。」

容哥兒緩緩道：「暫時委屈閣下，待江湖大局澄清後，在下再行設法救閣下。」
長髮人怒道：「在下活了這把年紀，還會受人欺騙不成。」
容哥兒一皺眉頭，暗道：「看他脾氣如此火爆，只怕母親講得不錯了。」心念一轉，決心不再救他，當下緩緩說道：「我娘既然說你不好，我也看你不像好人，但在下既然答應了，決然不會失約。不過，我等到武林平靜之後，再來救你。」
長髮人怒聲喝道：「你如丟下我在此，老夫一旦離此之後，必把你碎屍萬段，挫骨揚灰。」
容哥兒抱起母親，大步向外行去，不再理會那長髮人惡毒的叫囂。
過一道石門，只見容俊嚴肅地擋住了去路。
容哥兒微微一怔，道：「老前輩。」
容俊望了容哥兒背上之人一眼，道：「你背的是什麼人？」
容哥兒道：「我的母親。」
容夫人接道：「是我，蔡玉蓮，你想不到我還會活著離此吧？」
容俊兩道冷電一般的目光，逼注在容夫人的臉上，上下打量，但卻一語不發。
容哥兒心中暗道：「看來他前嫌未消，心中怨恨猶存，倒是不能不小心了。」心中念轉，暗中運氣戒備。
只聽容俊長長歎息一聲，道：「你已經看不出一點昔年的形象了。」
蔡玉蓮苦笑一下，道：「變得很醜了，是麼？唉！我早日如能有此刻之醜，也不會造下背夫棄子的大錯了。」

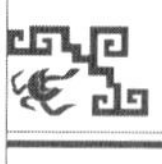

容俊皺皺眉頭，目光轉到容哥兒的臉上，道：「你要帶她往何處？」

容哥兒道：「我要帶她去參加英雄大會。」

容俊怔了一怔，道：「參加英雄大會？」

容哥兒道：「不錯，但這場大會，並非論武定名，而是由繼母說明她毒害武林同道的經過。老前輩也是重要的當事人，希望能夠參與其事。」

容俊沉吟了一陣，道：「老夫可以參與，不過，你娘不能！」

容哥兒道：「為什麼？」

容俊道：「此事已與老夫顏面有關，老夫不願當眾出醜……」

目光一掠蔡玉蓮，道：「難道你真願參與這場群雄聚會，當眾出醜？」

容哥兒冷冷說道：「老前輩，有一個人滿身罪孽，但他卻要親自參與那場英雄大會，當眾認錯……」

容俊接道：「什麼人？」

容哥兒道：「鄧玉龍。」

容俊皺皺眉頭，道：「這個，這個……這個是他的事，但老夫決不能同意讓你母親參與。」

容哥兒道：「老前輩可是覺著這件事很隱秘，是嗎？」

容俊道：「雖然很多人知曉，但此等事還要三人六目的對證不成？」

容哥兒長長吁一口氣，道：「我想在那場大會之中，定然會揭發出武林中甚多罪惡，也許更為驚人的事，老前輩事已如此，也不用隱諱往事了。」

容俊怒道：「老夫決不同意此事！」
容哥兒道：「有一件事，晚輩希望老前輩心中明白。」
容俊道：「什麼事？」
容哥兒道：「晚輩指的是自己母親，她早已和老前輩無關了。」
容俊怔了一怔，道：「就法理而言，我已休她出門，畢竟，天下英雄都還知曉蔡玉蓮是我容俊的妻子啊。」
容哥兒苦笑一下道：「看來，我們是很難談得通了？」
容俊雙目神光一閃，道：「你可是想和老夫動手嗎？」
容哥兒道：「如是別無選擇，那也是無可奈何的事了。」
容俊怒道：「好！我讓你三招再殺你，叫你死而無怨。」
容哥兒緩緩說道：「不用讓了，老前輩厲害的招術，儘管施盡，晚輩要速戰速決。」
口中說話，人卻已把容夫人放下。
蔡玉蓮輕輕歎息一聲道：「孩子，你不能傷他。」
容哥兒點頭，道：「母親放心。」
回身行近容俊，接道：「老前輩請出手吧，拳、掌、兵刃，聽憑尊便。」
容俊怔了一怔，道：「如是老夫在動手之時勝了你，你要允老夫一事！」
容哥兒道：「好！你說吧。」
容俊道：「不許帶你母親會見天下英雄，天下之大，何處不可安身，你如要盡孝心，就該帶她找一處深山大澤，人跡罕至之處，讓她頤養天年。」

容哥兒道：「晚輩答允，但不幸晚輩未敗，老前輩又將如何？」

容俊道：「那就隨你所欲，老夫不再管你了。」

容哥兒道：「咱們就此一言爲定，老前輩請出手吧。」

容俊一提右手，疾快地拍出一掌，擊向容哥兒的前胸。

容哥兒閃身避開，道：「咱們定個限制，如何？」

容俊雙掌齊出，連攻兩招，道：「什麼限制？」

容哥兒道：「在下不願和老前輩拚出傷亡，定以五十招爲限，如是五十招內，老前輩不能擊傷晚輩，或是迫令晚輩服輸，那就算老前輩輸了。」

容俊道：「五十招太少了，以百招爲準。」

容哥兒一皺眉頭，道：「好！就依老前輩訂下的約言，希望老前輩能夠遵守。」

容俊不再答話，雙掌連環擊出，一招快過一招，攻勢凌厲至極。

容哥兒連避開十二招，沒有還手，但容俊攻勢越來越是快速，逼得容哥兒險象環生，只好揮掌還擊。

容俊一心想阻止蔡玉蓮和天下英雄相見，全力施爲，迫得容哥兒亦不得不全力還擊，但見掌影流動，拳風盈耳，竟然以性命拚搏。

突然間，容哥兒向後退避五尺道：「夠了，打夠了一百招。」

容俊雙目盯注容哥兒的臉上道：「如是咱們再打下去，是何結果？」

容哥兒道：「晚輩不想推論，反正，我們打夠了上一百招，已符合我們訂下的約言，老前輩想來不會食言？」

容俊緩緩抽出背上長劍，道：「我們已比過拳掌，應該再比一百招劍法。」

容哥兒一皺眉頭，道：「老前輩說過了，咱們只比試一百招拳掌，如今百招打完，老前輩又要比試劍法，如是百招劍法中咱們還未分出勝敗呢？」

容俊道：「如果百招劍法中，我們還無法分出勝敗，那就放你們離去，在下不再阻攔。」

容哥兒搖搖頭，道：「老前輩能夠食言一次，就能食言第二次。」

容俊怒道：「你敢污辱老夫……」唰的一劍，刺了過去。

容哥兒縱身避開，道：「老前輩，你要多想一想……」

容俊嚴厲喝道：「老夫不再想了，我已對你破例優容。」口中說話，手中長劍，卻是一招緊過一招，攻勢猛烈異常。

容哥兒連連退避，躲開了十劍猛攻，始終未拔劍還擊。

蔡玉蓮掙扎而起，尖聲叫道：「容俊，請住手聽我一言。」

容俊收住長劍，冷冷說道：「你要說什麼？」

蔡玉蓮道：「你不用把一股怨恨之氣發洩在孩子身上……」

容俊道：「那是說你替他出面了。」

蔡玉蓮道：「我被囚居在那石棺中，過了幾十年，牛筋穿骨，雙腿早已殘廢，無能再和你動手了。」

容俊道：「你既然不能和人動手，那就無法替人出頭，只有從旁觀戰了。」

蔡玉蓮道：「你囚我幾十年，折磨得我不像人樣，我心中並不恨你，現在，我只求你放過我的孩子。」

雙鳳旗

容俊仰起頭來，緩緩說道：「在下倒有一個辦法，不知你是否答應？」

蔡玉蓮道：「什麼辦法？」

容俊道：「你如肯自絕一死，在下就可以放他離開。」

容哥兒只覺一股怒火，從心中直冒上來，唰的一聲，抽出長劍，怒聲接道：「老前輩定要比劍，晚輩只有奉陪了。」

容俊冷冷說道：「好！如是你能在劍法上勝了我，老夫不放你也是不成了。」口中說話，手中長劍，卻連續地刺向容哥兒。

容哥兒這次不再避讓，回手還擊。兩人劍來劍往，展開了一場激烈的惡鬥。

容俊求勝心功，攻勢甚銳，寒芒閃閃，盡指向容哥兒必救要害。

蔡玉蓮雖然是受盡折磨，但她的武功並非完全失去，眼看容哥兒處境危惡，心中大爲擔心，忖道：「這容俊不但對我的記恨甚深，只怕對容哥兒也有著很深的恨意，借比劍之名，先殺容哥兒，讓我嘗嘗失子之痛，然後，再取我之命。但我如自絕一死，或可使他改變了傷害容哥兒的用心。」

心中念轉，口中說道：「容俊，你聽我幾句話，再行動手如何？」

容俊手中劍勢不但未停下，反而攻勢更見凌厲，口中卻應道：「什麼事？」

蔡玉蓮道：「我如照你的話，自絕而死，你一定放過容哥兒了？」

容俊道：「那是自然。」

但聞容哥兒大聲喝道：「母親不用求人，孩兒勝給母親瞧瞧。」喝聲中劍法大變，反守爲攻，但聞一陣叮叮咚咚的兵刃交擊之聲，容哥兒全力反擊過來。

剎那間，強弱易勢，容哥兒由劣勢，反爲優勢。

蔡玉蓮眼看容俊劍勢已爲容哥兒劍勢壓倒，心中又怕容哥兒傷了容俊，想道：「我背棄了他，難免他心中存恨。」

正待喝住容哥兒，不要傷容俊，突聞容俊冷哼一聲，棄劍而退。凝目望去，只見容俊右臂上鮮血透出，濕了半個衣袖，滴在地上。

容哥兒還劍入鞘，一抱拳，道：「老前輩，承讓了。」

容俊面色鐵青，一語不發，緩緩拾起長劍，轉身向外行去。

但聞一個清冷的聲音喝道：「容俊，你回來。」

容哥兒轉目望去，只見鄧玉龍站在蔡玉蓮身後五尺左右處，不知他何時到來。

容俊的凶狠氣勢立時消失，緩緩行了回來。

蔡玉蓮回顧了鄧玉龍一眼，道：「你要殺他？」

鄧玉龍道：「我若有殺他之心，他怎的還會活到現在？」

蔡玉蓮道：「咱們都對不起他，所以他折磨我十餘年，我心中一點不恨他。」

鄧玉龍道：「我明白你的意思，因此，在四大將軍之中，我對他特別優容。」

容哥兒欠身對蔡玉蓮一禮，道：「娘！咱們走吧。」

蔡玉蓮又望了鄧玉龍一眼，道：「希望你心口如一，不要難爲他。」

鄧玉龍道：「你放心去吧。」

容俊垂首站在鄧玉龍的身前，不敢交接一言，目睹容哥兒揹著蔡玉蓮大步而出。

鄧玉龍目睹兩人去遠之後，冷冷說道：「容俊，你已經把她折磨得不成人形，難道心中還

不滿足嗎？」

容俊緩緩說道：「我不願這段醜事，重新沸揚於江湖之上。」

鄧玉龍道：「所以，你想暗算他們母子。」

容俊抬起頭來，似想答辯，但一和鄧玉龍那炯炯的眼神相觸，立時又收了回去。

鄧玉龍輕輕咳了一聲，道：「我犯了很多錯，但我從不逃避，可是你不同，你娶了一個番女回來，造成了武林大劫，但你似乎是毫不動容。」

容俊口齒啓動，欲言又止。

鄧玉龍冷然接道：「你早已知曉內情，但卻始終不肯說出，把自己的痛苦，轉嫁於天下武林同道身上。」

容俊緩緩說道：「天下武林同道，笑我容俊，我也讓他們見識一下，武林中究竟有幾個正人君子。」

鄧玉龍道：「你現在如願以償了？」

重重歎息一聲，道：「容俊，你有沒有勇氣面對天下英雄？」

容俊道：「爲何沒有？」

鄧玉龍道：「好！我鄧玉龍占了你的妻子，天下英雄，都罵我鄧玉龍，決不會罵你容俊，我鄧玉龍都不怕，你容俊又怕什麼呢？」

容俊沉吟了良久，「不行，我不能參與此會。」

鄧玉龍道：「爲什麼？」

容俊道：「因爲，我不能在大庭廣眾之前承認妻子爲人所占。」

鄧玉龍道：「其實，天下武林有誰不知此事，你承認不承認，又有何要緊？」

容俊道：「他們背我之面，談論此事，未入我之耳，那也罷了，如若他們當我之面，談論此事，那就非在下所能忍受了。」

鄧玉龍道：「你意下如何呢？」

容俊道：「在下準備離開此處，從此不問江湖中事，避世深山，終老大澤。」

鄧玉龍道：「這話當真嗎？」

容俊道：「字字出自肺腑。」

鄧玉龍沉吟了一陣，搖頭說道：「現在太晚了。」

容俊道：「爲什麼？」

鄧玉龍道：「你要早有此心，也許武林中不會有這番大劫，此時此情，你已是這番大劫中的關鍵人物，必得要親臨現場，因爲，只有你才能認出那位容夫人，是真是假。」

容俊抬頭望了鄧玉龍一眼，道：「如是在下不去呢？」

鄧玉龍道：「非去不可，閣下如是真不願去，在下只好勉強了。」

容俊對那鄧玉龍，心中似有很深的畏懼，當下點頭說道：「好吧，你如此堅持，在下只好從命。」

兩人行出地下石府，抬頭看去，只見朝陽初升，正是個清朗的早晨。

鄧玉龍回顧了容俊一眼，道：「容俊，我希望你有一點丈夫氣概。」

容俊長吁一口氣道：「在下一路尋思，覺著事已至此，不用再顧什麼顏面了。」

鄧玉龍道：「那很好，你能想通其中道理，對解決這一場武林紛爭，必然有極大的幫助。」

大步行到一座山峰之上，四顧一眼，只見百丈外一片盆地中，排坐著數百群豪。

鄧玉龍道：「群豪聚集井然有序，顯是他們已經安排好了，在群豪的對質中，難免要引起騷動、火併，咱們走快一些，或可幫一點忙。」

容俊道：「就目下情勢而言，仍是那一天君主實力強大，如是雙方動起手來，少林、武當的勝算不大。」

鄧玉龍道：「閣下只知其一，不知其二。你那番女夫人，雖然統治著強大的實力，但目下她的神秘已經揭穿，群豪在內心之中，已不再對她存有敬意、畏懼。」

容俊道：「但她仍有使之生、使之死的力量。」

鄧玉龍道：「你把她也估算得太善良了。」

容俊道：「此言何意？」

鄧玉龍道：「她算計精密，在舉行這次求生大會之後，用完所有的解藥，凡是依附於她的人，在她統治了武林之後，一個個毒發而死，她的用心，並非要奪取中原武林盟主之位，而是要我整個武林的力量，從此瓦解冰消。」

容俊道：「原來如此。」

談話之間，已然行近群豪雲集的盆地。

場中佈設十分簡陋，但人物卻都是江湖中一流的高手。

容俊目光轉動，只見那圍集於廣場的人物，不下數百，大都是身中奇毒的武林高手。這

些人都已斷去解藥甚久，毒物的折磨，已使他們失去了生命的神采。一個個面色鐵青，坐在那裏，有如泥塑木雕。

昔年，這些都是生龍活虎一般的人物，如今都變成這等模樣，容俊也不禁看得黯然神傷。

廣場中間，擺了十餘張竹椅，和兩張木桌，都爲粗製之物。顯然，這些桌椅，都是臨時從漁家借來。

少林方丈慈雲大師，端坐在一張大椅之上，微閉雙目。在他身後，並立著四個五旬以上的少林僧侶。鄧玉龍目光一轉，只覺四僧中，倒有兩個認識，都是少林長老中第一流的人物。不過，鄧玉龍容貌已變，不復昔年俊美人物，是以，那些僧侶，並未認出來人是大名鼎鼎的鄧玉龍。

除了少林慈雲大師之外，武當掌門人、容夫人、容哥兒等，都還未到。

鄧玉龍回顧了容俊一眼道：「目下這千百武林高手，此刻都已爲藥毒折磨得不成人樣，那番女的手段，也未免太惡毒了。」

容俊目睹慘狀，亦不禁爲之黯然，歎息道：「這些人都是她手下的人。」

鄧玉龍道：「你認識他們？」

容俊道：「我知道，他們都是被囚於此地的武林人物。唉！想不到，一個個都變成了這個模樣。」

鄧玉龍道：「你有何感覺？」

容俊道：「在下亦有不勝淒涼之感。」

鄧玉龍道：「對那番女，當世中，以你知她最深，希望能夠助少林方丈一臂之力。」

容俊道：「要在下如可說明？」

鄧玉龍道：「說動她取出解藥，解救這數百氣息奄奄的武林同道。」

容俊道：「在下自當盡力。」

鄧玉龍道：「希望你言行如一，我不想傷害你，但容忍也有極限。」

容俊點點頭，緩步行向一張竹椅坐下。鄧玉龍也緊隨在一張竹椅之上坐下。

慈雲大師緩緩抬起頭來，望了容俊一眼說道：「施主怎麼稱呼？」

容俊怔了一怔，還未想出回答的措詞，那肅然在慈雲大師身後的四僧中最左一僧，已搶先接道：「他是快劍容俊，又稱閃電劍。」

慈雲大師啊了一聲，合掌說道：「原來是容施主，老僧失敬了，昔年施主在北遼，連劈北遼勇士，爲我中原武林爭光不少。」

容俊苦笑一下，道：「大師誇獎了。」

慈雲大師目光又轉向鄧玉龍的臉上，道：「施主大名可否見告？」

鄧玉龍一抱拳，道：「在下鄧玉龍。」

慈雲大師怔了一怔，道：「鄧玉龍，可是武林中稱作劍神的鄧玉龍？」

鄧玉龍道：「正是在下。」

慈雲大師雙目在鄧玉龍臉上打量了一陣，道：「你真是鄧大俠嗎？」

要知那鄧玉龍俊美風流，乃是天下人人皆知，此刻，縱然年紀老邁，也不致變如此醜怪。別說是甚少在江湖走動的慈雲大師不能相信，就是慈雲大師身後四僧，也是無法相信他是鄧玉龍了。

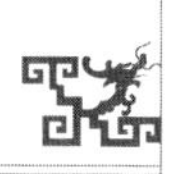

只聽慈雲大師身後最右一僧，冷冷說道：「貧僧認識鄧玉龍，施主若想借人之名，最好先瞧瞧自己，不要妄自尊大……」

鄧玉龍微微一笑，接道：「諸位大師不信在下是鄧玉龍，那也是無可奈何的事了，不過，就算是假冒那鄧玉龍，此情此景之下，似乎是無多大關係。」

最右一僧突然閃身而出，道：「貧僧倒有一法，可以測出你是否是那鄧玉龍。」

鄧玉龍道：「大師有何妙法？」

最右一僧冷冷說道：「你接貧僧三掌，自可分出真假。」

慈雲大師搖手說道：「慈心師弟，不可出手。」

慈心大師應了聲，又退回慈雲身後。

鄧玉龍望了慈雲大師一眼，也不再多言，默默而坐，廣場中又恢復了一片肅然。

又過片刻，只見容哥兒揹著一個形貌枯乾、頭髮蓬亂的女人，心中大感奇怪，忍不住問道：「容施主，這位女施主是……」

容哥兒道：「是我母親。」

慈雲大師道：「原來是令堂大人，貧僧失敬了。」

容哥兒選了一張較大的竹椅，扶母親坐好。

慈雲大師回顧了容夫人一眼，道：「女施主可是中了奇毒？」

他看容夫人形容枯乾，誤認是奇毒發作之後的現象，形成此殘廢之身。

容夫人淡淡一笑，道：「我沒有中毒。」

慈雲大師啊了一聲，目光轉到容哥兒的臉上，道：「容施主在何處找得令堂？」

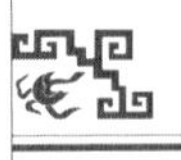

容哥兒道：「就在君山之中。」

慈雲大師道：「這君山之內，還有未為一天君主奇毒所傷的人嗎？」

容哥兒道：「說起來，似是一種很奇怪的因果，這君山之下有一座地下石府，石府中囚禁了很多武林高手……」

慈雲大師合掌念了三聲佛號，道：「有這等事？」

鄧玉龍接道：「有一點，在下必需說明，那地下石府中囚禁之人，大都是武林中萬惡不赦的凶殘之徒。」

容哥兒接道：「但也有因私害公，身蒙奇冤的武林同道。」

鄧玉龍歎息一聲，道：「那不是我的本意。」

容哥兒道：「我知道，但這卻是事實。」

慈雲大師道：「那些人呢？」

鄧玉龍道：「大部分在地下石府崩毀中死亡，小部分已然為我所救。」

慈雲大師道：「他們可會來此參與這次大會嗎？」

鄧玉龍道：「老夫未和他們提過此事，但我想他們會自動來此。」

慈雲大師道：「多救活一個人，就可以為武林多保留一分元氣。」

鄧玉龍道：「大師仁慈用心，區區極是敬佩，不過，這番聚會，只怕是難如大師所願。」

慈雲大師道：「為什麼？」

鄧玉龍道：「這是自古以來，從未有過的一次武林聚會，在這場大會中，要揭露出武林中真正的隱秘，使邪惡無法遁形。」

五二　龍鳳鬥智

慈雲大師沉吟了一陣，道：「鄧施主說得不錯。」

鄧玉龍冷冷說道：「大師是此番大會的主持人，希望能以慈悲心腸保護仁義俠士，用霹靂手段對付邪惡之徒，借這次大劫之機，使我武林同道獲得清白。」

慈雲大師正待答話，瞥見一灰衣僧人急奔而來。

只見那僧人停好身子，容哥兒才看清楚是相貌清奇的老僧。

慈雲大師對來人似是極爲尊敬，微一欠身，道：「師叔辛苦了。」

灰衣老僧合掌應道：「方丈言重了。」

慈雲大師道：「事情如何？」

灰衣老僧道：「幸未辱命。」

慈雲大師望望天色，道：「師叔請坐吧。」

灰衣老僧目光轉動，緩緩由鄧玉龍、容哥兒、容俊等臉上掃過。目光轉到蔡玉蓮臉上時，不禁一皺眉頭，緩緩在慈雲大師身側坐下。

鄧玉龍輕輕咳了一聲，道：「老禪師可是慧可大師？。」

那灰衣老人怔了怔，突然轉過臉來，兩目盯注在鄧玉龍的臉上，道：「閣下何許人，怎會認得老衲？」

鄧玉龍道：「咱們本屬故舊，只是老禪師德望漸增，不屑和在下再行交往罷了。」

慧可大師臉色大變，雙目盯在鄧玉龍臉上瞧了一陣，道：「施主不用賣關子了，還是據實說出姓名來吧。」

鄧玉龍哈哈一笑，道：「大師口氣，咄咄逼人，就區區所記，昔年大師對在下，一直是很客氣啊！」

慧可大師忽然站起身子，直向鄧玉龍行了過來。

鄧玉龍卻仍然靜坐不動，對慧可含怒來勢，若無所覺。

慈雲大師恐慧可大師出手，急急接道：「師叔不要出手傷人。」

容哥兒心中暗道：「他法名慈雲，心地實也慈善得很。」

慧可大師冷冷說道：「這人神智清明，不似中毒的人……」

鄧玉龍接道：「在下本來就沒有中毒啊。」

慧可大師道：「但你來歷不明，我不能再冒險，使這場大會之中，再起風波。」

鄧玉龍微微一笑，道：「只因在下面容變醜，大師連我的聲音都聽不出來了？」

慧可大師沉吟了一陣，道：「施主不用賣關子了，老衲實是想不起來。」

鄧玉龍道：「賤名鄧玉龍。」

慧可大師一怔，道：「鄧大俠？」

鄧玉龍道：「不敢當，大師還能記得賤名，在下很感榮寵。」

慧可大師道：「你沒有死嗎？」

鄧玉龍笑道：「區區如是死了，此刻怎能還和大師談話？」

慧可大師長長吁一口氣，道：「你的臉……」

鄧玉龍接道：「區區一生的罪惡，都為這張臉，只好把它毀了。」

慧可大師輕輕歎息一聲，道：「那是鄧大俠自己毀容了。其實，當今武林之中，又有幾人能夠毀了你鄧大俠的容貌呢？」

鄧玉龍道：「大師過獎了。」

慧可大師接道：「鄧大俠息隱江湖二十年未曾出現，而且僞託病故，足見息隱之念十分強烈，此番復出江湖，不知爲了何故？」

鄧玉龍道：「武林中面臨著從未有過的大劫，兄弟既然未死，豈能坐視不問？」

慧可大師淡淡一笑，道：「鄧大俠準備如何插手呢？以鄧大俠的才慧，想必是早已胸有成竹了？」

鄧玉龍雙目凝注在慧可大師的臉上，瞧了一陣，道：「看來大師對在下有些懷疑，是嗎？」

慧可大師道：「鄧大俠一向做事，神出鬼沒，用心何在，實是叫人無法猜測。」

顯然，這位慧可大師對鄧玉龍仍然有著很深的成見。

鄧玉龍涵養似是已到爐火純青之境，對慧可大師加諸惡言毫未放在心上，仰起頭來，長長吁一口氣，道：「鄧某人一生作爲，在大師心目之中，自然是算不得什麼好人，不過在下倒希望大師心中別太快自下定論，認爲我鄧某人又爲著女人而來。」

慧可大師道：「希望你鄧大俠說的都是實話。」

鄧玉龍淡淡一笑，道：「在下到此目的，很快就可以證明了，大師請稍忍耐片刻就是。」

容哥兒心中暗道：「我這位生身之父，一生之中，不知爲武林中做了多少的好事，積修了多少的善功，只因他犯了一個淫戒，使世人都對他有畏懼、厭惡之心。」

忖思之間，只見三陽道長帶著八個身佩長劍的武當弟子，緩步行了過來。緊隨在三陽道長後的，正是恩養自己二十年的番女。

那番女身後，隨著十餘個肥瘦不等，衣著不同的人物。

容哥兒凝目望去，只見那丐幫幫主黃十峰也雜在其中。

顯然，這些人都是武林中身分極爲尊崇的人物。

奇怪的是，那些人一個個都顯得無精打采，精神不振。

三陽道長和八個武當弟子，表面上若無其事，但容哥兒仔細觀察之下，發現武當弟子，有著很謹慎的防備，暗中監視著敵人。

只見容夫人緩緩走了過來，進入場中。她雖在武當弟子們監視之下，但她的氣度，卻是毫無驚慌之情，步履從容地行入場中。

慈雲大師站起身子，合掌說道：「女施主懸崖勒馬，使武林血劫消止……」

容夫人淡淡一笑，道：「大師不用給我戴高帽子了，我是一敗塗地，不得不爾。」

慈雲大師輕輕歎息一聲，緩緩坐了下去。

容夫人目光轉到容俊的身上，臉上神色極是複雜，說不出是怨是恨。

容俊冷冷說道：「咱們很久不見了。」

容夫人嗯了一聲，道：「很多年了，你好嗎？」

容俊道：「這些年來，你把中原武林攪得天翻地覆，對你何益？」

容夫人淡淡一笑，道：「我是功敗垂成，那是怪我心地太仁慈了些。」

說話之間，目光一掠容哥兒，接道：「我如能早狠得下心，把他殺死，也無今日之敗了。」

容俊望了容哥兒一眼，欲言又止。

容哥兒道：「母親手下留情，孩兒心中明白……」

容夫人道：「不要這樣叫我，我已經告訴你很多次了，我不是你的母親。」

蔡玉蓮道：「犬子特蒙姊姊恩養二十年，叫你一聲母親，那也是應該的事。」

容夫人道：「你是誰？」

容哥兒道：「孩兒的生身之母。」

容夫人道：「失敬了……」

打量了蔡玉蓮一眼，道：「你殘廢了？」

蔡玉蓮道：「我被拘禁十餘年，受盡折磨，能夠保得性命，那已經是僥倖萬分了。」

容夫人緩緩說道：「什麼人把你囚了起來？」

蔡玉蓮道：「往事已過，提它做甚？但咎由在我，是以我雖然受了很多折磨，心中是毫無怨恨。」

容夫人道：「你不說我也知道，是容俊把你囚禁起來。」

容俊突然仰臉大笑三聲，道：「難道是我容俊錯了嗎？」

蔡玉蓮道：「你沒有錯，錯的是我。」

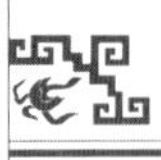

容夫人道：「久聞你美豔之名，可惜，我無緣一見。」

蔡玉蓮慘笑道：「現在呢？形容可怖，人見人畏，唉！就算他不囚禁我，紅顏也有老去之日……」

容夫人淡淡一笑，接道：「你感慨很多，全無一點豪氣，大約是十幾年囚禁的生活，使你改變了。」

蔡玉蓮道：「你呢？挖空了心思，想盡了辦法，在江湖上掀起了一陣大風大浪，到頭來，還不是一場空幻？」

容夫人冷笑一聲，道：「那要怪令郎，你的好兒子，我養了他二十年，但他卻破壞了我的大事，如是我早能狠得下心，把他毒死，今日武林，豈會是這番景象？」

蔡玉蓮道：「唉！目下環坐場中數百人，個個都是一方豪雄人物，如今都被你暗下毒藥，使他們一個個武功消失，靈智遭閉，變成了一具行屍走肉，難道你一點就不動惻隱之心嗎？」

容夫人道：「那是他們心存貪念，自食其果，與我何干？」

慈雲大師只聽得合掌當胸，道：「阿彌陀佛，女施主好狠的心腸。」

容夫人冷笑一聲，道：「我爲你們中原做了一件大大的好事，大師應該感謝我才是。」

慈雲大師道：「女施主此言，叫老衲想不明白。」

容夫人道：「我把你中原武林之中僞善之士，一網打盡，如今我因一念仁慈，功敗垂成，這些人也將隨我的敗亡，同時死去，豈不是替你們中原武林人物，做了一件大大的好事。」

慈雲大師道：「女施主話雖有理，只是這代價太大了。」

容哥兒突然插口說道：「你使用毒藥，控制他們的生死，使他們不得不聽你之命，縱然是

忠義之士，也不得不爲你效命了。」

容夫人冷笑一聲道：「魚不吞餌，怎能上鉤？如若他們不生貪念，不落陷阱，怎麼吞下毒藥……」

長長吁一口氣，接道：「還有一些在你們中原武林同道之中，極受尊敬的人物，他們武功才智，都是頂尖人物，我能有此成就得他們之助很多，等一會兒，他們就將陸續在此現身，我要將他們僞善面具，全部揭穿，讓你們驚奇一下，同時也要說出我這些年中的使用方法，讓你們增長一些見識。」

鄧玉龍冷冷說道：「好狂的口氣，但老夫還是很佩服你，一個小小番女，把我們中原武林同道鬧得天翻地覆，實也算是一樁奇聞大事了。」

容夫人冷笑一聲，道：「你是誰？」

鄧玉龍道：「中原武林道上，一介武夫。」

容夫人似是不屑和他多說，目光轉到慈雲大師的臉上，道：「你們中原高人，我大都已見過，但卻有一人未能晤面，是我一大憾事。」

慈雲大師道：「什麼人？」

容夫人道：「鄧玉龍。」

慈雲大師道：「鄧玉龍嗎？」

容夫人道：「不錯。」

目光轉到容俊身上，接道：「久聞他風流瀟灑，女人見著他無不著迷，而且武功高強，智謀絕人，曾經橫刀奪愛，搶去了我丈夫的前妻。」

容俊怒聲喝道：「住口！」

容夫人格格一笑，道：「你兇什麼？大丈夫難保妻賢，就算鄧玉龍搶走了你的妻子，那也是她水性楊花。」

容哥兒一皺眉頭，接道：「養母儘管就事論事，不要出口傷人。」

容夫人望了容哥兒一眼，道：「我要說，我要指出你們中原武林道上，究竟有多少僞君子。自然，我要先從我最親近的人談起……」

目光轉到容俊的臉上，道：「你不用氣你那前妻，因爲第二任妻子，也一樣對你不起……」

容俊道：「你說什麼？」

容夫人道：「我，我也一樣背叛了你，雖然我嫁你時，只是爲了要利用你，感情上用不著對你專一，但名義上，我仍是你的妻子。」

容俊大喝一聲，縱身而起，直向容夫人劈了過去。

慈雲大師左手一揮，身後一個僧人，迅快絕倫地衝了過去，左手一接，接下了容俊的掌勢。雙掌接實，容俊被震得落著實地。

三陽道長神情肅然地說道：「容大俠，希望你忍耐一二，慈雲大師和貧道，都已和尊夫人有約，我們要她講，而且我們也要聽。」

容俊冷冷說道：「在下可以告辭嗎？」

慈雲大師搖搖頭，道：「容施主最好待在這裏。」

容俊是何等人物，雖然聽出那慈雲大師話雖客氣，但語氣卻很堅決。

除非是容俊決心和少林、武當兩派中人衝突，別無離去之法。

容夫人輕輕歎息一聲，道：「坐下吧！你把我帶來中原，我付出一個少女的貞潔做爲補償，人家都說你把我引來，掀起這一場大劫，其實物先自腐而後蟲生，他們如果個個胸懷正義，憑我一個婦道人家，又如何能夠造成這一場大劫難呢？」

容俊雖然滿懷激忿，但情勢逼人，他又不得不坐回原位。

慈雲大師望了容夫人一眼，道：「女施主當真很想見鄧大俠嗎？」

容夫人道：「不錯。」

慈雲大師道：「不過，那鄧大俠已非昔年的風流人物了……」

容夫人道：「爲什麼，可是他老而悔恨少年錯，改邪歸正了？」

慈雲大師道：「鄧大俠不但改邪歸正，而且也趕來參加這場大會。」

容夫人道：「有這等事，不知他幾時到此了？」

慈雲大師道：「他已來此多時。」

容夫人若有所悟地把目光轉到鄧玉龍的臉上道：「鄧玉龍可是閣下嗎？」

鄧玉龍聽慈雲大師已然叫明自己身分，那是不承認也不行了，只好點頭道：「正是區區，夫人有何見教？」

容夫人回顧一下蔡玉蓮，又轉向鄧玉龍道：「聽說你一生之中，引誘不少良家婦女，名門閨秀，到處留情，照你們中原武林道上的說法，你是犯了淫戒。」

鄧玉龍道：「不錯，區區一生中，造孽很多。」

慈雲大師和三陽道長似是都未料到，那鄧玉龍竟然坦坦然然地認了下來，都不禁爲之一

呆。

容夫人望了蔡玉蓮一眼，道：「這位容夫人……」

鄧玉龍哈哈一笑；接道：「在下鑄恨甚多，那也不用一樁樁的談了。」

容夫人突然說道：「可惜呀，可惜！」

鄧玉龍道：「什麼事？」

容夫人道：「據傳聞你智謀絕世，劍術通神，如是我早幾年見到你，借重閣下的武功、才智，也許早已完成我的心願，至少，不會落得今日一敗塗地的局面了。」

鄧玉龍道：「聽夫人的口氣，似是很確定在下一定會爲夫人所用了？」

容夫人道：「不錯，只要心中有賊，不管是貪財、好色，或是熱衷功名，都將爲我所用，我一介女流，能把你們中原武林同道，攪得天翻地覆，只用了財、色、功、名四個字，使他們大都入我掌握，爲我所用，如若真正談到武功，用不著你鄧大俠出手，只要一位少林高僧，就可以取我之命了。」

鄧玉龍淡淡一笑，道：「夫人還少說了一件事。」

容夫人道：「什麼事？」

鄧玉龍道：「夫人還施用毒物，控制了他們生死，使他們無法不受驅使。」

容夫人笑道：「談到用毒嗎？也是你們中原人物告訴我的方法，只是我把它擴大施用而已。」

談話之間，只見兩個女婢，分帶著十餘高手，緩步行來。

慈雲大師目光望了來人一眼，不禁合掌一歎。

原來，那兩個女婢帶來的十餘人中，竟有兩個少林高僧。那兩個少林僧侶雖然已脫去袈裟，改著了俗裝，但他們都是少林寺出類拔萃的高手，因此慈雲大師對他們極為賞識，只道兩人失蹤於江湖之上，卻不料竟然投入一天君主的手下，為虎作倀。

那兩個僧侶還認識慈雲大師，突然垂下頭去，不敢再看慈雲大師一眼。

容夫人格格一笑，道：「大師，可是瞧出我屬下中，有你們少林人物，是否？」

慈雲大師道：「不錯，老衲領導無力，所以有弟子背叛本門。」

容夫人緩緩說道：「大師不用感覺難過，你們中原武林門派中，大都有人投入我的手下，豈止你們少林派一門而已。」

慈雲大師道：「老衲心中不解，女施主究竟用什麼辦法，能使他們盡為收用。」

容夫人道：「我就要說明此事，使你們明白，我如何收服你們中原武林高手。」

鄧玉龍淡淡一笑道：「不外女色、名利、用毒三法而已。」

容夫人望了鄧玉龍一眼，道：「話是不錯，但你們武林中，不少惡毒人物，能有我這般成就的，只怕不多。」

鄧玉龍道：「那是因為他們同是我中原人氏，縱然心地歹毒，也不像你這般全無忌憚地施用毒物。」

容夫人道：「說得也有道理……」

舉手理一下鬢旁散髮，接道：「不過，我的用毒之能，並不高明，只要他們心無貪念，就不致受我毒害。」

容哥兒緩緩說道：「義母的裝作工夫，確也高明，孩兒和義母相處了二十年，就沒有瞧出

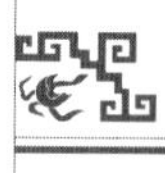

過破綻，動過疑心。」

容夫人道：「所以，你才能活到現在，在我大功將成之日，使我一敗塗地。」

三陽道長接道：「夫人，咱們約好之言，算是不算？」

容夫人道：「自然是算了。」

三陽道長道：「天下武林同道，大都爲你的藥物所毒，餘下之人，不是星散天涯，就是避禍隱居，縱然由慈雲師兄和貧道出面，也無法再邀多人參與此會。」

容夫人望了那盤坐在地上的群豪一眼，道：「他們也撐不下去了，如是我沒有算錯，今夜子時，他們將開始死亡，一批接一批，每批相隔六至十二個時辰。」

慈雲大師道：「阿彌陀佛，這是武林中從未有過的大劫，還望女施主大發慈悲，以渡眾生。」

容夫人搖搖頭，道：「我說過很多次了，我沒有法子幫助他們，因爲，我也沒有解毒藥物。」

輕輕歎息一聲，接道：「其實，這些人，都已經迷失了神智，他們都已經變得痲木，縱然是親友、子女，只怕也無法相識，說起來，他們的死活，並無太大分別，活則一事無知，死去也並無什麼可惜之處。」

慈雲大師黯然歎息一聲，臉上流露出無限悲苦之容。

鄧玉龍道：「古往今來，任何一個施用毒物的人，從無不備解藥之理，但夫人卻只肯用毒，不備解藥，最毒婦人心，果然不錯。」

容夫人道：「我的用心不同，逆我者死，順我者一樣處死。」

三陽道長長眉揚動，目光掃掠容夫人身側環坐的高手一眼，道：「這些人呢？」

容夫人道：「我煉製之毒，共分三種，每一種都極惡毒，凡是中毒之人，只有一途可循，那就是以毒養毒，不論他們心中是否明白，但都要服用那奇毒之藥。」

三陽道長道：「嗯！那是說在夫人的屬下中，無一人未受毒傷了？」

容夫人道：「正是如此，包括追隨我的女婢，都將飲鴆止渴，賴以維生。」

三陽道長道：「夫人是否還存有藥物？」

容夫人道：「毒藥是有，不過沒有解毒的藥物。」

鄧玉龍道：「就算這婦人有解毒藥物，只怕也不會拿出來。」

容夫人道：「我雖然不是你們中原人物，但對信諾二字，自信還能遵守，我既然認敗了，自然交出解毒藥物……」

語聲一頓，接道：「我如是還有解藥，那就如你所言，還可以和你們放手一搏了。」

口中說話，右手卻探入懷中，取出一個玉瓶，接道：「這玉瓶之中，就是我用以控制你們中原群豪的毒物了。」

三陽道長打開瓶塞，取出一塊方絹，把藥物倒在絹帕上。

凝目望去，只見那瓶中藥物，共分爲淡黃、淺灰、月白，三種顏色。

每一粒藥丸，只不過有綠豆大小，三陽道長瞧了一陣，又小心翼翼地把藥丸放入玉瓶之中，合上瓶塞，問道：「夫人所謂三種藥物，那是以顏色分辨了？」

容夫人道：「不錯，毒丸不大，但效用奇佳，因爲它無味，混入食物、飲水之中，一粒丹丸，可使數十人中毒。」

鄧玉龍道：「你把藥物分成不同的顏色，也把解藥分成不同的顏色，用在惑人耳目，使人無法分辨出那藥物如何使用，對嗎？」

容夫人道：「你猜得不錯。」

目光環顧，格格大笑一陣，道：「這工作，花了我十年工夫，可笑你們中原人物，在十年之中，竟然都無人發覺，那時如若有人發覺，只要一、兩個高手，就可輕輕易易地把我毀去了，但你們卻無一人知曉。」

慈雲大師、三陽道長互望了一眼，搖頭一笑。

容夫人道：「我劫持了你們中原道上的三十多位名醫，集於一室，竟未被發覺，這也是一樁奇聞了。」

慈雲大師道：「那些人呢？現在何處？」

容夫人道：「都被我殺了。」

慈雲大師道：「女施主好惡毒的手段。」

容夫人淡淡一笑，道：「誇獎了……」

目光掃掠了四周群豪一眼，接道：「三十多位醫道精通的大夫，花了十年工夫，替我配製了這三種毒藥，也替我研配了解藥，我試驗之後，證明了效用不錯，就大批搜尋藥物，再加配製，這又耗去了一年時光，我覺得那些藥物，已經夠用，就把他們全都殺光，而且毀去配方。」

三陽道長道：「中原施毒人物很多，夫人爲何不找一個用毒人相助就是，卻在配製藥物上，花了這麼多時間？」

容夫人道：「不論哪一門用毒之法，終有跡象可循，只要你們找出那用毒物的來歷，就不難設法解毒，但我這做法，卻使你們全無追尋痕跡，而且，中毒之後，全無解藥，因爲解藥和毒藥，混合一體，只有以毒解毒，中毒愈深，一旦藥物用完，不用我動手，他們自然死亡了。」

三陽道長歎息一聲，道：「你用最普通的方法，卻創出最惡毒的手段。」

慈雲大師道：「也造成了江湖上從未有過的悲慘劫難。」

容哥兒突然接道：「孩兒記得，養母要舉行這場英雄大會，旨在揭露一些隱秘，是嗎？」

容夫人道：「不錯，要指出你們中原武林中那些僞君子，如何一個個爲我收用……」

目光轉動，環顧了四周一眼，道：「目下從我而來的人，有你們少林高手、武當弟子、丐幫幫主和其他門派中的高人。」

三陽道長凝目望去，果然，發現了那些人群之中，有兩位武當長老，只不過，他們已脫下道裝，換上了常人裝束。

兩位武當長老，大約還認識三陽道長，看他目光逼視了過來，就緩緩垂下頭去。

但聞容夫人格格笑道：「在我門下之人，如論身分，就以丐幫的幫主最高，但他的武功，卻不能列入一流高手。」黃十峰面色慘白，垂首不語。

顯然他的神智，仍甚清明，對容夫人之言，還能聽得出來。

容夫人接道：「我能造成今日之局，也得到丐幫的助力最大。」

容哥兒想到在長安和黃十峰相遇經過，不禁心頭黯然，高聲說道：「黃兄，你還能記得兄弟嗎？」

黃十峰抬起頭來，望了容哥兒一眼，慘然一笑，又垂下頭去。

但聞容夫人接道：「再說你們少林和武當門下的人，都是跳出三界外，不在五行中的人物，應該是六根清淨，但他們卻是喜愛功利，貪名愛色……」

鄧玉龍突然站起身子，道：「住口！」

慈雲大師道：「鄧大俠又有何高論？」

鄧玉龍道：「一個人生在世間，難免有失疏之處，如是全聽這番女之言，當今之世，哪還有一個好人……」

容夫人冷冷接道：「我說的都是實話。」

鄧玉龍道：「這也是一樁很大的陰謀。」此言一出，聽得在場之人全都爲之一驚。

三陽道長目光轉到鄧玉龍的臉上，道：「鄧大俠，貧道聽不懂言中之意，鄧大俠可否解說得明白一些？」

鄧玉龍道：「這番女心機太深，咱們稍一疏忽，就難免上她的當，在下也是剛剛想到。」

三陽道長望了慈雲大師一眼，道：「大師聽得懂嗎？」

慈雲大師搖搖頭，道：「老衲聽不明白。」

鄧玉龍道：「事情很明顯，只要兩位稍一用心，就不難想出個中情形了……」

目光環顧了四周一眼，接道：「這些人個個毒性發作，只怕已無分辨之能，不論她說什麼，他們也只有聽著的份兒，她可以把所有的罪惡，都加在他們的身上。」

三陽道長道：「如若他們真有罪惡，說出來又有何妨？」

鄧玉龍道：「這是不錯，不過，他們既無爭辯之能，那是任由人加以任何罪名了，這些不

是你們九大門派中人，就是一方豪雄人物，兩位聽到了他們諸般罪名，又將如何處理了？」
慈雲大師怔了一怔，道：「這個，貧僧倒未想到。」
鄧玉龍道：「如是他們罪該處死，兩位還是否要把他們全部殺死呢？」
三陽道長道：「鄧大俠之意呢？」
鄧玉龍道：「如若讓他們還活在世上，兩位聽了他們的罪名，也是白聽了，如是依罪處決，這些人都有弟子、兒女，這筆帳都記在兩位頭上，那麼難免種下二十年後江湖動亂的種子……」
容夫人接道：「不用處決，他們也將毒發而死。」
鄧玉龍道：「這就是你陰謀的所在了，此事傳揚於江湖之上，他們的弟子、兒女，都知曉他們的師父、長者的罪名，在少林、武當兩大門派掌門人主持之下死去……」
目光一掠慈雲大師和三陽道長接道：「以你們兩大掌門之尊，大約是不會親赴各大門派解說此事，這仇恨，豈不結在你們兩大門派身上？」
慈雲大師點點頭，道：「這話倒也有理。」
鄧玉龍道：「這番女心懷叵測，希望在她死去之後，仍然在咱們中原武林道上，留下一片紛亂之局，在下也被她騙了過去，剛才想到此事……」
容夫人冷冷接道：「你不要含血噴人……」
鄧玉龍緩緩說道：「我問夫人三件事，只要夫人能答得出來，而且順理成章，在下就立刻退走。」
三陽道長道：「容夫人何不讓鄧大俠說說看，我等自信有分辨之能。」

容夫人略一沉吟，目光轉到鄧玉龍的臉上，道：「好！只限三件，如再多問，恕我不能回答了。」

鄧玉龍道：「好！只要夫人能圓滿回答在下三問，在下相信是非黑白，已可使人明瞭。」

容夫人緩緩說道：「你問吧！」

鄧玉龍道：「夫人使用毒物，役使無數的武林同道爲你效力，但在下相信，那位最先助你之人，決不會爲藥物所毒，那人是誰，現在何處？」這幾句話，單刀直入，直觸問題核心。

三陽道長只聽得心中暗暗稱道：「問得好，問得好。」

果然，幾句話問得那容夫人似是大感頭疼，皺起眉頭，沉吟了長久，才道：「他已經死了。」

鄧玉龍冷笑一聲；道：「就算死了，也該有個姓名才是。」

三陽道長接道：「容夫人如是不肯答覆，咱們只有聽從鄧大俠的話了。」

容夫人目光轉動，環顧了環坐身側的群豪一眼。

鄧玉龍防患未然，搶先接道：「在下雖然很久未在江湖上走動，但少林和武當門人，卻是對江湖中事，十分了然，如若夫人講得謊言，那就證明咱們的推斷不錯，夫人在敗亡之後，仍想在我們中原武林道上，埋下混亂的種子。」

容夫人略一沉吟，道：「金鳳門中的江伯常，不知你們是否相信？」

鄧玉龍道：「果然是他，我相信夫人講的是句實言。」

慈雲大師道：「江施主極善用毒，老衲倒把他忘掉了。」

三陽道長道：「江伯常？現在何處？」

容夫人道：「已失蹤十餘年，不知流落何處。但我想他死去的成份很大。」

鄧玉龍搖搖頭道：「江伯常詭計多端，又善用毒，而在表面上英雄豪放，實則膽小怕事，我瞧他決然不會死去。」

容夫人微微一呆，道：「你說他還活在世上？」

鄧玉龍道：「他會自保，不論如何，他都會設法留下自己的性命。」

容夫人道：「你知他現在何處？」

鄧玉龍道：「不知道，但我知他決不會死。」

慈雲大師道：「阿彌陀佛，這麼說來，只要找到那江伯常施主，就可拯救這些身中奇毒的武林同道了。」

容夫人道：「我說過，這藥並非江伯常所配製，自然也不能為他們解毒了。」

鄧玉龍道：「在下要問第二件事了。」

容夫人理一理鬢邊散髮，道：「好！你問吧。」

鄧玉龍道：「你有一個孩子？」

容夫人又是一呆，道：「你怎麼知道？」

鄧玉龍道：「夫人請回答在下之言，是不是確有其事？」

容夫人無可奈何地道：「不錯，我有一個孩子，但那有什麼錯？」

鄧玉龍冷肅地說道：「誰是那孩子的父親？」

容夫人粉頰一紅，但一瞬間，又恢復奇特的鎮靜，道：「我是已有丈夫的婦人，有孩子，自然孩子也有父親。」

容俊神情激動，似要發作，但他終於又忍了下去。

鄧玉龍道：「你嫁到我中原來，早是別有用心，陰謀為重，不擇手段，不論何人娶了你都是一樣，你能把整個武林攪翻了天，何在乎你丈夫家破人亡，和你個人名節？」

這幾句話及時而發，無疑在設法安慰容俊，使他激動的心情，稍稍緩和。

容夫人臉上青一陣、白一陣，終於淡淡一笑，道：「鄧玉龍，你不但武功高強，智謀也確有過人之處。」

鄧玉龍道：「過獎了，如若我鄧某人未隱居地下石府，豈能讓你覆滅我中原武林。」

容夫人道：「我也為未能一較智略為憾。」

鄧玉龍道：「夫人還沒有答覆在下的話。」

容夫人歎道：「好吧，告訴你就告訴你，他是江伯常的骨肉。」

容哥兒暗暗歎息一聲，道：「好複雜的內情啊，金鳳門江伯常的骨肉，那不是江煙霞的弟弟嗎？」

但聞鄧玉龍冷冷說道：「他半身殘廢，不能行動，是嗎？」

容夫人道：「你怎麼知曉這多事？」

鄧玉龍冷然地說道：「一個人不論做何等隱秘的事，都難免為人知曉，何況生育兒女的大事？一個殘廢的人，不是一件微小的物品，你既然不忍心把他殺死滅跡，自然也無法把他藏起來了。」

容夫人淡淡一笑，道：「我已領教了兩問，閣下可以再問了。」

鄧玉龍緩緩說道：「前面兩問，夫人都回答得很真實，在下希望這最後一問，夫人亦能據

實回答。」

容夫人道：「你適才所問，都和我名節有關，我都能據實回答，不論你再問什麼，我想，在我而論，都不會難過於上面兩事。」

鄧玉龍略一沉吟，道：「除了江伯常之外，在下相信夫人還有一個幕後人物，幫助你運籌帷幄，那人是誰？」

容夫人臉上閃掠一抹驚訝之色，但不過一刹那間，又恢復了鎭靜之容，格格一笑，道：「這話就問得奇怪了。」

鄧玉龍道：「有什麼奇特之處？」

容夫人道：「初期之時，我借重江伯常不少助力，但以後，我製成了奇毒，也找出了你們中原武林人物的弱點，就憑仗我本身之能，造成了今日之局。」

鄧玉龍道：「別人相信你的話，可是區區不信。」

容夫人道：「爲什麼？」

鄧玉龍道：「在下指出幾點疑問，夫人如若能回答出來，在下不信也得信了！」

容夫人沉吟了片刻，道：「你說吧。」

鄧玉龍道：「江伯常如何離開了你？」

容夫人臉上泛現一抹凄傷，勉作鎭靜笑道：「他有妻有女，爲什麼不離開我？」

鄧玉龍兩道冷電一般的目光，逼注在容夫人的臉上，緩緩說道：「你心懷陰謀進入中原，施毒天下英雄，但卻不忍對一個殘廢的孩子下手，這說明了一件事……」

容夫人似是已被鄧玉龍咄咄的攻心言詞，迫得情紊意亂，眨動了兩下眼睛，道：「證明了什麼事？」

鄧玉龍道：「證明了你對江伯常很認真，如是在下推斷不錯，那江伯常乃被另一人逼得離你而去。」

容夫人理一理長髮，道：「你很會推想。」

鄧玉龍冷然一笑，道：「你已經一敗塗地，似也用不著爲那人身分保密了。」

容夫人道：「告訴你，沒有這件事，也沒有那個人。」

鄧玉龍道：「你不爲自己著想，也該爲江伯常報仇，他對你實是一片真情，還有你的孩子……」

容夫人尖聲叫道：「沒有的事！」

鄧玉龍冷冷接道：「沒有什麼？」

容夫人神智已經有些失常，呆了一呆，道：「沒有那麼一個人。」

鄧玉龍緩緩說道：「慈雲大師、三陽道長，都是一派宗主，他們不願做事太絕，留人口舌，但我鄧某人做不得好人，也不想留名千古，受人頌讚，因此，在下和夫人是同一性格。」

容夫人道：「什麼性格？」

鄧玉龍道：「只問目的，不擇手段。」

容夫人心中一震道：「你做了什麼事？」

鄧玉龍道：「在下做了兩件事。」

容夫人道：「哪兩件事？」

鄧玉龍道：「第一件，在下已遣人去夫人宿住之地尋找令郎。」

容夫人大爲吃驚地接道：「你們去找一個殘廢的人，用心太卑下了。」

鄧玉龍已抓住了那容夫人的缺點，步步進逼，當下接道：「夫人施下藥物，幾乎使我中原武林同道，盡遭毒劫，難道你用的手段很光明嗎？」

容夫人道：「至少，他們都是成名人物，而且心有所貪。」

鄧玉龍冷笑一聲，道：「被你毒害之人，大部分都有子女，你可曾想到，他們的妻兒、父母，心中如何悲痛？在下不過以你對人的手段，加諸在你的身上而已。」

容夫人黯然一歎，欲言又止。

鄧玉龍突然哈哈一笑，接道：「第二件事嘛，在下已派人去找那江伯常。」

容夫人的才慧機智，都在鄧玉龍咄咄逼人的心理攻勢下逐漸崩潰，心理上似是已無法承受進一步的壓力。

談話之間，瞥見一行人魚貫而來。

鄧玉龍凝目望去，只見那一行人正是被困於茅舍的五大高手。當先一人，乃是名滿武林的丐幫長老無影神丐岳剛。緊隨岳剛身後的，是少林寺的一瓢、一明大師，崑崙赤松子，走在第四位，武當上清道長行在最後。這五人都是武林中輩份尊高、名重一時的高手，慈雲大師、三陽道長齊齊起身相迎。

一瓢大師合掌欠身，道：「老衲想不到今生還能得見掌門人。」

慈雲大師道：「本座拯救無力，累得長老受苦，心中極是不安。」

一明大師笑道：「不妨事，老衲等不是好好地活著嗎？」

三陽道長也欠身對上清道長道：「師叔受苦了。」

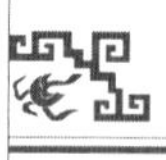

上清道長笑道：「咱們以身相試，那劇毒也未必能真的把人毒死啊！」

無影神丐岳剛目光轉動，只見幫主坐在容夫人的身後，似是根本沒有瞧見自己行了過來，心中愕然。但他久歷江湖，見多識廣，望了黃十峰一眼，也未多問。

鄧玉龍哈哈一笑，道：「夫人，瞧到了嗎？這才是我們中原武林道上的精華高手，如若夫人早把他們幾人收服，單憑武功，就可以征服中原武林了。」

崑崙赤松子抬頭望了容夫人一眼，道：「鄧兄，這位是一天君主？」

鄧玉龍道：「可以說，她是主惡元凶之一。」

赤松子一皺眉頭道：「鄧兄可否說清楚些，此時此情似是用不著賣關子了。」

鄧玉龍道：「所謂一天君主，只不過是一個代號而已，在某一個過程中，他們需要某一人，主持其事，那人就是一天君主了。他們量才聘用，一旦那人的利用價值消失，就被殺而棄之，但真正的主惡元凶，卻躲於幕後，就算咱們能夠找到那位一天君主，得而殺之，對他們卻是毫無影響。」

赤松子道：「這一點貧道明白了，但你說她是主惡元凶之一，那是說還有首腦人物了？」

鄧玉龍道：「不錯，在下是這麼想，不過，容夫人卻是不肯承認。」

容夫人冷冷說道：「你鄧玉龍是有身分的人，說話要有證據，不能空口白話，含血噴人，而且還非要我承認不可。」

鄧玉龍淡淡一笑道：「不是區區小看夫人，你不過是在受人利用而已，正像你利用那一天君主一般，不同的是，他利用你的時間，較久一些罷了。」

容夫人道：「你胡說！」

鄧玉龍哈哈一笑，道：「你已經控制了我們大部分中原武林高手，立於不敗之地，怎的會功敗垂成……」

容夫人目光一掠容哥兒道：「因爲他，我如早把他殺了，就不會有今日之事了。」

鄧玉龍搖搖頭，道：「錯了，在下的看法是，你的利用價值完了，那人已不願再利用你了……」

容夫人道：「爲什麼？」

這一句話，那是無疑承認了在她之後，還有一個主持人物。

鄧玉龍暗暗吁一口氣，道：「因爲，遭你所毒之人，毒性已發，他們雖然還活著，但個個都成了行屍走肉，已沒有抗拒之能，他們活著，只不過比死人多口氣而已，你已經沒有實力，那人自然也不用把你放在心上了。」

容夫人怔了一怔，道：「這話說得也是。」

鄧玉龍接道：「他要你指出爲你所毒之人的罪惡，無非是想在江湖上造成亂局，同時，也打算把你除去，這是借刀殺人之計啊！」

容夫人輕輕歎息一聲，默默不語。顯然她已被鄧玉龍一番言語，說得怦然心動。

鄧玉龍道：「中原武林中，從沒有一件事像今日這般不公平，遭你歷數罪惡的人，無法爲自己辯護，甚至無法抗議一言，在下相信，夫人指陳他們的罪惡，有很多事實，但在下也可斷言，有很多出於你編造的謊言，那才能聳人聽聞，使他們名譽掃地。」

容夫人輕輕歎息一聲，道：「你好像知道很多事？」

鄧玉龍微微一笑，道：「夫人如覺著在下說得有理，那就不應爲別人所愚。」

容夫人仰起臉來，欲言又止。似是，她已為鄧玉龍攻心的言詞，逼得章法大亂，不知如何才好。

鄧玉龍一步也不肯放鬆，急急接道：「夫人心中已然知道在下所言甚是，但卻不願相信，是嗎？」

容夫人心神已亂，不由自主的點點頭。

鄧玉龍道：「這中間有一個原因，夫人可曾想得明白嗎？」

容夫人道：「不明白。」

鄧玉龍道：「因為夫人一直把我等看做敵人，所以，不肯相信我等之言。」

容夫人又不自覺地點點頭。

鄧玉龍接道：「目下情勢，已到了緊要關頭，那人利用你為他在武林中創出了一片基業，又逼走了江伯常，使你們情侶分散。」

容夫人尖聲叫道：「不要再說下去了。」

鄧玉龍冷笑道：「就算你甘心為人所用，但陰謀已然為我揭露，難再作害人之想。」容夫人突然舉起雙手，蒙在臉上。

五三　圖窮匕現

只聽鄧玉龍緩緩說道：「在下爲夫人借箸代籌，只有兩途可循。」

容夫人情不由己地拿開蒙在臉上的雙手，道：「兩途可循?願聞高見。」原來，她心神早亂，想來想去，只有一個辦法。

鄧玉龍道：「如若夫人對那人忠誠不變，就以身相殉，不過，你那殘廢的孩子，只有托他照顧了。」

容夫人搖搖頭，道：「他不會照顧。」

鄧玉龍道：「那人實在也太過心狠了。」

容夫人道：「還有一途如何？」

鄧玉龍道：「說出那人姓名。」

容夫人道：「一點也不新奇，仍是逼我招供。」

鄧玉龍道：「其實，夫人早已承認這件事了，只不過沒說出那人名字罷了。」

容夫人道：「我幾時承認了？」

鄧玉龍笑道：「你的舉動神情，無疑早已回答了在下之言。」

容夫人目光轉動，回顧了一眼，只見慈雲大師、三陽道長等個個神氣清明，滿臉堅毅自

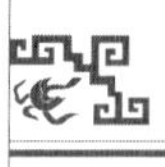

信，顯然都已爲鄧玉龍言詞所服，困惑頓消，也證實了鄧玉龍說得不錯，自己在他言詞誘導之下，不知不覺間，已然洩漏出心中的隱秘。

但聞鄧玉龍說道：「夫人大約已經相信在下之言了，你們設定的謀略，已然完全失敗，退而相求，夫人應該設法自保了……」

容夫人道：「我大功未成，一敗塗地，縱然你們要我活，我也活得無味得很。」

鄧玉龍道：「夫人應該爲你那殘廢的孩子想想，再說，你既然準備以死謝罪，卻讓利用你十餘年的幕後人安然無恙。」

容夫人長長吁一口氣，道：「不要再逼迫我，讓我仔細地想想。」

場中突然間靜了下來，靜得落針可聞。

但每人的心中，卻充滿著緊張，因爲容夫人忖思的結果，很可能一句話，使江湖間重新掀起一場風波。一種沉默的緊張，使場中人，都有窒息的感覺。

突然間，響起一聲尖叫，容夫人突然從竹椅上跌了下去。

鄧玉龍、容哥兒同時飛躍而起，奔向容夫人。

這大出意外的變化，使場中所有的高手，都爲之震動不已。鄧玉龍動作快速，就在容夫人跌落身軀，還未著地時，探手一把，抓住了容夫人。

慈雲大師道：「鄧施主助她一口真氣，讓她說出遺言。」

其實，不用慈雲大師吩咐，鄧玉龍右手已快速伸出，拍在容夫人的「命門穴」上。

只見容夫人口齒啓動，啊了一聲，閉目而逝。

鄧玉龍緩緩放下容夫人的屍骨，仔細在容夫人身上瞧了一陣，道：「一種細小絕毒的暗

器，見血封喉，沒有救了。」

慈雲大師目光轉動，四顧了一眼，道：「鄧大俠可能找出她傷在何處嗎？」

鄧玉龍道：「我想不難找出來。」

慈雲大師目光轉動，高聲說道：「各位施主、道兄，慘事演出在諸位和貧僧眼下，想必諸位都和貧僧一般的難過，希望各坐原位，任何人不可稍有移動。」

說完話，回頭低聲和兩個灰衣和尚低言數語。兩個灰衣僧人同時一合掌，欠身而退，左面一僧，突然飛身而起，躍落在一張木凳之上。另一位僧侶，卻退到兩丈以外的地方，監視全場。生性和藹的慈雲大師，此刻也似動了怒火，雙目中神光閃動，眉宇間隱現怒容。

鄧玉龍仔細查過容夫人的屍骨，竟找不出傷痕所在，不禁急得汗水滾滾而下。

慈雲大師低聲說道：「鄧大俠，可是找不出傷在何處嗎？」

鄧玉龍道：「是的，找不出來。」

容哥兒道：「老前輩看看她頭髮之中，是否有傷。」

一語驚醒夢中人，鄧玉龍連連點頭，道：「不錯，不錯。」

分開容夫人一頭微絲看去，果見後腦勺處，腫起了一塊。

鄧玉龍高聲說道：「在這裏了，在這裏了！」

慈雲大師道：「鄧大俠，能否把其中的暗器取出瞧瞧？」

鄧玉龍凝聚目力望去，只見一點細小的銀芒，直陷於肉中。

當下說道：「是一枚很小的毒針。」

慈雲大師道：「能不能取出來？」

鄧玉龍點點頭，暗運指力按在容夫人傷處，微一用力，用食、中二指夾住銀針，拔了出來。

慈雲大師望了那細小的銀針一眼，道：「針上有劇毒，鄧大俠不可執於手中。」

鄧玉龍道：「這針上之毒，如若不見血，難以發揮作用。」

口中雖這樣說，右手卻緩緩把毒針放下。

慈雲大師道：「鄧大俠是否已有找出兇手的方法？」

鄧玉龍道：「不難找。」

緩緩扶起了容夫人的屍骨，使她仍然坐好，高聲說道：「諸位請仔細地瞧過，適才容夫人的坐姿，是否和現在一般？」

四周群豪，個個凝目相注，但卻無一人接言。

鄧玉龍道：「諸位既然都不提出修正，大約是不會錯了。」

鄧玉龍神情嚴肅地環顧四周一眼，緩緩說道：「容夫人一針致命，傷在腦後。」

一面舉起手來，畫了一個半圓的圓圈，道：「在右面之人，決然不會行凶了。」

這一部份人，劃出了慈雲大師和他隨帶的少林弟子。

三陽道長低聲說道：「鄧大俠可曾仔細地瞧過傷口方位？」

鄧玉龍道：「傷處腫張甚大，毒針又極微小，想從傷口方向分辨，很不容易。」

三陽道長道：「因此，貧道覺得除了容夫人正面方位之外，其他三面，都有下手的機會。」

鄧玉龍道：「不過，區區在拔出毒針時，已然仔細瞧過那傷口形勢，如今毒針拔出，已無法再從那傷口分辨了。」

三陽道長道：「這個，這個……」

鄧玉龍道：「道長可是覺著有些爲難？」

三陽道長道：「殺死容夫人的人，可能是造成這次大劫的主腦，對嗎？」

鄧玉龍道：「不錯。」

三陽道長道：「此事體大，在未澄清全局之前，貧道很難相信任何人。」

鄧玉龍道：「道長說得是，道長和在下，都可能是那兇手。」

三陽道長道：「鄧大俠說得不錯，在未獲知真凶之前，貧道不得不有一疑。」

鄧玉龍道：「好在場中之人都未移動，若認爲區區主持不公，還請道長主持。」

三陽道長道：「貧道主持，也未必就算公允……」

語聲微微中頓，接道：「但貧道卻願盡我之能，幫助鄧大俠查出兇手。」

口中說話，人卻緩步離位，直行到鄧玉龍的身側。

這時，鄧玉龍已把取得的毒針，放置在一方白絹之上。

三陽道長目注那毒針瞧了一陣，道：「鄧大俠，以你鄧大俠的功力，可否能用手打出這等細小的毒針？」

鄧玉龍沉吟了一陣，道：「就算能夠打出，也必將揚手作勢。」

三陽道長道：「不錯，因此，貧道推斷，這毒針是用一種機簧打出。」

鄧玉龍道：「道長之意，是要搜身？」

三陽道長道：「除了此法之外，在下實想不出還有更妙之策。」

鄧玉龍欲言又止，緩緩向後退了兩步。

雖然，他不願和三陽道長造成爭執。

三陽道長似是胸有成竹一般，不理會鄧玉龍，高聲說道：「在座諸位，已瞧到這毒針，容夫人是中針而死，那是說我們之中，有一人是兇手了。」全場肅然，無一人回答三陽道長的話。

三陽道長冷笑一聲，目光一掠容夫人帶入場中，環在容夫人身側而坐的高手，道：「如是一個人沒有中毒，也可以裝作中毒的樣子，貧道不願被人矇騙過去，先要搜查了。」

舉手一招，兩個武當弟子而至，道：「掌門人有何差遣？」

三陽道長道：「你們動手，先搜容夫人帶來的人，衣袋、袖口，務必要搜查清楚，如是有人抗拒，格殺勿論。」

兩個武當弟子應了一聲，緩步向場中行去。隨後一人一抬右腕，抽出背上長劍。

容哥兒目光轉動，看那兩個道人，都在四十五的年紀，兩邊太陽穴高高突起，顯然，都是內外兼修的高手。

兩人先行到一個灰衣大漢身前，冷冷說道：「站起來。」

那灰衣大漢抬頭望了兩個道人一眼，緩緩站起身子。

顯然，這些人神智並未完全暈迷，只是他們受制於藥物，不似平常人反應靈快。

那當先道人雙手齊出，在那大漢身上很仔細地搜查起來。

另一個道人仗劍戒備，只要那灰衣大漢稍有抗拒之意，立時將以快速絕倫的手法，刺出劍勢。

足足搜查了盞茶工夫，除了搜出一把匕首之外，再無其他之物。

容哥兒冷眼旁觀，只見那道人搜得確夠仔細，凡是可能藏物之處，無不搜到。

兩個道人依序搜查下去，但均未找出可疑之物。

輪到黃十峰時，三陽道長突然沉聲喝道：「住手！」

兩個道人急急向後退了五步，道：「掌門人有何吩咐？」

三陽道長道：「這是丐幫掌門人，你們不能失了禮數。」

兩個道人應了一聲，緩步行近黃十峰身前，欠身一禮，道：「得罪幫主，請站起身子。」黃十峰緩緩站了起來，高高舉起雙手。

容哥兒暗暗歎道：「丐幫幫主，何等身分，只因一念之差，落得這步田地。」

只見當先一個道人，緩步走向黃十峰，動手搜查。

那道人搜到黃十峰右袖之處，突然啊了一聲，疾快地向後退了五步。

抬頭看去，只見那道人手中，高舉著一支銀色的針筒，那針筒長約五寸，外有按鈕，內藏機簧，正是發射毒針之用。

眾目睽睽之下，搜出此發射毒針之物，那是人贓並獲了。

三陽道長突然向前行了三步，道：「拿給我看看。」

那道人應了一聲，緩緩把針筒交到三陽道長手中。

三陽道長接過針筒，凝目瞧了一陣，搖搖頭，歎息一聲，轉身向岳剛行去，道：「老前輩請鑒別一下針筒，是否發射毒針之物？」

岳剛神態冷靜地接過針筒瞧了一眼，道：「不錯，正是發射毒針之物。」

三陽道長道：「這針筒乃是在貴幫幫主身上搜出。」
岳剛道：「我看到了。」
三陽道長道：「貴幫幫主身上搜出此物，那就是說貴幫幫主有殺人之嫌了？」
岳剛道：「他神智已然失去了控制，自然無法作準了。」
三陽道長道：「本派和貴幫，一向相處十分融洽，不願因此而鬧出不歡之局。」
岳剛道：「道長只管秉公處理，老夫不敢多言，不過，老朽要聲明一事，我並非丐幫的幫主，黃幫主身受毒害，老朽也困於奇毒，貴派上清道長，亦是受害之人，我們數年來未離君山一步，對於本幫中事，老朽隔閡已久，目下何人代掌幫主之職，老朽亦不知曉，因此老朽無法向貴掌門保證後果如何。」
三陽道長道：「這個，倒叫貧道爲難了。」
岳剛淡淡一笑，道：「老朽和道長一樣感到爲難。」
兩人交談之時，鄧玉龍也低聲問容哥兒道：「你可曾瞧得清楚，那針筒是在黃幫主身上搜出？」
容哥兒搖搖頭，道：「那道士遮住了我的視線，故而未瞧明白。」
鄧玉龍低聲說道：「老夫覺得有些奇怪。」
容哥兒道：「什麼事？」
鄧玉龍道：「我懷疑搜出的銀筒，是別人有意栽贓。」
容哥兒低聲道：「老前輩是說那三陽道長？」
鄧玉龍道：「若如我們心中要對人動疑，那三陽道長當是最爲可疑的人了。」

容哥兒略一沉吟，道：「那爲什麼一定要栽贓丐幫幫主黃十峰的身上呢？丐幫幫主身分極高，雖然身犯大錯，丐幫中弟子也不願他死傷於別人手中。」

鄧玉龍道：「就因爲丐幫幫主的身分特殊，能夠引起一場武林風波，才是他們的用意所在。」

容哥兒恍然大悟道：「不錯，不錯。」

但聞三陽道長高聲說道：「鄧大俠……」

鄧玉龍回頭望了三陽道長一眼，道：「什麼事？」

三陽道長道：「鄧大俠看到了？」

鄧玉龍道「看到什麼？」

三陽道長道：「已搜出那毒針的針筒了。」

鄧玉龍道：「在何人身上搜出？」

三陽道長道：「丐幫黃幫主的身上。」

鄧玉龍淡淡一笑，道：「這就奇怪了。」

三陽道長臉色一變，道：「奇怪什麼？」

鄧玉龍道：「那黃幫主身受毒傷，如何能夠發射毒針？」

三陽道長道：「這個貧道如何知道？」

鄧玉龍道：「所以，在下覺著，這件事大有研究的必要。」

三陽道長冷冷說道：「在眾目睽睽之下，搜出毒針，難道貧道還能栽贓不成？」

鄧玉龍道：「以道長在武林的身分地位，那是不會向人栽贓的。」

雙鳳旗

三陽道長道：「那還有什麼研究的必要呢？」

鄧玉龍道：「道長未栽贓，黃十峰也不會放出毒針，這其間自然有問題了。」

三陽道長沉吟了一陣，道：「鄧大俠之意呢？」

鄧玉龍道：「自然先問問黃幫主了。」

三陽道長道：「如若貧道問他，鄧大俠心中難免動疑，還是鄧大俠問吧。」

鄧玉龍道：「道長如此推重區區，我是恭敬不如從命了。」

鄧玉龍大步行到黃十峰的身前，一抱拳，道：「黃幫主。」

黃十峰站起身子，道：「閣下有何見教？」

鄧玉龍心中暗道：「好啊！他的神智很清楚啊。」

心中念轉，口中問道：「黃幫主身上帶著那針筒，有何作用？」

黃十峰茫然之色，道：「那針筒怎樣了？」

三陽道長接道：「黃幫主施放毒針，射死了容夫人，以便死無對證。」

黃十峰有些懂，又似是有些不懂，緩緩說道：「我射死了容夫人了？」

鄧玉龍回顧了三陽道長一眼，道：「道長不是要在下問嗎？」

三陽道長道：「好！鄧大俠慢慢問吧，人贓俱在，我想他也無法抵賴。」

鄧玉龍淡淡一笑，道：「黃幫主有些神智不清了。」

三陽道長道：「鄧大俠相信嗎？」

鄧玉龍緩緩說道：「道長相信嗎？」

三陽道長道：「貧道不信。」

鄧玉龍道：「那是說道長認為黃幫主故意裝作了？」

三陽道長道：「貧道確有此感。」

鄧玉龍不再理會三陽道長，回目望著黃十峰，道：「黃幫主一向不用毒針一類的暗器，不知此刻為何身藏此物？」他和三陽道長同是問一件事，但語氣，卻大不相同。

黃十峰望了那針筒一眼，道：「我不用此物。」

鄧玉龍道：「但此物卻在黃幫主身上搜了出來。」

黃十峰道：「那我就不明白了。」

鄧玉龍回顧了三陽道長一眼，道：「道長，在下覺著無法再問下去了。」

三陽道長道：「為什麼呢？」

鄧玉龍道：「區區感到黃幫主神智已然有些迷亂，無法肯定回答咱們的問話。」

三陽道長道：「但貧道的看法，卻和鄧大俠有些不同。」

鄧玉龍道：「咱們看法不同，心中所思，亦不相同了……」

三陽道長接道：「此事本來和鄧大俠無關，鄧大俠管不管，都無礙大局。」

鄧玉龍道：「那是說在下多管閒事了。」

三陽道長道：「鄧大俠如若有這般想法，那也是沒有法子的事了。」

鄧玉龍雙目神光一閃，似想發作，但他終於又忍了下去。

三陽道長突然轉過身子，行向慈雲大師的身側，道：「道兄看到經過了？」

慈雲大師道：「老衲看到了。」

三陽道長道：「大師有何感覺？」

慈雲大師道：「貧僧覺著此事，還得仔細研究一下。」

三陽道長一皺眉頭，道：「再研究一下？」

慈雲大師道：「不錯，此事體大，貧僧亦不能貿然決定。」

三陽道長冷冷說道：「道兄可害怕開罪丐幫中人嗎？」

慈雲大師道：「此固爲重要原因之一，不過，最重要的，還是老兄覺著黃十峰行凶的可能性不大。」

三陽道長道：「貧道不解，道兄何以口出此言？難道大師對我武當門動疑嗎？」

慈雲大師道：「道兄言重了，但目下武林，元氣大衰，黃台之爪，何堪再摘？對巨惡元凶，咱們固是不能放過，但在下也不願再造任何錯失，丐幫素以忠義相傳，幫中弟子，因人數過眾，也確然良莠不齊，但此等情形，我少林和你們武當門下，又何嘗沒有呢……」

長長吁一口氣，接道：「如是咱們確能證明那黃十峰是主惡元凶時，老衲相信日後丐幫也不致因此事，再掀起一場江湖風波，但如若日後丐幫弟子找出證明，他們的幫主也是被害之人，豈不又要惹起一場麻煩？」

三陽道長歎道：「武林同道，一向都把貴派看作武林正義之徵，想不到大師也是這般怕事。」

目光盯注在慈雲大師的臉上，接道：「因爲丐幫實力強大，咱們就任它胡作非爲了……」

慈雲大師道：「道兄，這番江湖大劫，能有此之變，都已大大出乎我們的意外，老衲實不願再有錯誤，因果循環，到時就後悔無及了。」

三陽道長道：「大師之意，應該如何？」

慈雲大師道：「老衲之意，道兄應該繼續搜查，也許還可找出一個針筒出來。」
三陽道長道：「大師說得不錯。」
一揮手，接道：「搜下去！」
兩個武當弟子，依言繼續搜查下去，但卻未再找出針筒。
慈雲大師看兩個武當弟子，搜得十分仔細，顯是已盡心力。
三陽道長道：「大師親眼所見，很不幸未再搜出針筒。」
慈雲大師道：「道兄看目前情勢，應該如何？」
三陽道長突然站起身子，把手中針筒放在慈雲大師身前，道：「大師悲天憫人，應該如何，大師請自行卓裁，貧道不願再行多問了。」
慈雲大師一怔，道：「道兄要到哪裏去？」
三陽道長道：「貧道率門下趕回武當山去，如是大師對貧道生疑，請隨時遣人上武當山去，知會貧道一聲，貧道立時下山應訊。」言罷，起身向前行去。
慈雲大師心中大急，道：「道兄留步！」
三陽道長停下腳步，道：「大師還有什麼吩咐？」
慈雲大師道：「目下事情還未解決，道兄怎能撤手而去？」
三陽道長輕輕歎息一聲，道：「目下情勢，對貧道十分不利，如若貧道再留此地，只怕要引起誤會了。」
慈雲大師道：「什麼誤會？」
三陽道長望了鄧玉龍一眼，道：「第一個，鄧大俠就不滿意。」

慈雲大師道：「就事論事，鄧大俠和道長並無什麼不對啊！」

三陽道長道：「大師難道沒有聽到那鄧大俠的話嗎？」

慈雲大師道：「聽到了。」

三陽道長道：「鄧大俠如若再和貧道爭辯下去，只怕要鬧得不歡而散了。」

慈雲大師皺皺眉頭，道：「這個不至於吧？」

鄧玉龍大步行了過來，一抱拳，道：「道長可是和在下過不去嗎？」

三陽道長道：「鄧大俠言重了，不過……」突然住口不言。

鄧玉龍哈哈一笑，道：「道長有什麼話，儘管請說，在下決不會拂袖而去。」

三陽道長道：「鄧大俠明明看到，這針筒在那黃十峰身上搜了出來，卻硬是不肯承認，豈不是叫貧道爲難嗎？」

鄧玉龍道：「道長可是認定那兇手是黃十峰嗎？」

三陽道長道：「貧道並無此意。」

鄧玉龍道：「這就是了，在下並未反駁道長之心，只是覺著應該把事情查個明白才是。」

三陽道長道：「事實俱在，鄧大俠還和在下爭辯些什麼？」

鄧玉龍輕輕歎息一聲，道：「道長之意，可是要在下同意道長的高見？」

三陽道長道：「鄧大俠如不同意，還望能夠提出使貧道心服口服的高見。」

鄧玉龍道：「好！在下請教道長，那黃幫主的神智如何？」

三陽道長道：「鄧大俠的看法呢？」

鄧玉龍道：「雖非完全暈迷，但卻有些神智不清。」

三陽道長道：「老實說，貧道對你鄧大俠的身分，一樣的懷疑，咱們道不同難相爲謀，因此貧道只有眼不見爲淨，離此歸山，反正大劫已過，餘事如何處理，那就不重要了。」

鄧玉龍道：「在下的看法，又和道長相反了。」

三陽道長似是不願再和鄧玉龍多談，搖頭說道：「貧道不願再聽鄧大俠的宏論，也不想追查鄧大俠的身分，咱們不用多談了！」

鄧玉龍道：「道長錯了。」

三陽道長臉色一變，道：「鄧玉龍，你講話客氣些，貧道尊重你，並非怕你！」

鄧玉龍哈哈一笑，道：「目下咱們爭的是大是大非，誰也不用怕誰！」

語聲一頓，不待三陽道長接口，搶先說道：「容夫人即將說出那幕後真兇之際，突然遭人暗發毒針射死，在下覺得這是一場經過嚴密計畫的預謀，並非巧合。」

三陽道長道：「所以，貧道才要挺身而出，搜查兇手，如今兇手已經查出！」

鄧玉龍道：「這就是在下和道長爭執的地方，黃十峰內腑潛毒已發，雖未神智昏迷，但已經難如常人清醒，因此在下的看法，那毒針決非黃幫主所發！」

三陽道長道：「貧道倒要請教，黃幫主身上搜出的毒針，又作何解說呢？」

鄧玉龍道：「若真是黃十峰施放毒針，只怕道長也無法在他身上搜出針筒了。」

慈雲大師點點頭，道：「這話倒是很有道理。」

三陽道長道：「照鄧大俠的說法，那是貧道栽贓了？」

鄧玉龍道：「此地除了道長之外，有你們武當門人和少林高僧，甚至在下也是涉嫌之人，總之，容夫人死亡的兇手未尋出之前，咱們神智清明的在場人都有嫌疑！」

三陽道長道：「所以，鄧大俠懷疑到貧道頭上來了？」

鄧玉龍道：「道長不用自找煩惱，在下並未指說道長。」

三陽道長道：「那鄧大俠心目中，可否有所懷疑的人呢？」

鄧玉龍道：「有！」

三陽道長道：「請教是何許人？」

鄧玉龍道：「區區在下、容俊以及道長，咱們三人涉嫌最重。」

三陽道長冷笑一聲，道：「鄧大俠請先說貧道吧，何以涉嫌最重？」

鄧玉龍道：「因爲道長搜出了一個針筒，那人卻又是不可能施放毒針的人。」

三陽道長道：「因此，貧道就涉嫌重了？」

鄧玉龍道：「我說過，在真相未明之前，在下和容俊一樣涉有重嫌，道長不用盡往自己身上攬了。」

語聲微微一頓，接道：「道長在黃十峰身上搜出了一枚針筒，就肯定那黃十峰是殺人的兇手，難免太過武斷了。」

三陽道長冷冷說道：「但這全場之中，只有那一個針筒，鄧大俠又作何解釋？」

鄧玉龍緩緩道：「道長怎知只有一個呢？」

三陽道長怔了一怔，道：「貧道已搜查過很多人了。」

鄧玉龍道：「可是還有很多人沒有搜查。」

頓了一頓，接道：「區區在下和道長。」

三陽道長道：「貧道和鄧大俠？」

鄧玉龍道：「是的，道長先搜在下，在下再搜查道長之身。」
三陽道長兩道冷電一般的目光，投注在鄧玉龍的臉上，道：「看來鄧大俠存心和我們武當門下過不去了？」
鄧玉龍道：「道長言重了。在下和道長爲此爭論激烈，自應先從咱們身上做起，道長先搜在下，在下再搜道長，有何不可？」
三陽道長目光轉動，可見場中所有之人的目光，都投注在自己身上。
顯然，在這場爭論之中，鄧玉龍已占了上風。
三陽道長突然仰天打個哈哈，道：「鄧玉龍，如若貧道不讓你搜查呢？」
鄧玉龍道：「以道長在武林的身分，決不願身蒙汙塵，落人話柄。」
三陽道長長笑一聲，舉手一揮，道：「咱們走！」大步向前行去。
四個身佩長劍的武當門下弟子，一齊追在三陽道長身後而去。
慈雲大師高聲說道：「道兄止步！」
三陽道長道：「此地已然用不著久留，貧道告別了。」
一直靜坐的容哥兒忽然挺身而起，兩個飛躍攔在三陽道長的身前，道：「道長。」
三陽道長冷冷說道：「幹什麼？」
容哥兒道：「道長就此拂袖而去，不怕武林同道對道長動疑嗎？」
三陽道長道：「貧道若再留下去，只怕難忍胸中之氣，和鄧大俠造成衝突了。」
容哥兒道：「但道長這樣一走，倒給了鄧大俠更好的口實。」
三陽道長道：「什麼口實？」

容哥兒道：「鄧大俠當著天下英雄之面，數說道長的不是，但道長卻無法論辯，那豈不是給鄧大俠一個機會嗎？」

慈雲大師緩步行了過來，道：「容施主說得是，道兒如若一走，豈不是引人懷疑嗎？」

三陽道長突然放聲大笑，道：「大師說得不錯，不過，貧道不願和人鬥口，因此無助大局，我還是去了的好，好在目下局勢已然澄清，由大師一人也足以處理。」

慈雲大師不善言詞，一時間竟想不出適當之言回答，只是連連搖頭，道：「不妥吧？」

三陽道長微微一笑，道：「大師處理此地之事後，請到武當山中小住，貧道掃榻以待佳賓。」不再等慈雲大師回言，大步向前行去。

容哥兒心中大急，橫身攔住了三陽道長的去路，道：「道長一定要走，那就未免做賊心虛了。」

這句話說得很重，三陽道長臉色一變，道：「給我拿下。」

身後一個武當弟子，應了一聲，右手一抬，疾向容哥兒腕脈之上扣去。

容哥兒一閃避開，道：「道長……」

那道長哪還容得容哥兒多言，欺身揮掌，連連攻襲。

容哥兒只好揮掌迎擊，雙方展開了一場惡鬥。

那道長連攻了數十掌，均為容哥兒封架開去，不覺心頭火起，疾退兩步，唰的一聲，抽出長劍。

鄧玉龍一躍而出，冷冷說道：「閃開去！」橫身攔在容哥兒的身前。

那道長大約為鄧玉龍的威名所震，不敢輕易出手，橫劍站立原地。

三陽道長冷肅地說道：「鄧大俠可是想較量一下貧道的武功嗎？」
鄧玉龍緩緩道：「在下並無和道長動手之心……」
三陽道長接道：「那就讓開去路。」
鄧玉龍緩緩說道：「如是道長覺得非動手不可，在下只好奉陪了。」
三陽道長道：「那很好！」
唰的一聲，抽出長劍，道：「鄧大俠亮兵刃吧！」
鄧玉龍眼看形勢已然非動手不可，只好回顧容哥兒一眼，道：「把長劍借我一用！」
容哥兒拔出長劍，雙手奉上。
鄧玉龍斜垂長劍道：「道長，請出手吧。」
三陽道長左手領動劍訣，一劍刺出。鄧玉龍閃身避開，卻未回擊。
但聞一個沉重的聲音喝道：「住手！」
三陽道長收住劍勢，回目望去，只見那說話之人，正是本門中的長老上清道長，不禁一皺眉頭，道：「你有什麼事？」
上清道長緩緩行了過來，欠身對三陽道長一禮，道：「掌門人，爲了咱們武當派在江湖上的清譽，貧道斗膽請教掌門人一件事。」
三陽道長道：「什麼事呢？」
上清道長道：「掌門人不應該堅持離此。」
三陽道長略一沉吟，道：「這是你一人的想法，還是包括了他人？」
上清道長道：「少林一瓢大師、丐幫的岳剛以及崑崙的赤松子，都有此感。」

三陽道長道：「咱們武當門中事，爲什麼要別人多言？」氣沖沖地回身大步而行。

上清道長雖然明明知曉他是藉故而去，但卻無法阻止。

但見人影一閃，鄧玉龍又攔在了三陽道長的身前，道：「大約是除了武功之外，再無任何人能夠阻止道長離開這裏了。」

三陽道長也不答話，右手一抬，白芒閃動，一劍刺了過去。

鄧玉龍也不再退避，長劍疾起，接下一招。但聞雙劍交觸的脆鳴聲，繞耳不絕。

三陽道長右手連揮，長劍快速攻刺，眨眼間，攻出十二劍。

鄧玉龍原地不動，接了十二劍。

三陽道長眼看攻出了十二劍，竟未能把鄧玉龍迫退一步，心知遇上了勁敵，霍然後退五步，蓄勢戒備。

鄧玉龍揚了揚手中的長劍，道：「道長，在下請教一事。」

三陽道長道：「貧道不願回答你任何問題。」

鄧玉龍道：「道長可以不答覆，但在下還是要問……」聲音突轉冷厲，接道：「道長如若心中無愧，爲什麼不讓在下搜查？」

三陽道長道：「貧道何等身分，武當派在江湖上何等聲譽，豈能讓人隨便搜查？」

鄧玉龍道：「丐幫中黃幫主，在江湖上聲譽只怕不輸道長，但道長卻要屬下搜查他。」

三陽道長道：「貧道說過了，不回答你任何事情。」

鄧玉龍道：「可是道長如無法殺死鄧某人，今日也無法離此。」

三陽道長冷冷說道：「鄧大俠若再不讓路，就別怪貧道要下令他們群攻了。」

鄧玉龍哈哈一笑，道：「很好，在下久聞武當劍陣的威勢，卻是從未試過，今日能得一試，也好開一次眼界。」

三陽道長和鄧玉龍幾招中，已然覺出，單憑一人之力，很難勝得了鄧玉龍，略一尋思，道：「鄧大俠既有此意，貧道只好成全了。」

右手一揮，道：「五行劍陣。」

只聽一陣嗆嗆之聲，四個武當門下弟子，一齊拔出了背後長劍。

三陽道長長劍一擺，站了主位，親自主持劍陣。

鄧玉龍冷然一笑，道：「道長，貴派五行劍陣，天下馳名，咱爲自保，不得不全力出手，在下可能被毀於劍陣下，但道長和貴派中人，也可能傷在鄧某劍下。」

三陽道長道：「你在武林中做了不少壞事，今日把你殺死，貧道心中也無愧疚。」言下之意，無疑下令給四位屬下，要他們全力出手，不用手下留情了。

只聽慈雲大師高宣一聲佛號，道：「三陽道兄。」

三陽道長回過頭去，只見那慈雲大師快步行了過來，當下臉色一變，道：「大師意欲何爲？」

慈雲大師神情肅穆地說道：「老衲三思之後，覺得鄧大俠並沒有錯。」

三陽道長道：「鄧玉龍沒有錯，那是貧道有錯了？」

慈雲大師道：「道兄太固執。」

三陽道長雙目中冷芒一閃，道：「大師，不用轉彎抹角了，若貧道一定要走，大師是想要

出手阻攔嗎？」

慈雲大師道：「貧僧無法選擇時，還請道長原諒。」

三陽道長道：「看來大師對貧道也動了懷疑，貧道個人事小，不能損失到我們武當派中的清譽，貧道答允道兄留下來。」

慈雲大師道：「好極了，貧僧多謝道長賞臉。」

三陽道長淡淡一笑，道：「大師，貧道要派遣一位弟子離此，可以嗎？」

慈雲大師道：「這個自然可以了。」

三陽道長回目望著左首一位弟子，道：「你去吧！」

那道人一欠身，由三陽道長身旁，大步行了過去。

鄧玉龍高聲說道：「站住。」那道人回顧了一眼，突然放步向前跑去。

鄧玉龍飛身而起，凌空虛渡，直飛出六、七丈遠，攔住那奔跑的道人。

那奔跑的道人，只見人影一閃，鄧玉龍已攔在他的身前，亦不禁為之一呆。

鄧玉龍右手疾如電閃，就在那道人一怔神間，已然出手扣住了他的右腕。這一著快如電光石火，連那三陽道長也為之心頭一震。

鄧玉龍不再客氣，右手一帶，左手點中那道人穴道。

但聞唰唰兩聲，道人身上道袍，已為鄧玉龍扯得片片碎裂。

這動作快如電閃，快得令人目不暇接。

扯去道袍之後，鄧玉龍慢慢伸出雙手，由那道人緊身衣袋中取出了一個針筒。

上清道長眼看武當弟子受辱，人已站了起來，正待出言喝止，瞥見鄧玉龍從那道人身上取

出針筒，不禁為之一呆，又復緩緩坐了下去。

三陽道長、慈雲大師，同時臉色一變。

鄧玉龍高舉手中針筒，輕輕一按筒下機簧，只見兩縷銀芒一閃而逝，沒入晴空。

慈雲大師搖搖頭，歎息一聲，道：「好強的彈簧，好惡毒的暗器。」

三陽道長突然仰臉大笑道：「好厲害的心機，好動人的陰謀。」

慈雲大師怔了一怔，道：「道兄說什麼？」

三陽道長道：「貧道想通了一件事。」

慈雲大師道：「什麼事？」

三陽道長道：「貧道請教大師一件事。」

慈雲大師道：「道長請說。」

三陽道長道：「貧道和鄧玉龍兩人之間，哪一個可能為非作歹？」

慈雲大師道：「這個，貧僧無法斷言。」

三陽道長道：「鄧玉龍武功絕世，手腳快迅，怎知那針筒不是由身上取出，放入本門弟子衣袋之中？」

慈雲大師大約是覺著有些道理，不禁望了鄧玉龍一眼。

鄧玉龍緩步從容地行近三陽道長，道：「道長說得有理。」

三陽道長道：「你也覺著有理嗎？」

鄧玉龍道：「不過，話雖有理，要用事實證明才成。」

三陽道長道：「如何一個證明之法？」

鄧玉龍道：「道長和在下同時脫去外衣，由慈雲大師派出兩名弟子來，搜查道長和在下身上，也許還能搜查出一枚針筒出來。」

慈雲大師目光轉到三陽道長身上，道：「道兄意下如何？」

三陽道長淡淡一笑，道：「鄧大俠，若貧道身上搜不出針筒，鄧大俠怎麼說？」

鄧玉龍略一沉吟，道：「目下這針筒已有兩具，但在下相信，決不止兩個針筒，如若道長敢把另外三位道長一起算上，在下願以項上人頭作注。」

三陽道長冷冷說道：「鄧大俠很會見風使舵。」

鄧玉龍笑道：「道長不敢賭了，是嗎？」

容哥兒突然挺身對慈雲大師說道：「大師，目下人贓俱獲，只因那三陽道長是武當派的掌門人，權高位重，所以，你們不敢指說他是謀害容夫人的兇手，是嗎？」

慈雲大師道：「容施主……」

容哥兒冷冷接道：「千百位武林俠士，都已經爲藥毒所傷，真正的主兇現在大師眼前，但大師卻心存姑息，不敢出手擒他，須知此時此情，一念之差，關係著整個武林的存亡。」

慈雲大師道：「容施主之意是……」

容哥兒唰的一聲，拔出長劍，道：「在下之意很明白，先行生擒了三陽道長。」

慈雲大師道：「武當一派，在江湖聲勢浩大，和少林一向並稱爲武林兩大主脈，在沒有確實證據之前，老衲如何能輕易下令動手？那將造成日後武林動盪不安。」

容哥兒冷冷說道：「大師不敢下令出手，日後將後悔莫及了。」

慈雲大師突然回頭合掌對一瓢、一明一禮，道：「兩位長老，今日之局，撲朔迷離，弟子

確有難以處置之感，還望兩位長老，指示一個方法。」

一瓢大師道：「那位容施主說得不錯，應該先下手擒住三陽道長。」

一明大師目光轉到上清道長的身上，道：「道長，咱們兩人如果硬拚一掌，那會是什麼樣的結果？」

上清道長道：「同時毒發，兩個時辰內，雙雙死亡。」

一明大師道：「不錯，所以，老衲勸道兄，暫時忍耐一二，不可輕易出手。」

上清道長道：「你們生擒武當掌門，要貧道坐觀不問？」

岳剛道：「道兄是最好不問，讓他們撥開烏雲，以見天日。」

上清道長道：「如是那人是你丐幫幫主，岳兄問是不問？」

岳剛道：「剛才敝幫主身受栽贓，老叫化心中雖有懷疑，但也未挺身而出。」

崑崙赤松子接道：「任何事要講究一個理字，目下情勢已經很明顯，貴派掌門，可疑之處甚多，但等水落石出，鄧玉龍如是信口開河，貧道願相助向他問罪，此時，還望上清道兄忍耐一二。」

一瓢大師道：「如若貴掌門是造成這次大劫的真兇，道兄難道還要為他撐腰不成。」

上清道長道：「這個，貧道自然不會了。」

一瓢大師道：「那很好，在未找出結果之前，咱們只好先壁上觀了。」

幾人這一席談話，已然壓制下上清道長，不准他過問此事。

三陽道長眼看上清為群豪所制，已然不敢再行援手，突然縱聲狂笑一陣道：「鄧玉龍，你當真想逼貧道和你一拚嗎？」

只見鄧玉龍癡立不動，若有所思，似是回憶什麼？根本未聽到三陽道長之言。

三陽道長一皺眉頭，突然欺進一步，揚手一掌，指向鄧玉龍的前胸。這一下陡然發難，雙方距離又近，實是不易閃避。慈雲大師雖然距離很近，但因事出意外，亦感救援不及。

只見人影一閃，容哥兒疾快絕倫地躍落在鄧玉龍的身前，揚手接下一掌。

三陽道長一擊不中，突然後退三尺。雙目盯注在容哥兒的臉上，滿是怨毒之色。

顯然，容哥兒如不及時接下這一掌，這一擊必將震傷那鄧玉龍的內腑。

忽然鄧玉龍如夢初醒，自言自語地說道：「明白了，明白了……」

慈雲大師一舉手，兩個灰衣老僧急步行了過來，道：「掌門人有何吩咐？」

慈雲大師道：「你們看著三陽道長，他如再有無禮舉動，只管出手攔住。」

兩個灰衣老僧應了一聲，分站在三陽道長的左右。

慈雲大師緩步行到容哥兒身側，道：「容施主傷得重嗎？」

容哥兒道：「還好，晚輩還承受得住。」

慈雲大師輕輕咳了一聲，道：「這就叫老衲放心了。」

目光轉到鄧玉龍身上，道：「鄧大俠明白了什麼，可否說出來呢？」

鄧玉龍點點頭，道：「自然說給大師聽了……」

只見鄧玉龍目光轉到慈雲大師的臉上，微微一笑道：「武當派乃是名門大派，掌門人更是德藝雙全的人才，自然是不會做出什麼壞事了。」

慈雲大師聽他口氣忽然一變，一時無法知他用心何在，不禁一呆，道：「鄧大俠說得也是，武當和少林，近百年來一直齊名江湖，主持正義，不遺餘力，對安定江湖貢獻至大。」

鄧玉龍道：「但這位三陽道長，卻是主持這次大劫的首腦人物。」

慈雲大師聽他話風又一變，簡直叫人聽得摸不著頭腦，不禁一揚慈眉，道：「阿彌陀佛，鄧大俠的話，實叫老衲聽糊塗了。」

鄧玉龍微微一笑，道：「其實很簡單，大師不相信武當掌門人，會在江湖之上爲非作夕，區區也不相信，這中間只有一個問題了。」

慈雲大師道：「什麼問題？」

鄧玉龍道：「那就是有人冒充了武當掌門人的身分。」

慈雲大師又是一怔，道：「這個不可能吧？」

鄧玉龍道：「天下之大，無奇不有，怎能說此事不可能呢？」

慈雲大師道：「武當門下弟子，不下數百之眾，難道連掌門人都不認識嗎？」

鄧玉龍道：「大師最早會見三陽道長，是何年代？」

慈雲大師沉思了一陣，道：「二十年前了。」

鄧玉龍道：「相聚多久。」

慈雲大師道：「論法三日。」

鄧玉龍道：「大師覺著三陽道長的爲人如何？」

慈雲大師道：「滿腹經道，濟世胸襟。」

鄧玉龍道：「以後呢？」

慈雲大師道：「以後老衲和他接掌了門戶，兩派仍然互相往還。」

鄧玉龍道：「幾時停止了來往？」

慈雲大師沉吟了良久，道：「十三、四年前吧！武當派創立門戶的紀念，老衲遣弟子送了一份賀儀，卻遭拒收，此後，就未再往來。」

鄧玉龍淡淡一笑，道：「那時之後，江湖上開始生變。」

慈雲大師道：「這個老衲倒沒有記憶，這番江湖大劫，冰凍三尺，自非一日之寒，但何時開始，老衲卻無法指出。」

鄧玉龍道：「大師身分崇高，少林門下眾多，一般江湖小事，大師自然不曉。」

慈雲大師道：「老衲喜研經文，對江湖上事一向少管。」

鄧玉龍道：「這就是了，大師仔細瞧瞧，此刻的三陽道長和二十年前，可有不同之處？」

慈雲大師雙目盯注在三陽道長臉上瞧了一陣，道：「老衲瞧不出來。」

三陽道長道：「鄧兄一生積惡無數，淫人妻女，這害人之法，果然精明到家了。」

鄧玉龍不理會三陽道長，一字一句地說道：「大師請仔細想想，此事極為重要。」

慈雲大師道：「老衲實是瞧不出來。」

鄧玉龍一皺眉頭，道：「大師和三陽道長盤桓了三日夜，對他必有深刻的印象，大師又不在江湖走動，認人不多，這印象必是極為鮮明。」

慈雲大師沉吟良久，默然不語。

似是，他突然間想到什麼，只是抓不到，摸不著，不知從何說起。

五四　君山浩劫

鄧玉龍目睹慈雲大師的神情，不禁眼睛一亮，道：「大師可是回憶到了什麼？」

慈雲大師訕訕地說道：「老衲說不出來。」

鄧玉龍道：「是不是此刻的三陽道長，和你二十年前見到的三陽道長有些不同？當年大師和三陽道長論道之時，還有別人在場嗎？」

慈雲大師沉思一陣，道：「有段時間，有人在場，但大部分都是老衲一人。」

鄧玉龍道：「在下相信兩人論法之時，必有很多精闢之見，永記不忘。」

慈雲大師道：「嗯！老衲還大部記得。」

鄧玉龍道：「那很好，你問問三陽道長，他還能記得多少。」

三陽道長不待慈雲大師開口，搶先說道：「事隔二十年，貧道已記不得了。」

慈雲大師道：「有一件事，老衲相信道長一定記得。」

三陽道長沉吟了一陣，道：「你說說看，也許能啓發貧道憶起往事。」

慈雲大師道：「老衲和道兄爭論甚久的佛道法理。」

三陽道長略一沉吟，猛搖頭道：「貧道抱歉，這些事，都已經記不得了。」

鄧玉龍哈哈一笑，道：「我知道道長記不得了。」

慈雲大師道：「爲什麼？」

鄧玉龍道：「他如說記得，大師提起往事，他答非所問，豈不露出馬腳了嗎？」

三陽道長冷冷說道：「鄧大俠很會聯想，貧道是不得不佩服你了，大賢大惡，都是智慧絕倫的人，果然是不錯了。」

鄧玉龍冷笑一聲，道：「在下也佩服道長。」

三陽道長道：「爲什麼？」

鄧玉龍道：「佩服你的沉著。」

三陽道長道：「貧道今日身受此辱，這筆帳都將記在鄧玉龍的頭上……」

鄧玉龍神色一整，道：「閣下不用再自稱道長了。」

三陽道長臉上閃過一抹奇光，道：「你說什麼？」

鄧玉龍道：「我說你根本不是三陽道長。」

三陽道長笑道：「爲什麼？一個人，也可以假裝嗎？而且一裝幾十年。」

鄧玉龍道：「不過十餘年。」

三陽道長道：「貧道不願和你多作口舌之爭了……」

鄧玉龍道：「因你心虛……」

重重咳了一聲，道：「取下來。」

三陽道長道：「取什麼？」

鄧玉龍道：「人皮面具。」

三陽道長仰天打個哈哈，道：「這就有些奇怪，你認爲貧道戴著人皮面具？」

鄧玉龍道：「馬腳越露越多，那三陽道長乃是很有修養之人，怎會如你這般仰臉作狀，完全是一副江湖形色……」

三陽道長輕輕咳了一聲，道：「鄧大俠和貧道之間，也許有一人戴有面具。」

容哥兒心中暗道：「這道人果然是陰沉狡猾，無與倫比，此時此情之下，竟是還能如此沉著，應對不亂。」

但聞赤松子低聲說道：「上清道長，你在武當派中身分極高，對這位掌門師侄定然是十分熟悉了，可否能瞧出他的破綻？」

上清道長道：「就貧道記憶所及，他的形貌無不同，只是……」突然住口不言。

一瓢大師道：「只是如何？有一些不同之處，是嗎？」

上清道長道：「是的，有一些不同之處，不過貧道也無法具體地指出。」

一明大師道：「可是氣度方面？」

上清道長沉吟道：「可以說它是氣度吧！反正貧道覺著他有些和過去不同。」

一瓢大師道：「這麼說來，那鄧玉龍說得不錯了？」

只聽鄧玉龍高聲道：「在下不得不佩服閣下沉著，看來，只有一法才可證明。」

三陽道長道：「什麼方法？」

鄧玉龍道：「使你失去抗拒之能，揭穿你的偽裝，使你無法抵賴。」

三陽道長緩緩說道：「那是說鄧大俠要和貧道動手了？」

鄧玉龍道：「除此之外，在下也想不出更好的法子了。在未揭穿偽裝之前，少林高僧和武當不願結怨，儘管他們心中已對你動疑，仍是不肯出手。」

三陽道長冷冷接道：「鄧大俠步步迫逼，使貧道已無選擇餘地，似是只有動手一途，爲了武當的威名，貧道只好捨命一拚了。」

鄧玉龍道：「在下和道長的事，只是咱們個人之爭，和武當無關。」

三陽道長道：「鄧大俠別忘了貧道是武當掌門人。」

鄧玉龍道：「因爲在下不相信道長的身分，才敢激你動手。」

這幾句話十分露骨，三陽道長心中明白，口舌之爭，似是自己已無法占得上風，冷冷說道：「鄧大俠定要和貧道動手，咱們就各展所能打一場吧！兵刃、暗器，誰也不受限制，因爲每人的修爲不同，不受限制，才能各盡所長。」

這句話，旁觀之人，個個心中明白，因爲那鄧玉龍已經說過，不傷三陽道長之命，下手之時，自要有甚多顧慮，但三陽道長卻是心無所忌，儘管施下殺手了。

這時三陽道長已然拔出長劍，行入場中。鄧玉龍卻赤手空拳，肅立原地。

兩個奉命守衛三陽道長身側的少林僧侶，此刻只好退開，一側觀戰。

三陽道長一揚手中長劍，道：「鄧大俠，不要太狂，請亮出兵刃。」

鄧玉龍道：「在下身上帶有兵刃，道長只管出手，如是在下接架不住時，自會亮出兵刃。」

三陽道長冷笑一聲，突然一振長劍，閃起三朵劍花，刺向鄧玉龍。

場中人都是高手，一眼間，都瞧出這是十分惡毒的招數。

鄧玉龍一仰身，疾快絕倫地退出八尺。

三陽道長一振劍，欺身面上，身隨劍進，白芒一閃，追蹤刺到。

鄧玉龍橫裏移身，又向旁側閃開四尺。

三陽道長回劍一旋，劍花朵朵，籠罩了五尺方圓。

鄧玉龍突然一揚右手，但聞一陣金鐵交鳴之聲，三陽道長手中長劍，突被震盪開去。

三陽道長疾退兩步看去，只見鄧玉龍右手之中，多了一把寒光閃閃的匕首，不禁冷笑一聲，道：「原來鄧大俠袖中早已藏了兵刃。」

鄧玉龍冷然一笑，道：「在下也查覺出一件事。」

三陽道長道：「什麼事？」

鄧玉龍道：「在下感覺道長用的劍招，不似武當的武功。」

三陽道長冷笑一聲，道：「天下武功，雖然門戶分歧，但萬流同源，一個人武功到了某一種境界，自然是別有變化了。」

鄧玉龍哈哈一笑，道：「道長不用解釋，話越多，越露馬腳了。」

三陽道長臉色一變，揮劍直劈下去。

鄧玉龍揚動著手中匕首，噹的一聲，架開了三陽道長手中寶劍。兩人展開了一場激烈絕倫的惡鬥。但見白芒閃動，兩條人影，盤旋交錯的寒芒之外，只聽不時傳出的金鐵交鳴之聲。兩人惡鬥約百招以上，仍是個勝負難分之局。

鄧玉龍突然快攻三招，逼落了三陽道長手中兵刃。

這當兒，守在旁側的幾個武當弟子，突然各拔兵刃，一擁面上，攻向鄧玉龍。

上清道長搖搖頭說道：「我們武當沒有這等打法。」

少林僧侶早已有備，立時接下武當弟子，一對一地打了起來。

三陽道長似是料不到少林弟子，竟然出手，不禁一呆。

鄧玉龍微微一笑，道：「道長已黔驢技窮，難道還要打下去嗎？」

三陽道長冷冷說道：「那倒未必，現還不知勝負如何。」

喝聲中，突然躍身而起，直向正東方位撲去。

顯然，他已自知處境絕望，準備飛身逃走。

但聞那慈雲大師喝道：「道兄不能走。」

飛身而起，迎空攔截。只聽砰然一聲，兩人硬拚一掌。

兩人功力悉敵，一掌硬拚，雙雙被震落實地。

鄧玉龍欺身面上，一指點去。

三陽道長回手反擊一掌。

鄧玉龍一側，避開一擊，左手疾出，扣住了三陽道長的右腕脈穴。

右手緊隨一指，點中了三陽道長的肋間兩處大穴。

三個武當弟子也被三位少林高僧，震傷在掌下，點中穴道。

慈雲大師目睹三陽道長被擒之後，立時說道：「鄧大俠，貧道不願和武當結怨，鄧大俠必需快揭露三陽道長的真實身分。」

鄧玉龍道：「好！在下盡力而為。」

仔細在三陽道長臉上瞧了一陣，突然一伸手，撕開了三陽道長身上的道袍。

慈雲大師大吃一驚，道：「鄧大俠不能無禮。」

鄧玉龍道：「如若他戴有人皮面具，那將是世間製造最好的人皮面具。」

慈雲大師道：「鄧大俠，他不像戴有人皮面具。」

鄧玉龍道：「所以，咱們要仔細一些。」

慈雲大師輕輕咳了一聲，道：「希望鄧大俠能夠找出證據。」

鄧玉龍右手探入三陽道長頸中用力一搓，果然有一層浮皮捲了起來。

不禁心中一喜，道：「大師，不會錯了。」

慈雲大師道：「什麼事？」

鄧玉龍道：「這位三陽道長是假的。」

慈雲大師道：「真的嗎？」

鄧玉龍道：「自然是真的了。」

慈雲大師急步行了過來，道：「貧僧瞧瞧。」

鄧玉龍指著三陽道長頸間一片捲起的皮膚，道：「這是一種特製的人皮面具，和三陽道長的面形，一般模樣，仿製不易……」

慈雲大師心中一動，接道：「鄧大俠可是說那三陽道長已經遭了毒手？」

鄧玉龍道：「目下很難說。」

慈雲大師長長歎息一聲，默然不語。

鄧玉龍緩緩揭開三陽道長臉上的人皮面具，道：「面具除去之後，咱們就可以見到這位真正爲害江湖之人的廬山真面目了。」

那三陽道長雙目之中，滿是恨意，望著鄧玉龍，但他穴道被點，無力反抗，空自急怒。

鄧玉龍小心翼翼地揭開人皮面具，不禁咦了一聲，道：「是你？」

容哥兒亦不禁失聲而呼，道：「王總鏢頭？」
原來這假冒三陽道長之人，竟然是成都鎮遠鏢局的總鏢頭王子方。
鄧玉龍昔年在江湖之上走動時，亦和王子方有過數面之緣，故而相識。
王子方長長吁一口氣，道：「十餘年的精密計畫，毀於一旦，鄧玉龍，你已經滿足了，找出了我的真正身分，你鄧大俠的名氣，此後更爲響亮……」
突然提高了聲音，道：「在下別無所求，只希望你早些把我殺死。」
鄧玉龍搖搖頭，道：「我還有很多事問你，希望你識時務些。」
目光一掠慈雲，接道：「諸位少林大師，都是有道高僧，不會對你怎樣，但在下不然了。」
王子方道：「你要對我動刑？」
鄧玉龍道：「不錯，縱然你是鋼筋鐵骨，也叫你無法忍受，不過，你如肯回答在下相詢之言，在下決不動刑。」
王子方道：「你是有名之士，酷刑逼供，不怕遺臭江湖嗎？」
鄧玉龍道：「我鄧某一生功過，還未論定，我不想留芳百世，你不用拿話套我。」
王子方雙目圓睜，冷冷說道：「鄧玉龍，你可是認爲你已經勝定了嗎？」
鄧玉龍道：「我知你還會做一次垂死掙扎，不過，那救不了你。」
王子方冷冷說道：「區區死了，也不過是一條命，算不得什麼，不過……」
鄧玉龍道：「不過什麼？」
王子方道：「當今武林中要有數百人陪我而死。」

鄧玉龍心中一動，道：「如是你不死，他們都可以活著，是嗎？」

王子方道：「那倒可以商量。」

鄧玉龍緩緩說道：「閣下終於承認了這次主謀之事。」

王子方冷然一笑，道：「在下如不承認，只怕你們也不會相信了。」

鄧玉龍道：「咱們該先談談救人的事。」

王子方道：「怎麼談？」

鄧玉龍道：「閣下開出條件，在下等商量一下，還你一個公道。」

王子方道：「有一件事，鄧大俠必得先有一個主見才成。」

鄧玉龍道：「怎麼說？」

王子方道：「在下之死，一人而已！但你們卻在做一件驚天動地的大善事，一舉間，要救活千人以上，而且被救之人，有很多都是一方豪雄，或一大門派的掌門人。」

鄧玉龍道：「不錯，不過，閣下也要記著一件事。」

王子方道：「什麼事？」

鄧玉龍道：「一個人只能死一次，不論他有多少財富，多大權威，也不過是一堆黃土掩埋的屍體。」

王子方目光轉到慈雲大師的臉上，道：「大師有何高見？」

鄧玉龍搶先說道：「和我談，慈雲大師乃是佛門高僧，不解人間機詐。」

慈雲大師接道：「鄧大俠說得不錯，貧僧很少在江湖之上走動，不善應付江湖中事，再說，施主又是敗在鄧大俠手中，貧僧不便有所許諾。」

王子方道：「一舉間救活武林中上千人的性命，那是一樁大功，強過你吟佛十年。」

慈雲大師道：「這個貧僧知道。」

王子方道：「既然知道了，你就該插手過問。」

慈雲大師道：「鄧大俠和你談也是一樣。」

鄧玉龍冷冷接道：「論閣下的狂妄、殘忍行爲，用人間最惡毒的手法對付你，也不會爲過，我不信你能熬過我鄧玉龍的拷問手段。」

王子方淡淡一笑，道：「看來，在下很難開價了，還是鄧大俠說吧。」

鄧玉龍道：「很簡單，你交出解藥，我廢了你的武功，饒你一命。」

王子方淡淡一笑，道：「當今武林之中，有心殺我的人，何止千百，你如廢了我一身武功，那豈不是等於把我送入死亡之門嗎？」

鄧玉龍道：「那是說閣下同意了。」

王子方道：「這筆買賣不能做。」

鄧玉龍道：「好！閣下既然不同意，還是由閣下自行開出來吧。」

王子方略一沉吟，道：「一個人要想恩澤廣益，留給人敬慕追思，那必要付出犧牲才成……」

鄧玉龍冷冷接道：「閣下可以直接說明了，用不著再轉彎抹角。」

王子方道：「好吧！放我及從屬離開，在下交付你百粒解藥。」

慈雲大師接口說道：「那容夫人說，數十位名醫配製毒藥之後，都遭殺死，哪裏還有解藥？」

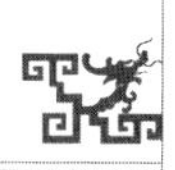

王子方道：「大師不要忘了，她只是我手下之人，很多事自然不及在下清楚。」

慈雲大師道：「一百粒解藥，能解救多少人？」

王子方道：「一粒一人，百粒可救百人。」

慈雲大師道：「天下中你奇毒之人，何止千人，區區百粒解藥，有什麼大用？」

王子方道：「話雖不錯，但我們主從，也不過三、五人而已。」

鄧玉龍道：「不能這樣算。」

王子方道：「請教鄧大俠，那要如何一個演算法呢？」

鄧玉龍道：「你是元凶極惡，這些人爲你所毒，自然是你應救活他們。」

王子方道：「當今之世，也只有我王某人能夠救他們，如是在下不說出解藥存放之處，就算華佗重生，扁鵲還魂，也無法救得他的性命。」

鄧玉龍道：「但還有一件事，只怕閣下沒有想到。」

王子方道：「什麼事？」

鄧玉龍道：「閣下將嘗試到前所未有的痛苦，我鄧某人將施人世間最最慘酷的手段對付閣下。我不相信你能忍受那種痛，在下相信，我能讓你經歷從未經歷的痛苦，你一日不說出那解藥所在，我讓你一日不死，只要你能忍受，在下就能等待下去。你先嚐嚐行血攻入內腑的味道如何？」

喝聲中右手一指，點了王子方雙臂、雙腿上的穴道。

這點穴手法，和一般手法不同，王子方果然感覺到行血倒轉，反向內腑行去。

鄧玉龍淡淡一笑，道：「一杯熱茶工夫，就有得好戲看了，兄弟拭目以待。」

王子方臉色鐵青地望著鄧玉龍，冷冷地道：「在下如是死去了，數千人也將隨我而去，閣下將是主要的兇手。」

鄧玉龍緩緩說道：「看來，王總鏢頭大約是準備以身相試了，就算在下落下兇手之名，那也是沒有法子的事，不過，在下相信，你王子方還無法忍受這等痛苦。」

王子方臉色鐵青，不再答話。

鄧玉龍神情平靜，緩緩坐在一側。

這時，全場中一片寂靜，靜得聽不出一點聲音。

所有人的目光，都投注在王子方的臉上，靜待變化。

只見王子方臉上的汗珠兒，越來越大，越來越密，片刻後，汗如黃豆一般，滾滾而下。同時，王子方全身也起了輕微的顫動。

顯然，他在用最大的忍耐和這劇烈的痛苦對抗。

又過了一盞熱茶工夫，突聞王子方大聲說道：「解開我身上的穴道。」

鄧玉龍微微一笑，道：「這不過是牛刀小試而已，在下還有更爲惡毒的辦法，準備試試你王總鏢頭，究竟有多大的能耐。」

王子方大聲說道：「你解開我的穴道，我們再好好地談談。」

鄧玉龍道：「此時此情，你還想討價還價嗎？」

王子方道：「我交出解藥。」

鄧玉龍右手連揮，拍出四掌，解開王子方身上的穴道，道：「拿來吧！」

王子方長長吁一口氣：道：「那解藥不在我身上存放。」

鄧玉龍道：「在哪裏？」

王子方緩緩說道：「那地方很危險，也很隱秘，在下說出來，只怕你鄧大俠也無法去取。」

鄧玉龍冷冷說道：「在下已考驗過王總鏢頭，並沒有很大的定力，如果再激怒我出手，我不會輕易再為你解開穴道了。」

王子方似是已為鄧玉龍氣勢震懾，急急說道：「那藥物存在太白山中。」

鄧玉龍道：「太白山綿連千里，你放在什麼地方？」

王子方道：「在一座山谷之內。」

鄧玉龍皺皺眉頭，道：「難道那地方沒有名字？」

王子方道：「那地方原來就沒有名字，就算在下編造出一個名字來，鄧大俠也是一樣地不知曉那是什麼地方。」

鄧玉龍高聲說道：「目下內情已明，急在善後，第一樁要事，先要押送王總鏢頭到太白山一行，取出解藥。」

慈雲大師道：「此去太白山，將近千里，不知是否還來得及？」

鄧玉龍目光轉到王子方的臉上，道：「王總鏢頭，這些人還能活多久？」

王子方道：「今日天色入夜之前，便有一部分人死亡……」

慈雲大師緊張地接道：「都是些什麼人？」

王子方道：「什麼人？我無法分辨得很清楚，但在預計的『求生大會』之中，一流人物，都還各有職司，自然死亡的都非一流高手了，不過……」

慈雲大師道：「不過什麼？」

王子方道：「這一批死亡的人很多。」

慈雲大師黯然說道：「王總鏢頭沒有法子救他們嗎？」

王子方道：「除了那特製的解藥之外，再無第二個人能解除他們身受之毒。」

慈雲大師合掌說道：「阿彌陀佛，那是說他們死定了？」

王子方道：「不錯，死定了，如是在下拿不出解藥，還有無數之人，要死在奇毒的發作之下。」

鄧玉龍看慈雲大師又將跌入王子方的圈套，急急接口，說道：「王總鏢頭，咱們立刻動身，幾時能夠趕到那解藥存放之處？」

王子方道：「如若你敢解開我的穴道，以咱們的腳程，也要數日夜的奔走，如是乘馬駕車，取得解藥之時，所有中毒人，只怕都已屍寒多時了。」

鄧玉龍沉吟了一陣，搖搖頭道：「在下有些懷疑了。」

王子方道：「你懷疑什麼？」

鄧玉龍道：「我不信你身上不帶一點解藥，也不信那解藥存放在太白山中。」

王子方道：「你縱然點我五陰絕脈，殺我一萬刀，我也無法交出解藥。」

慈雲大師道：「鄧大俠，此事關係著千百人的生死，無論如何，咱們不能意氣用事。」

鄧玉龍道：「大師請仔細想想，如是你用毒毒了很多人，解藥會不帶些在身上嗎？」

慈雲大師道：「這個，這個……」

鄧玉龍道：「因此，在下推想，他必有一部分解藥，收在身上，或存放附近。」

慈雲大師道：「有些道理。」

鄧玉龍目光轉到王子方臉上，笑道：「王總鏢頭你拿出來吧！你剛才已說漏了嘴，我知道你有百粒解藥在身旁。」

王子方搖搖頭道：「沒有。」

鄧玉龍道：「在下要搜了。」

王子方道：「儘管動手。」

鄧玉龍老實不客氣地伸出手去，在王子方身上搜了一陣，果然是沒有搜出一點可疑之物。

王子方緩緩說道：「閣下現在可以相信了？」

鄧玉龍緩緩說道：「縱然不在身上，也必然留在君山之上。」

王子方道：「鄧大俠既然搜不出在下身上的藥物，不相信也得相信了。」

鄧玉龍沉吟了一陣，道：「王總鏢頭可是認為在下無法逼你說出什麼？」

王子方道：「但它確然留在太白山中，我如帶你在君山走二十處地方，你是否相信我的話呢？」

鄧玉龍沉吟了一陣，道：「看來咱們非要到太白山中去一趟了。」

王子方道：「以你鄧大俠的才智，只怕也無法想出別的辦法了。」

慈雲大師接道：「老衲也願隨同鄧大俠同去一趟。」

鄧玉龍苦笑一下，道：「只怕時間來不及了，就算他說的不是謊言，咱們最快也要二十天以上才能取得解藥，那時，江湖上又是個什麼樣的局面呢？」

慈雲大師道：「大家已經毒發而亡了。」

鄧玉龍道：「不錯，那時，咱們就算取得解藥，又有什麼用呢？」
慈雲大師呆了一呆，道：「鄧大俠說得是。」
鄧玉龍道：「王總鏢頭聽到了？」
王子方道：「至少拿得解藥之後，你還可以救得少部分人。」
語聲微微一頓，接道：「但兩位如若不去，所有中毒之人，都將會全部死去。」
鄧玉龍道：「你呢？」
王子方道：「自然在下陪他們一起死。」
慈雲大師接道：「鄧大俠，王子方說得也有道理，咱們在此等候，倒不如立時動身，目下大局如此，也只有碰碰運氣了。」
鄧玉龍道：「大師，請讓我想想好嗎？」言罷，閉上雙目，不再理會兩人。
足足過了一刻工夫，鄧玉龍仍未睜眼望過兩人一眼，似是站著睡熟過去一般。
王子方一語不發，突然躍起，一指向鄧玉龍點了過去。
鄧玉龍看似毫無戒備，實則早已暗中留神著王子方的一舉一動。
王子方躍起施襲，鄧玉龍揮手反擊，五指疾向王子方手腕之上托去。
慈雲大師厲聲喝道：「鼠輩敢爾！」疾上兩步，一掌拍向王子方的後心。
王子方一閃避開了鄧玉龍的掌勢，但卻不及讓避慈雲大師的掌力。
鄧玉龍大聲叫道：「大師不能傷他！」
慈雲大師聞聲已自不及，匆忙間掌勢一偏，擊在了王子方的左臂之上。
但聞格登一聲，王子方一條左臂，生生被慈雲大師擊斷。

慈雲大師一擊打傷了王子方，鄧玉龍已迅快絕倫地點出兩指，點中了王子方的穴道。

只聽王子方悶哼一聲，口中鮮血，順口而出。

原來王子方在嚼舌自盡，但他咬了一半，已被鄧玉龍點中穴道。

鄧玉龍伸出左手，抓住了王子方的右臂，右手扳開了王子方的牙關。

凝目望去，只見王子方已然咬斷了一半舌根，鮮血像泉水一般流了出來。

鄧玉龍點了王子方兩腮的穴道，止住鮮血。

慈雲大師緩緩說道：「鄧大俠，他怎麼樣了？」

鄧玉龍輕輕歎息一聲，道：「很危險，大師可有療傷藥物？」

慈雲大師道：「有。」

慈雲大師探手入懷，取出一粒藥物，遞交鄧玉龍的手中。

鄧玉龍接過藥物，投入王子方的口中，沉聲說道：「王子方，你死不了。」

王子方雙目凝注在鄧玉龍的臉上，搖搖頭，又點點頭。

他舌傷很重，一時間無法說話。

鄧玉龍道：「現在，你不能說話，那就用點頭、搖頭，答覆在下。」

王子方又點點頭。

鄧玉龍道：「一個人，總歸是難免一死，但死亡之前，有一件重要的事。」

王子方兩道目光凝注在鄧玉龍身上，口雖未言，但神情之間，卻是充滿著一種期望之情。

鄧玉龍望了王子方一眼，接道：「一個人要死得心安理得，那就是決心死了，爲什麼不使自己死得全無牽掛，留給人一點敬慕、懷念呢？」

王子方點點頭。
鄧玉龍道：「你一定帶有部分藥物，另有人保管……」
王子方神智很清楚，不等鄧玉龍的話完，立即搖頭否認。
鄧玉龍沉吟了一陣，道：「那是說，你沒有帶藥物了？」
王子方又搖搖頭。
鄧玉龍喜道：「那是說，閣下帶有藥物了？」
王子方點點頭。
鄧玉龍沉思片刻，又接道：「那藥物可是放在君山之中？」
王子方似是在嚼舌未死的一段時光中，想通了很多事，竟然和鄧玉龍十分合作。可惜，他醒悟在嚼舌之後，已然是口不能言了。
鄧玉龍輕輕咳了一聲，道：「王總鏢頭，可否帶我等去找尋你那存放的藥物？」
王子方點點頭。
慈雲大師低宣一聲佛號，目光望到那鄧玉龍的臉上，流露出無限敬佩之色。
鄧玉龍道：「好吧！那就勞請王兄為我們帶路了。」伸手解活了王子方的穴道。但他仍擔心王子方尋死之心未消，不敢解開他頸上穴道。
王子方站起身子，舉步向前行去。
慈雲大師輕輕歎息一聲，道：「唉，一個人的悔悟，只是在一瞬間的時光，王施主似是已大徹大悟了？」
鄧玉龍回顧了慈雲大師一眼，心中暗道：「這位老和尚，心地果然是慈善得很。」

緊隨在王子方的身後向前行去。

慈雲大師低聲吩咐身側的少林僧侶，道：「你們守在此地，我和鄧大俠一起走一趟。」

那少林僧侶應道：「掌門人不可冒險，還是由貧僧去一趟吧？」

慈雲大師搖搖頭，道：「你們留在這裏！」大步向前行去。

少林門規森嚴，掌門人有著無與倫比的權威，四位少林高僧，只好齊齊說道：「掌門人多多小心。」

慈雲大師已然快步追上了鄧玉龍。

王子方雖然受傷甚重，但他步法仍然穩健。只見他轉過兩個山彎，到了湖邊。

鄧玉龍凝目望去，只見碧波無際，卻不見一艘舟船，心中大感奇怪，搶行兩步，攔在王子方的身前，道：「王總鏢頭，此時此情，希望你不再動用心機手段。」

王子方搖搖頭，沿著湖邊向前行去。

任那鄧玉龍機智絕世，此刻面對著無法言語，身受重傷的王子方，也有著無法施展之感，只好默默地隨後而行。

王子方又行數十步，到了一處大絕崖之下，伸手指指一塊巨石。

鄧玉龍道：「那解藥，可就是放在那巨岩之後？」

王子方點點頭。

鄧玉龍雙目盯注在王子方臉上瞧了一陣，輕輕對慈雲大師道：「大師請好好照顧王總鏢頭。」

慈雲大師道：「鄧大俠說得什麼話？」

鄧玉龍道：「王子方雖傷很重，他的智慧機謀並未受損，也許這大岩之後，隱藏著很奇怪的陰謀。」

慈雲大師道：「鄧大俠過慮了，老衲不信，此情此時，王施主還會動心機。」

鄧玉龍道：「希望是沒有，但在下不妨作一假設，如是萬一在下身遭不幸，大師不用再心存慈悲了，非大刑重典，不足以使王總鏢頭屈服。」

慈雲大師道：「鄧大俠，老衲相信王施主決不會在此等情形下動用心機。」

鄧玉龍不再多言，一提氣，縱身而起，飛落在大岩之上。

原來，那大岩突立在懸崖之中，距地一丈有餘。

凝目望去，只見大岩後面青草叢中，果然放著一個尺許見方的小鐵箱子，鄧玉龍伸手取過鐵箱，飛身而下，道：「可是這個鐵箱子？」

王子方點點頭。

鄧玉龍道：「這鐵箱中可是解藥？」

王子方又點點頭。

鄧玉龍緩緩放下了鐵箱子，道：「你把它打開瞧瞧吧？」

王子方舉舉雙手，搖搖頭。

慈雲大師突然接口說：「貧僧明白了，他說他雙手無力，打不開這個鐵箱。」

王子方點點頭。

鄧玉龍輕輕咳了一聲，道：「原來如此。」

目光轉到慈雲大師的臉上，接道：「大師相信他的話嗎？」

慈雲大師道：「一個人到了這等境地，不會再說謊言了。」

鄧玉龍道：「害人之心不可有，防人之心不可無，需知一個天生邪惡之徒，縱然到了死亡的時候，仍然不肯悔過自悟，所謂死時還要拖個墊背的。」

慈雲大師道：「鄧大俠太多慮了，貧僧願以身試。」

鄧玉龍冷冷說道：「大師不可造次。」

慈雲大師道：「千百人毒發待救，我們這般相持下去，豈不是誤了他們？」

鄧玉龍道：「明明的詐術，怎的大師硬不相信呢？」

慈雲大師道：「貧僧瞧不出何處有詐？」

鄧玉龍：「王子方奔行時步履甚穩，足證明他雖然有傷，但還可支撐，打開這鐵箱，能要多大力量，但他卻不肯動手，豈不是證明了有詐嗎？」

慈雲大師一怔道：「倒也有理。」

鄧玉龍道：「不如在下先用長劍挑開鐵箱。」

慈雲大師仍是有些不信，道：「好吧！鄧大俠如此多慮，也許有鄧大俠的道理。」

鄧玉龍左手拉著王子方，右手執劍，冷冷說道：「如若在下推斷得不錯，王兄的嚼舌之傷，未必有如此嚴重，只怕是早已能夠說話了，只是不願意說話罷了。」

王子方只是冷冷地站著，望著鄧玉龍，一言不發。

鄧玉龍望了慈雲大師一眼，道：「大師請退遠一些。」

慈雲大師應了一聲，退後五步。

鄧玉龍暗運內力，一劍削去。

但聞喀的一聲，金鐵交鳴，那鐵箱上的鐵鎖，被劍勢削斷。

王子方手腕脈筋，被鄧玉龍緊緊扣住，無法掙動。

鄧玉龍一劍削斷了鐵鎖，卻未開啓鐵箱，兩道目光盯注在王子方的臉上，似是想從他神色上查看出一些內情。

慈雲大師緩步行了過來，道：「鄧大俠，箱上鐵鎖已去，貧僧不信小小的鐵箱中，還會有什麼埋伏。」伸手去啓箱蓋。

鄧玉龍道：「大師不可冒失。」

長劍探出，挑開了箱蓋。只聽嗤嗤幾聲輕響，一蓬青芒，激射而出。

原來，小箱之中果然藏有機簧，裏面裝著毒針，毒針一蓬射出，不下數十枚，籠罩了二尺方圓的空間，如是用手啓動，不論武功何等高強的人，也無法閃避開去。

慈雲大師呆了一呆，道：「果然是藏有著歹毒的暗器。」

鄧玉龍輕輕歎息一聲，道：「如若這箱中沒有機密，他也不會那樣輕易告訴咱們了。」

慈雲大師道：「唉！人與人之間，如此險惡，實有背我佛好生之德。」

鄧玉龍道：「人人如果都有大師這等悲天憫人的想法，江湖之上，再無是非了。」

目光轉注到王子方的臉上，道：「在下想不出王兄還有什麼詭計了。」

王子方望望鐵箱。

鄧玉龍緩步行近鐵箱，凝目望去，只見箱中放有兩只玉瓶。

慈雲大師道：「這瓶中是解藥嗎？」

王子方點點頭。

慈雲大師伸手取出一個玉瓶，正待打開瓶蓋，卻聽鄧玉龍低聲說：「大師，小心些。」

慈雲大師眼看那鄧玉龍料事如神，猜無不中，心中對他已然有了很強的信心，怔了一怔，道：「怎麼？難道這玉瓶中也有問題嗎？」

鄧玉龍道：「小心一些的好。」

慈雲大師緩緩說道：「這玉瓶要如何處理，總不能不打開瞧瞧啊！」

鄧玉龍道：「瞧是自然要瞧了。」

慈雲大師道：「如是這瓶中也有問題，老衲不能打開，鄧大俠也不能涉險，那要如何才能瞧到瓶中之物呢？」

鄧玉龍微微一笑，道：「王總鏢頭，雖然口內受了重傷，但他雙手還可以活動，拔開一個瓶塞，那是輕而易舉的了。」

慈雲大師心中暗道：「江湖道上果然是陰險得很。」心中念轉，人卻依言把玉瓶交到那王子方的手中。

出人意外的是，王子方竟然伸手接了過來，打開瓶塞，又把玉瓶交給慈雲大師。

慈雲大師接過玉瓶，抬頭望了那鄧玉龍一眼。

那一眼中含意甚深，意思是說，你鄧玉龍未免疑心太重了。

鄧玉龍了然慈雲大師那一眼中的含意，苦笑一下，默然不言。

慈雲大師右手執著玉瓶，倒出一粒丹丸於左掌之中。

凝目望去，只見那丹丸色呈深綠。

鄧玉龍突然大聲叫道：「大師快把手中藥丸丟去。」

慈雲大師微微一怔，道：「爲什麼？」

鄧玉龍道：「這藥丸有問題。」

突聞王子方接道：「太晚了。」

慈雲大師一怔，道：「你還能說話？」

王子方道：「在下一直就能說話，只不過，不願說話罷了。」

鄧玉龍輕輕歎息一聲，道：「我已然處處小心，想不到仍然被你騙過。」

王子方道：「那只怪你鄧大俠還是技差一籌。」

慈雲大師對這等突然的變故，驚愕不已，手中仍然拿著藥丸，呆呆地望著兩人出神。

鄧玉龍道：「大師快些丟下手中藥丸。」

慈雲大師緩緩把手中藥丸，又還入瓶中，道：「這藥物……」

鄧玉龍心中又是好氣又是好笑，搖搖頭，說道：「那是一種很強烈的毒藥，大師看看你托那藥丸的掌心，是否有變？」

慈雲大師抬眼瞧去，果然見托藥的手掌之中，有一片青紫之色，不禁微微一呆。

只聽王子方冷冷說道：「這一種強烈的奇毒，沾染肌皮之初，人並無所覺，十二個時辰之後，毒性開始發作，沾毒之處開始潰爛。」

慈雲大師道：「老衲把它洗掉。」轉身向湖邊跑去。

王子方冷冷說道：「晚了。」

五五　存亡之數

慈雲大師停下腳步，舉起傷手，瞧了一陣道：「實是叫人難信。」

王子方道：「大師不信，不妨等候一個時辰，就可覺著沾染奇毒之處，有些灼熱的感覺……」

語聲微微一頓，接道：「在下想對付鄧玉龍，想不到鄧玉龍狡猾如狐，竟然傷了大師。」

慈雲大師輕輕歎息一聲道：「老衲今日才算知曉了江湖上的凶險可怕。」

鄧玉龍道：「可惜太晚了……」

目光轉到王子方臉上，緩緩說道：「也是在下太過大意，忘了王兄的內功深厚，可以自行解開兩腮的穴道。」

王子方道：「想不到以鄧兄之才，竟然也知道晚了一步。」

鄧玉龍道：「現在，王兄可是已覺著自己占了上風嗎？」

王子方道：「至少，又有一位慈雲大師陪我死了。」

鄧玉龍道：「咱們是否可以談談呢？」

王子方道：「可以，不過，在下先行說明，這代價很大，只怕鄧兄不肯。」

鄧玉龍道：「希望王兄不要獅子大開口，因爲在下還有搏殺你王總鏢頭之能。」

王子方道：「經過這一陣調息，兄弟體能已復，雖然我未必是鄧兄之敵，但逃走大概總還能夠。」

鄧玉龍四顧了一眼，道：「這君山僻處湖心，在下想不出你如何能夠逃走。」

王子方道：「狡兔三窟，在下自信一向的設計，無不周密萬分，這次功敗垂成，一方面是鄧兄的才慧過人，而兄弟也未料想到你會陡然出現，才使兄弟措手不及，被你瞧出破綻。」

鄧玉龍道：「王兄別忘了這君山之上，除了兄弟之外，還有其他之人。」

王子方道：「如若兄弟不和鄧兄硬拚，在下相信尚有十之八九的逃命機會……」

鄧玉龍冷然接道：「王兄，不用賣弄口舌了，你有什麼條件，直截了當地說出來吧！」

王子方道：「看來，鄧兄倒是很誠意和在下談判了？」

鄧玉龍道：「你可以提出條件了，不過，你要先行想好，提出的條件，要在下能夠接受。」

王子方道：「放在下離開此地……」

鄧玉龍皺了皺眉頭，道：「就這樣放你走嗎？」

王子方道：「自然有條件，在下先療治慈雲大師的傷勢。」

慈雲大師道：「老衲的生死，無關緊要，但望王總鏢頭，能夠交出解藥，解救武林同道。」

王子方道：「在下已經再三說明了，那解藥存放在太白山中。」

鄧玉龍道：「我等如放王總鏢頭離去，那是再無法取得解藥了。」

王子方冷然一笑，道：「現在兩個辦法，任憑你鄧大俠選擇。」

鄧玉龍道：「哪兩個辦法？」

王子方道：「第一，是鄧大俠和在下結伴同往太白山一行。」

鄧玉龍道：「還有一個辦法呢？」

王子方道：「在下留下一個圖案，說明那解藥存放之處，勞請鄧大俠自行趕往太白山去了。」

鄧玉龍道：「慈雲大師的傷勢呢？」

王子方道：「在下自然要先行把他醫好。」

鄧玉龍道：「好吧，你先療好慈雲大師的傷勢，咱們再同往太白山中一行。」

王子方微一沉吟道：「可以，不過，在下想先說明一件事。」

鄧玉龍道：「什麼事？」

王子方道：「在下不能一下療治好慈雲大師的傷勢，先給他一顆藥物，可以使他毒傷延遲一個月發作。」

鄧玉龍道：「閣下還要留一手嗎？」

王子方道：「不錯，在下必需要設法自保，如是在下一次療治好慈雲大師的傷勢，在下又減少了一份保障。」

慈雲大師道：「鄧大俠不用顧慮老衲太多，千餘武林同道的生命，難道還不如老衲一人的死亡重要嗎？」

王子方：「大師算錯了一件事，如是談不好條件，不但大師要毒發身死，而且那千餘位武林高手，也是一樣地無法活命。」

慈雲大師歎道：「你害老衲一個人也就是了，如何定要使千餘位武林高手完全死去呢？唉！如若這次武林同道死去之後，整個武林，都將元氣大傷。」

王子方道：「這個我知道。」

慈雲大師道：「那你又何苦呢？」

鄧玉龍道：「大師不用多費唇舌了，還是聽聽王總鏢頭的意見如何？」

王子方道：「好！在下很清楚地說一遍吧！我拿出一粒解藥，可以使大師毒發延長一月，然後，在下和鄧大俠同赴太白山中一行，去取解藥，如是鄧大俠能夠取得解藥，不但中毒的武林同道可以活命，就是大師，也可除毒重生……」

慈雲大師道：「聽王施主的口氣，似乎那解藥很難取得，是嗎？」

王子方道：「不錯，那解藥很難取，必需要經過一段很險惡的地方。」

鄧玉龍道：「如是在下取不到解藥，後果如何？」

王子方道：「鄧大俠心中很清楚，這般相詢，那是要在下說給慈雲大師聽了？」

鄧玉龍道：「在下想的未必全對，希望能從王總鏢頭口中聽個明白。」

王子方道：「你如取不到解藥，必然死在太白山中，那時慈雲大師毒性將發，少林門派也不敢和在下爲敵了……」

鄧玉龍道：「你又可如願地謀霸江湖了？」

王子方道：「正是如此。」

慈雲大師道：「江湖險惡如斯，老衲是做夢也想不到。」

鄧玉龍突然急行一步，一腳踏在鐵箱之上，道：「王總鏢頭在這君山上，另行設有埋伏，

是嗎？」

王子方不知鄧玉龍用心爲何？不禁呆了一呆，道：「怎麼樣？」

鄧玉龍道：「在下適才想到，一個人如無能兼善天下，只有退而求其保身了。」

王子方道：「鄧大俠可是要撒手不管這場是非了嗎？」

鄧玉龍道：「正是如此，王總鏢頭請去吧。」

慈雲大師眼看鄧玉龍突然改變心意，心中大驚，急急說道：「鄧大俠，人死留名，雁過留聲，你怎麼能夠撒手不管呢？」

鄧玉龍搖搖頭，道：「在下忖思再三，此事大不易爲，還望大師原宥。」

王子方道：「識時務者爲俊傑，鄧兄是否願和兄弟談談呢？」

鄧玉龍道：「不用了，在下已決心跳出是非之外。」

慈雲大師急急接道：「鄧大俠，老衲生死事小，千百位武林同道生死事大，你可以不管老衲的生死，但武林大事，你卻是不能不管啊？」

鄧玉龍搖搖頭，道：「在下已經盡了心力，老禪師，此刻我實在無能爲力了。」目光轉到王子方的臉上，接道：「王總鏢頭可以走了。」

王子方仍然呆呆地站在原地不動。

慈雲大師心中大感奇怪，暗道：「這王子方逃走還來不及，此刻正是逃走的機會，怎的卻又不肯走了呢？」

他目睹鄧玉龍和王子方兩人鬥智經過，見識大長。覺著這其間有些問題，立時不再言語。

王子方雙目盯注在鄧玉龍臉上，瞧了良久，道：「鄧大俠當真要在下走嗎？」

鄧玉龍點點頭，道：「不錯，閣下可以請便了。」

王子方道：「好！在下就此告別。」伸手去取鄧玉龍腳底下的鐵箱。

鄧玉龍右手一探，猛向王子方的手腕之上扣去。

王子方疾快地縮回右手，微微一怔，道：「鄧大俠不是要在下走嗎？」

鄧玉龍道：「不錯啊！」

王子方道：「那鄧大俠爲何又要出手對在下施暴呢？」

鄧玉龍道：「王兄儘管請便，不過，這只小鐵箱子，留給在下做個紀念。」

王子方道：「鄧兄，這只鐵箱子是在下的，鄧兄爲什麼定要留下呢？」

鄧玉龍道：「咱們相識一場，王兄又把在下許爲第一敵手，難道連這點交情，也不肯賣嗎？」

王子方呆了一呆，道：「這箱中藥瓶都是強烈的毒藥，鄧大俠要它何用呢？」

鄧玉龍笑道：「區區適才見王兄用毒，一舉間就使人屈服，當真便利得很。」

王子方道：「怎麼？鄧大俠也想學用毒藥。」

鄧玉龍道：「不錯啊！在下也想研究研究。」

王子方道：「鄧大俠是光明磊落的英雄，怎會學這用毒手法，定是和在下說笑了。」

鄧玉龍冷冷說道：「王兄，不用再耍花槍了，這只鐵箱之中，如無珍貴之物，王兄早已逃命去了，你不捨得這只破舊的鐵箱，可說明這只鐵箱之中，定然有著重逾王兄性命之物了？」

王子方道：「兄弟倒不是捨不得這只鐵箱，只是這只箱子兄弟帶了很多年，一時間，倒是不忍捨棄。」

鄧玉龍道：「捨棄不了的，只怕不是這只鐵箱，而是箱中之物。」

王子方道：「鄧大俠如是認爲這鐵箱中存物，十分寶貴，兄弟就以箱中之物相贈，兄弟帶走鐵箱如何？」

鄧玉龍略一沉吟，道：「難道這鐵箱之中還有什麼機關不成？」

王子方道：「鄧兄未免太多疑了。」

鄧玉龍道：「好！王兄請退後三丈，在下查看一下箱中之物。」

王子方道：「鄧兄要多多小心了，別叫箱中機關傷到了你。」

鄧玉龍道：「如若這箱中機關，當真取了在下之命，那也是在下命該如此。」

王子方望了鄧玉龍一眼，緩緩向後退去。

鄧玉龍望著王子方退到三丈以後，才一腳把鐵箱翻了過去。只聽一陣輕響，箱中之物，盡皆翻了出來。

鄧玉龍俯下身去，撿起一個玉瓶，正待拔開瓶塞，慈雲大師突然叫道：「不行，不要打開瓶蓋。」

鄧玉龍微微一笑，道：「不要緊，我相信這兩瓶藥物之中，定然有一瓶是解毒之藥。」

慈雲大師道：「鄧大俠，瓶中之藥十分惡毒，不能冒險。」

鄧玉龍道：「大師放心。」緩緩拔開瓶塞，把一粒丹藥倒在鐵箱之上。這瓶中藥物，色呈鮮紅，看上去極是豔麗。

鄧玉龍抬頭望了王子方一眼，道：「王總鏢頭，這兩個玉瓶中的藥物顏色完全不同。」

王子方道：「那有什麼稀奇，顏色不同，那是分別它們的毒性輕重而已。」

鄧玉龍道：「這紅色藥丸，毒性應該重一些，是嗎？」

王子方沉吟了一陣，淡淡一笑道：「你是考驗兄弟呢？還是想從兄弟口中聽出這藥物的作用？」

鄧玉龍道：「在下只是隨便問問罷了，王兄可以不回答在下的問話。」

站起身子，舉手一揮，道：「王兄可以去了，別要在下改變了心意，又覺著應該搏殺王兄，那時王兄再想走，只怕要走得很辛苦了。」

兩人在淡然談話之中，各逞心機，希望能從對方神色中，瞧出一些內情來。

但聞王子方冷笑一聲，道：「是了，是了，鄧大俠定然認為這兩個玉瓶之中，有一瓶是解毒藥物了？」

鄧玉龍道：「不錯，王兄可否見告呢？」

王子方神色平靜地說道：「這要看你鄧大俠的決斷了，兄弟之言，鄧大俠是決然不會相信了。」一抱拳，轉身大步而去。

鄧玉龍目注王子方的背影，神情凝重，一語不發。

慈雲大師心中大為焦急，低聲說道：「鄧大俠，如若放走了王子方，咱們豈不是一無所有了嗎？」

鄧玉龍似是全神貫注在王子方行去的背影，似是根本未聽到慈雲大師之言。

慈雲大師輕輕歎息一聲，道：「鄧大俠，老衲中毒已深，難再活得下去，此後江湖大局，要靠你鄧大俠挽救，老衲願交出我少林派中的綠玉權杖，少林派中人，悉聽你鄧大俠的調遣。」

鄧玉龍仍然望著那王子方的背影，未回答慈雲大師之言。

慈雲大師皺皺眉頭，道：「鄧大俠，你已經年登古稀，就算你優遊林泉，還能活得幾年，爲何不肯留下救世英名，讓後人千秋萬世敬仰！」

鄧玉龍長長吁一口氣，回顧了慈雲大師一眼，笑道：「任他狡猾似狐，仍然是露出了破綻。」

慈雲大師怔了一怔道：「什麼破綻？」

鄧玉龍道：「這紅色的藥丸，是解毒之藥。」

慈雲大師道：「當真嗎？」

鄧玉龍道：「大概是不會錯了，等一會兒試試便知。」

慈雲大師突然搖頭歎息，道：「縱然真是解藥，但不過數十粒，如何能救得天下千萬中毒之人？」

鄧玉龍緩緩把紅色藥丸收入瓶中，合起鐵箱，道：「咱們走吧。」

慈雲大師道：「哪裏去？」

鄧玉龍道：「咱們去試試這瓶中之藥。」提起鐵箱，大步向前行去。

兩人回到廣場，只見場中之人，仍都各坐原位未動。

上清道長忍不住說道：「鄧大俠取得解毒藥物嗎？」

鄧玉龍揚了揚手中的鐵箱，道：「這鐵箱中有兩種藥丸，一種是毒藥，另一種是否是解藥，在下就不知道了。」

上清道長道：「王子方呢？」

鄧玉龍道：「走了。」

上清道長道：「貧道要問他把我武當掌門人藏置何處。」

鄧玉龍道：「道長毒傷未療好之前，又如何能夠去找那王子方呢？」

上清道長呆了一呆，道：「鄧大俠之意是……」

鄧玉龍接道：「在下之意，最好先行解除了各位身上之毒，然後再行設法去追查那王子方的下落。」

緩緩舉起手中鐵箱，行到黃十峰身前，打開箱蓋，拔開瓶塞，倒出瓶中的藥物，凝目望去，只見黃十峰等一群隨來之人，個個目光癡呆，似是已完全失去了自律之能。

鄧玉龍輕輕咳了一聲，喚道：「黃幫主。」黃十峰渾似未聞，毫無一點反應。

鄧玉龍一皺眉頭，高聲叫道：「黃幫主。」

無影神丐岳剛輕輕歎息一聲，道：「這藥物很惡毒，以他的功力，決然無法抗拒，此刻，早已經神智迷亂了。」

鄧玉龍道：「環顧受毒之人，當以黃幫主功力最強，如是黃幫主也神智迷亂，這場武林大劫，只怕是很難挽回了。」

容哥兒突然低聲說道：「我那養母已然說過，今日就是中毒之人毒發之期，只怕咱們要白費一番心血了。」

慈雲大師突然向前行了兩步，道：「鄧大俠可是想試驗這藥物嗎？」

鄧玉龍低聲說道：「大師，可把王子方兩個隨從之人找來。」

只聽一個灰衣和尙，合掌說道：「他們口中早藏含毒藥物，鄧大俠和敝掌門去後，幾人都已相繼死去。」

鄧玉龍雙眉聳動，道：「這麼說來，只好施用較爲殘忍的方法一試了！」

慈雲大師以最大的忍耐，保持了表面的平靜，不讓別人瞧出他身受毒傷的事。但他天生仁慈之心，遇上事情，又不忍不問，向前行了兩步，道：「鄧大俠要用什麼殘忍的法子？」

鄧玉龍道：「在下準備選出一人，試吞這紅色藥丸，看看它是否解毒之藥？」

慈雲大師目光轉動，四顧了一眼，道：「這些人，都已神智迷亂，這丹丸是否是解毒藥物，就算他們服用了，也無法解說給鄧大俠聽？」

鄧玉龍道：「大師之意呢？」

慈雲大師道：「不如把這藥物，交由老衲試服，是否有毒，很快就可以分辨出來了。」

但聞一瓢大師說道：「掌門人身未中毒，如何能試服解毒之藥？放眼全場，老衲當是第一個適合試藥的人了。」說完話，大步直對鄧玉龍行了過來。

鄧玉龍望了一瓢大師一眼，道：「大師內功深厚，的確是試服這解毒藥物的最好人選，不過，在下有幾句話不得不事先說明。」

一瓢大師道：「什麼話？」

鄧玉龍道：「這藥丸是不是解毒藥物，在下確然不知，王子方狡猾無比，在下實無把握……」

一瓢大師接道：「你可是怕老衲被這藥物毒死嗎？」

鄧玉龍道：「不錯。」

一瓢大師道：「鄧大俠只管放心，老衲內腑之中，已經有了很多奇毒之藥，只是被老衲運功，逼集於內腑一角，只要是用力過度，或是和人動手，這集在內腑中的藥毒，立刻就擴散全身，那時，就非死不可了。」

鄧玉龍道：「那是大師的事，和在下無關。」

一瓢大師微微一笑，道：「你放心，當著我們掌門人之面，老衲中毒死去之後，少林弟子，決不會找你報仇。」

鄧玉龍道：「你只有一半的中毒機會。」

一瓢大師伸出手去，道：「就是這紅色藥物嗎？」

鄧玉龍道：「不錯。」

一瓢大師雙指夾起一粒，投入口中。

鄧玉龍雙目圓睜，投注在一瓢大師身上，沉聲說道：「大師請靜坐運功。」

一瓢大師微微一笑，道：「不要緊，縱然是穿腸毒藥，老衲自信也可支持它兩個時辰不死，必能告訴你服後的反應。」

鄧玉龍不再多言，雙目投注在一瓢大師的身上，靜待著變化。

大約過了一盞熱茶工夫，一瓢大師突然轉頭望了鄧玉龍一眼道：「鄧大俠，這藥物發作很慢。」

鄧玉龍怔了一怔，道：「怎麼？難道全無一點反應？」

一瓢大師道：「是啊！老衲亦是覺著奇怪，這藥物下腹之後，有如食用一枚青果般，毫無作用。」

鄧玉龍伸手抓起一枚藥丸正待捏碎查看，突聞一瓢大師叫道：「有反應了。」抬頭看去，只見一瓢大師雙眉微皺，似在忍耐著一種強烈的痛苦。

鄧玉龍低聲說道：「大師，可是要在下助你一臂之力？」

一瓢大師道：「用不著。」突然轉身，向前奔去。

慈雲大師奇道：「怎麼回事？你們過去看看。」

兩個和尚應了一聲，正待舉步追趕，卻聽鄧玉龍高聲叫道：「不用追去。」

兩個灰衣僧人停下腳步，目光卻投注在慈雲大師的臉上。顯然，仍在等待慈雲大師吩咐。

鄧玉龍低聲說道：「他方便去了。」

慈雲大師啊了一聲，揮手對兩個灰衣僧侶道：「你們等一下。」兩個灰衣僧侶合掌一禮，退到了一側。

鄧玉龍心中暗道：「此情此景，是何等暗淡、淒涼的境地，但少林僧侶們，仍然保持著對掌門人的敬重之心，此刻，他們還不知慈雲大師中毒之事。如一旦知曉，實難預料他們的反應如何了。」

心中念轉，口中卻對慈雲大師道：「大師，看來，這藥物八成是解毒之藥了。」

慈雲大師道：「但願鄧施主的推斷不錯。」

哪知等了足有一頓飯工夫之久，仍不見一瓢大師回來。鄧玉龍警覺到事情有些不對，但又不便說出口來。

這時，慈雲大師也覺著傷處有了變化，輕輕歎息一聲，道：「鄧大俠，老衲恐怕也不成了。」

鄧玉龍道：「大師有何感覺？」

慈雲大師道：「毒發之徵。」

鄧玉龍低聲道：「目下情景，咱們可用之人，除了在下和容哥兒之外，只有你少林隨來的四位高僧，萬望大師全力抗毒，多挨一些時間。等那一瓢大師回來……」

慈雲大師道：「老衲已盡了心力，一瓢長老，只怕是凶多吉少了。」

鄧玉龍低聲說道：「大師請盡量保持現狀，我相信這是解藥，一瓢大師如若未遇上另外的意外，我相信他很快就可以回來。」

慈雲大師也低聲說道：「如若你相信是解毒之藥，那就給我一粒吧？我實在支持不住，就算我傾盡全力，最多也只能支持一頓飯的時間。」

鄧玉龍略一猶豫，取過一粒紅色的丹丸，遞給了慈雲大師。

慈雲大師接過丹丸，迅快地投入了口中。顯然，他已經有些迫不及待之感。

慈雲大師吞下丹丸，內心中似是得到了一種莫名的力量，使他穩定下來。只見他閉上雙目，盤膝坐地。這時，四個隨行護法，雖然也瞧出了慈雲大師有些不對，但都隱忍未言。一向沉著、滿腹機智的鄧玉龍，此刻，也有些慌了手腳，一瓢大師的一去未返，這變故實出了鄧玉龍的意料之外。也使經驗博廣的鄧玉龍有些茫然無措。

他暗吁一口氣，盡量保持著內心平靜，舉手對容哥兒一招，道：「你過來。」

容哥兒緩步行了過去，道：「什麼事？」

鄧玉龍道：「你自信悟性如何？」

容哥兒道：「差強人意。」

鄧玉龍道：「好！我口述五招劍法，你默記心中。」

容哥兒吃了一驚，道：「就是現在嗎？」

鄧玉龍道：「不錯。」

容哥兒道：「此情此景，如是匆忙，晚輩如何能夠記得？」

鄧玉龍道：「能不能記得，那是你的事了，但我全無藏私。」語氣微微一頓，接道：「那雖是只有五招劍法，但它是將來繼絕之學。」

容哥兒道：「不行啊！這題目太大了。」

鄧玉龍道：「不要呼叫出聲。」容哥兒微微一怔，果然不敢呼叫出口。

鄧玉龍道：「我先把五招劍法的使用方法，慢慢說出，你要默記於心，盡你全部的能力去記憶，能夠記得多少是多少了。」

容哥兒道：「可否多找兩個人來？」

鄧玉龍道：「少林武學，和我劍道極多不同，他們更是無法記得了。」

容哥兒正待答話，鄧玉龍卻已口述劍訣起來，容哥兒無可奈何，只好用心傾聽。鄧玉龍口齒啓動，緩緩說出劍招。容哥兒全神貫注，一語不發。別人看來，兩人的神態都很奇怪。鄧玉龍雖然口齒啓動，別人卻聽不到一點聲音。容哥兒站在那裏，有如木雕一般，一動不動。

足足過了一頓飯工夫之久，鄧玉龍才提高了聲音，說道：「我已說完了，你能記得多少？」

容哥兒長長吁一口氣，道：「不知道。」

鄧玉龍歎息一聲，道：「我相信你可能記得。」目光流露出無限的慈愛。

容哥兒道：「只怕有負厚望了。」

鄧玉龍輕輕歎息一聲，道：「現在，你守在這裏。」

容哥兒道：「老前輩呢？」

鄧玉龍苦笑一下，道：「我去瞧瞧一瓢大師。」

容哥兒道：「老前輩留在這裏主持大局，晚輩去瞧瞧如何？」

鄧玉龍搖搖頭，目光轉到四位灰衣僧人的臉上，道：「四位大師，在下有幾句話，不得不告訴諸位。」

當先一個灰衣和尙道：「什麼事？」

鄧玉龍道：「目下這片絕地之中，只有四位和在下，及這小兄弟，能夠用以對敵。」

那灰衣和尙，道：「鄧大俠之意是……」

鄧玉龍道：「貴掌門中了毒。」

四個灰衣和尙，雖然早已知曉掌門人可能有了變故，但他們仍然聽得臉色一變。

鄧玉龍輕輕咳了一聲，道：「到目前為止，在下還相信，這紅色的藥丸是解毒之藥，只不知那王子方用了什麼方法，使這藥丸，發作得十分緩慢。」

四個灰衣和尙齊齊點頭，道：「敝掌門此刻如何了？」

鄧玉龍回顧慈雲大師一眼，道：「看情形他還好好的活著。」

神色莊肅地接道：「王子方備有後援，如在下推斷得不錯，一瓢大師可能已落入王子方的手中。」

一明大師突然接口說道：「我等還有能力一擊，願聽鄧大俠的調遣。」

鄧玉龍仰天吁一口氣，道：「我不信那王子方已經完全掌握了致勝之機。」

一明大師道：「目下鄧大俠準備如何呢？」

鄧玉龍道：「在下先去看看。」

一明大師道：「看什麼？」

鄧玉龍道：「看看一瓢大師的下落……」

目光轉動，緩緩由容哥兒及四個灰衣和尚臉上掃過，道：「在下離去之後，此地之事，只有五位合作維持了，不過蛇無頭不行，鳥無翅不飛，五位之中，最好能互相推舉一人，主持其事。」

左側一位灰衣僧人，道：「貧僧慈心……」

鄧玉龍道：「大師有何見教，但望明言。」

慈心大師道：「敝掌門師兄，可是已無復元之望了？」

鄧玉龍道：「到目前爲止，在下還堅信這紅色藥丸是解毒之藥，也許王子方又動過一番手腳，所以，這藥物很久難以見效，如是這藥物是毒物而非解藥，只怕慈雲大師早已經物化多時了。」

慈心大師道：「整個君山，都是武林同道，但卻十之八九，都爲藥毒所傷，似這等慘不忍睹的景象，實叫人觸目心傷，鄧大俠行蹤何去，貧僧不便多問，不過，貧僧希望鄧大俠給我等一個時限，敝掌門是何變化，目下還很難預料，鄧大俠若過時不歸，貧僧也不準備在此久留，少林寺中珍藏名藥甚多，希望能療治敝掌門的傷勢。」

鄧玉龍望望天色，道：「大師說得有理，在下若在日落之後，還不能回來，諸位儘管請便了。」

慈心大師道：「好！我們等到日落，若還不見鄧大俠歸來，就不再等候了。」

鄧玉龍點點頭，突然舉步向容俊行了過去，道：「閣下呢？準備置身事外，或是要爲武林同道的安危一盡心力？」

容俊淡淡一笑，道：「鄧大俠準備要在下如何？」

鄧玉龍道：「閣下是目下武林中極少數未爲藥毒所害的高手之一，此刻又正是用人之時，在下很希望能有閣下的助力。」

容俊道：「要我如何助你？」

鄧玉龍道：「和我同行。」

容俊道：「找那王子方？」

鄧玉龍低聲說道：「還有王夫人，我不信王夫人不知她丈夫的作爲。」

容俊站起身子：「不錯，王夫人率領人手，埋伏附近。」

鄧玉龍道：「一瓢大師遭人生擒，大約是受困在王夫人的手中了。」

慈心大師奇道：「爲什麼一定是王夫人呢？」

鄧玉龍道：「因王子方已無可用之兵了，因爲他計算錯誤，想不到咱們還有區區和諸位大師這等高手和他爲敵。」

慈心大師道：「鄧大俠去尋王夫人，就算能夠尋到，一個人也不易對付。」

鄧玉龍長長吁一口氣，道：「至少我還有脫身之能，這倒不勞諸位費心。」

容俊突然接口說道：「在下和鄧大俠一同去吧！」

鄧玉龍微微一笑道：「能夠得容兒相助，咱們多增了不少勝算。」

轉目望去，只見容哥兒緊閉雙目，似是在用心推想什麼事情。

鄧玉龍低聲對慈心大師道：「我等去後，此地如有什麼變化，大師不妨和那位容小弟研究一下，其人年紀雖輕，但機智和才能都不平庸。」

慈心大師望了容哥兒一眼，點點頭，道：「貧僧記下了，兩位如若能夠找出什麼結果，希望能夠早些回來。」鄧玉龍應了一聲，帶著容俊大步而去。

就在兩人去後不久，突然間，一個身著黑衣、頭戴面紗的瘦小人影，疾如流星一般，急奔而來。慈心大師回頭望了容哥兒一眼，只見他仍然閉著雙目，似是在運氣調息一般。

當下橫身攔住了來人去路。冷冷說道：「閣下找什麼人？」

那黑衣人道：「我要找鄧玉龍鄧大俠。」

慈心大師道：「閣下貴姓？」

那黑衣人道：「我找鄧大俠有重要事情，我的時間不多……」

慈心大師接道：「閣下是男人還是女人？」

黑衣人道：「你如再問下去，只怕要耽誤了很多人的性命。」

慈心大師道：「閣下如不肯說出身分來歷，貧僧不能告訴你鄧大俠的去處。」

黑衣人突然一閃身子，舉步直對容哥兒行了過去。慈心大師右手一抬，疾快地抓了過去。

黑衣人突然一伏身，疾快絕倫地閃避開慈心大師的掌勢，到了容哥兒身側。這時容哥兒正全神貫注在鄧玉龍傳授的武功之中。他內心之中，有著一種沉重的負擔，覺得這是繼承絕學的大任，必得傾盡所能，學會鄧玉龍傳下的武功。是故，那黑衣人行到容哥兒的身前時，容哥兒還

未察覺。

慈心大師想不到來人的身法，如此滑溜，心中大驚之下，高聲說道：「容施主小心暗襲……」

那黑衣人動作快速至極，慈心大師話出口，那黑衣人已然抓住了容哥兒的右腕。

容哥兒睜開雙眼，望了黑衣人一眼，緩緩說道：「閣下什麼人？」

那黑衣人低聲說道：「我是江煙霞，別讓他們動手。」

這時慈心大師和另外三個灰衣和尚，已然欺身而上，團團把那黑衣人包圍了起來，準備出手。但因容哥兒落在了她的手中，使四僧有些投鼠忌器，不敢隨便出手。

容哥兒環顧四僧一眼，高聲道：「四位大師不用擔心，這位是在下的朋友。」

慈心大師道：「既是容施主的朋友，怎會對你施襲，扣拿住了你的脈穴？」

江煙霞道：「我有事和他談，怕你們把我纏住，一時無法脫身，耽誤了事情。」

慈心大師怔了一怔，望著容哥兒，道：「這話當真嗎？」

江煙霞道：「自然是當真了。」

慈心大師道：「貧僧等是問容施主，不是問你。」

容哥兒道：「她說得不錯。」

慈心大師道：「容施主要言出肺腑，雖然你被他扣住了脈穴，但貧僧等相信我等如聯手而攻，足可解你之危，而使你不受傷害。」

容哥兒道：「她說的都是實話。」

江煙霞放開了容哥兒的右手，緩緩說道：「現在，你們可以相信了吧？」

慈心大師望了容哥兒一眼，道：「容施主現在已經自由了。」

容哥兒道：「諸位不用多疑了，她說的都是實話。」

慈心大師道：「果真如此，容施主和他談談吧。」舉手一揮，群僧退開。

容哥兒回顧了江煙霞一眼，道：「有什麼事？」

江煙霞道：「關於取得解藥的事。」

容哥兒喜道：「姑娘有辦法取得解藥？」

江煙霞點點頭，道：「不錯，不過，很冒險。」

容哥兒道：「姑娘不用冒險了，只要把解藥存放之處，告訴在下去取就是。」

江煙霞道：「你不能去。」

容哥兒道：「爲什麼？」

江煙霞歎息一聲道：「咱們早已有了婚約，算起來，我已是你的妻子了。」

容哥兒點點頭道：「目下武林情景，叫人觸目傷心，那王子方一日不死，決不會安度歲月。」

江煙霞道：「怎麼？你們已知曉是王子方了。」

容哥兒點點頭道：「鄧大俠當面揭穿他僞裝武當代掌門三陽道長的面目……」

語聲一頓，道：「藥毒時限已過，這些人，都已經奄奄一息，你既知藥物存放之處，咱們立時動手才成。」

江煙霞略一沉吟，道：「容郎，咱們得仔細研商一個辦法才是。」突然轉身，舉步向前行去。

容哥兒心中大奇，暗道：「怎麼她說了一半，就舉步而行。」
心中念轉，人卻緊追身後行去。
江煙霞行約兩、三丈，停下腳步，低聲說道：「有些話不能讓別人聽到。」
容哥兒道：「四個僧人都是少林寺中高僧，滿懷救世之心……」
江煙霞搖搖頭，接道：「我知道，那些話，我是羞於出口……」
長長歎息一聲，接道：「容郎，你要拯救天下武林同道呢？還是要一個白璧無暇的妻子。」
容哥兒呆了一呆，道：「這話用意何在?在下聽不明白。」
江煙霞道：「回我的話，唉！如若我還是自由之身，咱們沒有婚約，這些事自然也用不到和你商量了。」
容哥兒皺皺眉頭，道：「這兩件事風馬牛互不相關，你要我如何回答?」
江煙霞肅然說道：「你要立救世大志，挽回這一次大劫，你可能失去一個妻子，你如想娶一個清白的妻子，那只有放棄救世的俠行，帶我走，找一處深山大澤，過咱們平靜的日子，武林中是是非非，慘劫大難，都和咱們無關了。」
容哥兒心中有些明白，但又不完全了然，凝目沉思了一陣，接道：「賢妻可否把話說明，也好讓在下抉擇。」
江煙霞道：「妾身明說了吧！那解藥存放之地，有極惡毒的機關和高手防守，如是賤妾取藥，很可能遭遇不幸。」
容哥兒道：「夫妻本是同林鳥，如若要涉險，為何不要我和你同行?」

江煙霞道：「就賤妾所得消息，那地方男人不能去。」

容哥兒道：「爲什麼？」

江煙霞道：「因爲，因爲……」只覺話難出口，因爲了半天，仍然因爲不出個所以然來。

容哥兒皺皺眉頭道：「既然咱們是夫妻，還有什麼不能出口的事呢？」

江煙霞道：「那守衛解藥之人是男人，只有女人，或可能逃過死亡之路。」

容哥兒接道：「既是彼此爲敵，我可以出手反擊，怎知一定會被他們……」

語聲一頓，道：「再說，你一人前去，也使我放心不下。」

江煙霞肅然說道：「你不能去，去則必死無疑，而且還將壞了大事。」

容哥兒心中暗道：「聽她口氣，那地方險惡無比，去則是非死不可。」

當下說道：「如是全無一絲生機，賢妻自是也不用去了。」

江煙霞突然微微一笑，道：「女人有一死一生的機會，男人則非死不可，除王子方本人，天下再無第二個男人能夠取得解藥。」

容哥兒道：「那解藥現在何處？」

江煙霞道：「就在這君山之上。」

容哥兒道：「你知道那地方嗎？」

江煙霞道：「知道。」

容哥兒道：「帶我去瞧瞧如何？」

江煙霞低聲歎息道：「容郎，我說的句句實言，這不是爭強鬥氣的事，憑一時血氣之勇，多送上條人命而已，你既有濟世救人之心，賤妾亦願冒險一試。」

容哥兒道：「我已然費盡了推敲心機，仍然是想不通原因何在，爲什麼那地方女人有一分生機，男人卻非死不可？」

江煙霞道：「因爲，看守解藥的是男人，滿懷著殺機、仇恨的冷僻男人。」

容哥兒若有所悟地啊一聲，道：「他不能出來？」

江煙霞道：「是的，他不能出來，他被人囚在那裏，無法出來。」

容哥兒道：「原來如此……」

語聲一頓道：「賢妻怎會知曉此事呢？」

江煙霞道：「我認識了王夫人，而且，她錯把我認成了容夫人。」

容哥兒接道：「怎麼可能，你根本不像啊？」

江煙霞道：「如若她是一個瞎子……」

容哥兒接道：「我見過王夫人，不是瞎子。」

江煙霞接道：「但她現在瞎了，自然不是因病而瞎，而是她的丈夫王子方下的毒手。」

容哥兒道：「王子方下毒手，弄瞎了自己妻子的雙目，放毒針射死了被他利用數十年的替身，這人的惡毒，恐怕是千古未有的人物了。」

江煙霞道：「她稱我容夫人，我就將錯就錯，從她口中，我聽到了很多事，也探聽到解藥存放之處。」

容哥兒道：「那王夫人現在何處？」

江煙霞道：「也在附近……」

容哥兒啊了一聲，道：「這麼說來，王子方果然在這君山之上，布有伏兵。」

江煙霞道：「本來，我可以再多探得一些消息，但我怕說話太多了，露出馬腳，所以，我只問了解藥的存放之處。」

長長歎息一聲，道：「男人當真是可怕得很，爲了私欲，不顧手段毒辣，他竟然忍心施下毒手，弄瞎了妻子的雙目，數十年夫妻之情，棄置不顧。」

容哥兒道：「像王子方這等惡毒之人，千萬人中，也難有一個。」

輕輕咳了一聲，道：「賢妻可否帶我去見見那王夫人？」

江煙霞道：「你要幹什麼？」

容哥兒道：「我想問她取解藥的法子。」

江煙霞道：「不用問了，我已經問得很清楚了。」

容哥兒道：「那是說你非要犧牲不可了。」

江煙霞道：「事無兩全，咱們只有選擇其一了。」

容哥兒道：「我想那王夫人內心中，定然對那王子方有著很深的痛恨，只要咱們能夠說服王夫人，要她相助咱們對付王子方，那就事半功倍……」

江煙霞沉吟了一陣，道：「容郎之意，可是說咱們在未取得解藥之前，共行設法，制服那王子方，是嗎？」

容哥兒道：「正是如此，但目下可戰之人，除了四個少林僧侶，不過五個人而已，四個少林高僧又要保衛中毒之人，能夠放手和王子方一戰者，只有鄧大俠一人而已，除此之外，咱們夫妻聯手，也許可以抵擋他一陣，但王子方在這君山之中，還有好多人手，咱們都不清楚，敵暗我明，這一戰，勝算甚微。」

江煙霞道：「賤妾和王夫人談話之中，聽她口氣，對那王子方雖然痛恨，但隱隱之間，仍有一些情意，要她助咱們救人或可，但如要助咱們對付王子方，只怕她未必肯答允。」

容哥兒道：「所以，咱們要用一番工夫，去說服她了。」

江煙霞道：「咱們一同去嗎？」

容哥兒道：「不錯，咱們兩人同去，就算遇上王子方，也可和他一戰。」

江煙霞略一沉吟，道：「好吧，賤妾帶路。」轉身向前行去。

容哥兒緊隨江煙霞身後，大步向前行去，一面問道：「有一件事，我一直百思不解，不知賢妻是否知曉。」

江煙霞道：「什麼事？」

容哥兒道：「關於那王子方，他似乎也把巢穴建築在湖中君山之上，此地既是早已為鄧大俠所盤據，怎能又容得王子方等一群人，生根於斯呢？」

江煙霞道：「我們早該想到，那一天君主要在這君山之上舉行『求生大會』，豈能是全無計畫嗎？」

容哥兒道：「這君山雖生湖中，但地處要位，就算地下石府中四大將軍，全為他所控制，但也很容易洩漏隱秘啊？」

江煙霞道：「他有什麼好怕呢？整個的江湖上，大部人他都已掌握了，當今武林之中，還有幾個人能夠和他為敵……」

長長歎息一聲，接道：「現在想來，那王子方當真是一位不世才人，他利用一天君主之

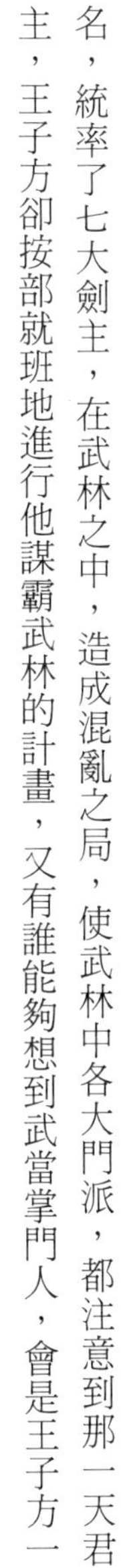

名，統率了七大劍主，在武林之中，造成混亂之局，使武林中各大門派，都注意到那一天君主，王子方卻按部就班地進行他謀霸武林的計畫，又有誰能夠想到武當掌門人，會是王子方一手扮成的呢？」

五六　蛛絲馬跡

容哥兒道：「最惡毒的手法，還是那七大劍主為害江湖的事，他們一面羅致人手，為其效命，又利用這些人，排除異己，雙方的死亡，都是我武林同道，可憐那些千百位武林同道，為他們殺人，自己又遭謀害。」

江煙霞道：「有一樁事，我倒也有一些想不明白。」回望了容哥兒一眼，道：「關於令堂。」

容哥兒道：「我那位養母嗎？」

江煙霞道：「不錯，她如何會為王子方所用，而且甘願和他合作了這麼長時間？」

容哥兒沉吟了一陣，道：「驟然想來，確然有些奇怪，但如仔細地推敲一下，原因倒是不難想出。」

江煙霞道：「這倒要請教了？」

容哥兒道：「王子方以一個鏢局的東主，妄思霸主江湖，就算他有些才氣，但區區一個鏢局又能湊得多少錢呢？」

江煙霞道：「不錯，這需要一筆可觀的金錢，王子方無法負擔。」

容哥兒道：「但我那養母就不同了，她身為北遼郡主，心懷奇謀而來，北遼國自會供應她

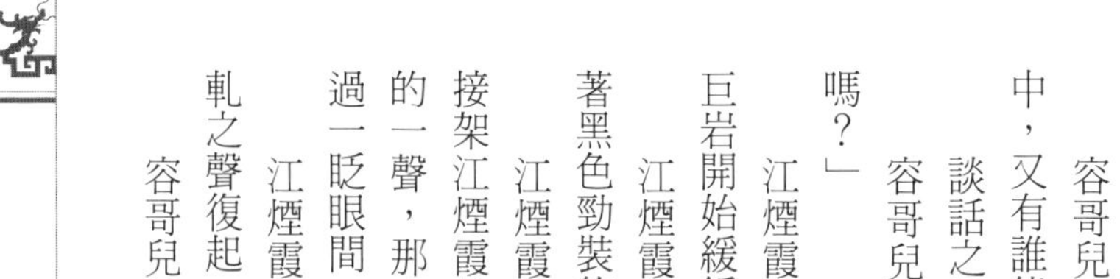

所用金錢。」

江煙霞點點頭，道：「不錯，容夫人以金錢支持王子方成就霸業，也削去我們中原實力，兩謀相合，狼狽爲奸。」

容哥兒輕輕歎息一聲，道：「蘭因絮果，冥冥之中，似是有著一種奇妙的結合力量，武林中，又有誰能夠料想到，王子方和我那養母會聯手一起呢？」

談話之間，到了一處巨大的岩石之前，江煙霞停下腳步，道：「就在這裏了。」

容哥兒仔細地看了四周一眼，竟然找不出可疑的門戶，一皺眉頭道：「在這大岩石之後嗎？」

江煙霞點點頭，拔出背上長劍，在巨岩一角，輕擊五下。但聞一陣輕微的軋軋之聲後，那巨岩開始緩緩向一側移動。片刻之間，那巨岩移出了一個門戶。

江煙霞身子一側，疾快地閃入門內。容哥兒緊隨在江煙霞的身後，衝了進去。只見一個身著黑色勁裝的大漢，攔住了兩人的去路。那大漢右手一抬，背上單刀出鞘。

江煙霞動作奇快，就在那大漢拔刀時，右手長劍已經迅速地攻出一劍。那大漢單刀來不及接架江煙霞的劍勢，只好側身閃避。容哥兒疾快地發出一掌，擊在那大漢的右腕之上。但聞砰的一聲，那大漢手中兵刃，被擊落在地。江煙霞一上步，點中那大漢穴道。兩人配合佳妙，不過一眨眼間，已然制服住那黑衣大漢。那大漢想待呼叫時，已然被點了穴道。

江煙霞移開了那黑衣大漢的身體，目光轉動，四顧了一陣，舉手在一根石筍之上一推，軋軋之聲復起，那巨岩又自動合閉了起來。

容哥兒低聲道：「你對這裏很熟悉。」

江煙霞道：「他們送我出去時，開動機關，我很留心地看過，記在了心中。」

容哥兒道：「這密室之中，除王夫人之外，還有什麼？」

江煙霞道：「大約是王子方已無可用之兵，賤妾會見她時，只是那一個守門的人。」一面答話，一面舉步向前行去。

兩人沿著甬道，深入了四、五丈後，地形突然開闊，形成了一座石室。一個藍布衣著的中年婦人，手執著一根竹杖，端坐在室中一個錦墩之上。

那中年婦人果然雙目已瞎，但她聽覺仍未失去靈敏，聽到腳步之聲，冷冷說道：「什麼人？」

江煙霞道：「我。」

王夫人道：「還有一個，什麼人？」

江煙霞道：「我的一個朋友。」

王夫人道：「什麼名字？」

容哥兒忍不住接口接道：「晚輩容哥兒。」

王夫人駭然說道：「容哥兒？」

容哥兒道：「不錯，正是晚輩。」

王夫人緩緩說道：「你怎麼會到了此地。」

容哥兒道：「江姑娘帶我來此。」

王夫人更爲震動，道：「江姑娘，哪一個江姑娘？」

江煙霞道：「晚輩江煙霞。」

王夫人輕輕歎息一聲，道：「江煙霞，江伯常的女兒？」

江煙霞道：「不錯，江伯常正是家父。」

王夫人道：「你怎麼知道我在此地？」

江煙霞道：「適才晚輩已和老前輩見過了。」

王夫人略一沉吟，道：「我明白了，你冒充容夫人。」

江煙霞道：「還望老前輩多多原諒。」

王夫人冷冷說道：「守門的人呢？」

江煙霞道：「已被晚輩點了穴道。」

王夫人道：「你們兩人到此，可是爲找我而來嗎？」

容哥兒道：「我等來此，特來向老前輩請教。」

王夫人道：「請教什麼？」

容哥兒道：「王總鏢頭造成了一場前所未有的大劫，老前輩早已知曉了？」

王夫人道：「早知曉了。」

容哥兒道：「如今內情已被拆穿，夫人想也知道？」

王夫人搖搖頭，道：「近半月的內情，老身就不清楚了。」

容哥兒道：「老前輩的眼睛……」

王夫人道：「王子方把我毒瞎的。」

容哥兒心中暗道：「必要設法引起她心中的仇恨，她才肯相助我等。」

心中念轉，緩緩說道：「老前輩和王總鏢頭數十年夫妻了。」

王夫人接道：「夫妻！他如還有一點夫妻之情，也不會毒瞎我的眼睛了。」

容哥兒道：「老前輩夫妻反目，自然是意見不合了。」

王夫人道：「因爲我勸他少作點孽，少害幾個人，就觸怒了他，下此毒手。」

容哥兒輕輕歎息一聲，道：「一個人惡毒如斯，大概連他的父母子女，也一樣能下毒手了。」

一面說話，一面默察那王夫人的反應神情，只見王夫人神情激動，臉上的肌肉微微顫抖，顯然，她內心之中，正有著強烈絕倫的震盪。

容哥兒輕咳了一聲，道：「老前輩心中既不滿王總鏢頭所爲，他又毒瞎了你的眼睛，老前輩心中是否恨他呢？」

王夫人苦笑一下，道：「恨他又能如何？何況，我又被他毒瞎了雙目。」

容哥兒道：「如果老前輩希望報仇，晚輩倒有辦法可想。」

王夫人道：「什麼辦法？」

容哥兒道：「王子方心地陰毒，道德敗壞，毒瞎老前輩的雙目，全無夫妻情意，晚輩等願助老前輩……」

王夫人搖搖頭，接道：「他雖無情，我卻不能無義，你們別想說動我助你們和他作對。」

容哥兒一聽之下，心中冷了半截，暗道：「好啊！她身受毒目之苦，仍然對丈夫有很深的情意，看來，說服她盡吐心中之秘，並非易事，一個雙目失明的女人，已夠可憐，難道還要對她施下毒手，逼她招供不成？」一時間心回念轉，不知如何才好。

但聞江煙霞緩緩說道：「老前輩不爲私仇施報，難道就不爲那許多無辜的武林同道著想

嗎？」

容哥兒道：「老前輩勸那王子方，足見已有救世之心，難道老前輩不希望心願得償嗎？」

江煙霞接道：「目下王子方已然窮途末路，就算老前輩念夫妻之情，不忍對付王子方，但他的敗亡，只不過多拖一些時日，使那些無辜遭毒的武林同道，多死傷一些而已。」

容哥兒道：「我那養母，對那王子方幫忙何等重大，但他仍然施放毒針，取她之命。」

王夫人慘然一笑，道：「兩位的話，說得很有理，但你們忘了一件事。」

容哥兒道：「什麼事？」

王夫人道：「我是那王子方的妻子啊！」

容哥兒道：「老前輩如是堅持不肯答允合作，晚輩只好無禮了。」

王夫人道：「你們準備如何對付老身？」

容哥兒道：「點了你的穴位，在此設伏，準備生擒王子方。」

王夫人輕輕歎息一聲，道：「你們可是認爲老身會束手就縛嗎？」

容哥兒道：「就算老前輩武功高強，但你雙目已盲，我們又是兩人一齊出手，前後夾攻，老前輩自信能夠應付得了嗎？」

王夫人搖搖頭道：「王子方就要回來了，老身只要能夠支持五十回合，他也就可能趕回來接應老身了，他武功高強，合你們兩人之力，也未必是他之敵。」

容哥兒沉聲說道：「咱們既然來了，自是不怕，晚輩已盡了心，說不服老前輩，那也是沒有法子的事了。」

王夫人陡然站起身子，竹杖一伸，點向容哥兒的前胸。她雖然雙目已盲，但出手仍極快

速，竹杖點出，正取容哥兒的前胸大穴。容哥兒閃身避開，正待發掌還擊，哪知王夫人竹杖已經迅快地折轉掃出。

江煙霞沉聲道：「老前輩，爲拯救武林中千百人性命，我們要聯手而出了。」就這說兩句話的工夫，王夫人竹杖伸縮，已然攻了容哥兒一十二招。

這十二招攻勢，連接綿密，絲絲入扣，竟然使容哥兒全無還手的機會。

王夫人冷冷說道：「好，你們聯手上吧。」竹杖回點，反攻向江煙霞。

江煙霞長劍一指，架開竹杖，回劍反擊過去。王夫人雙目已盲，全憑聽風辨位之法，施杖攻擊。但她招術奇奧，一支竹杖，力敵兩人，仍然攻多守少。容哥兒始終沒有拔劍，一直赤手空拳對敵。如是江煙霞、容哥兒全力對敵，傷了王夫人並非難事，但他們旨在生擒王夫人，並未存傷她之心，是故打來備感艱苦。但見王夫人杖影縱橫，有守有攻，兩人始終無法欺近王夫人的身側。纏鬥數十回合，仍然是一個不分勝敗之局。

江煙霞心中一動，暗道：「她雙目失明不久，還無法完全適應盲戰，全靠憑風辨位的耳力和我們搏鬥，這石洞深處山腹，回音甚大，雖是一點微微之聲，也可以發很大的回音。如是我們使她無法聽得見聲音，那她就無法辨出我等存身之位，竹杖也將失去指襲的方位了。」

心念一轉，高聲說道：「容郎暫請退開，賤妾和她決個勝負。」

容哥兒道：「不能傷她。」縱身退開五尺。

江煙霞陡然間全力搶攻，一連三劍，把王夫人迫退數步。然後，飛身而退。王夫人竹杖一招「橫掃千軍」，追襲過去。江煙霞伏身避過，悄然移身室角，屏息凝神。王夫人忽然間，不聞聲息，手中竹杖登時無法出手。容哥兒忽然間明白了江煙霞的用心，暗道了兩聲慚愧。原

來，江煙霞用心在試探那王夫人是否真的雙目失去視力。

忖思之間，瞥見江煙霞悄然而起，陡然間把長劍投擲出手。但聞砰然一聲，長劍擊在牆壁之上。那王夫人陡然一揮，直向長劍追去。她出手很準，竹杖正擊在長劍之上。

就在她揮杖擊出的同時，江煙霞飛身而起，一指點向王夫人的後背。這一擊蓄勢而發，動作快如閃電。那王夫人心生警覺，回身攔阻時已自無及，被江煙霞點中穴道。只見王夫人身子搖了兩搖，向地上摔去。

江煙霞一伸手，抓住了王夫人的雙肩，冷冷說道：「夫人，晚輩希望你能及時覺悟，為拯救天下英雄，和我等合作。」

王夫人搖搖頭，道：「不行……」

江煙霞接道：「夫人如不答允，晚輩只有強迫夫人同意了。」

王夫人道：「老身雙目失明，活著也無味得很，死了倒還安寧一些！」

江煙霞道：「但老前輩不會死。」

王夫人微微一怔：「你們要如何對待老身？」

江煙霞道：「晚輩要帶著老前輩同往那存放解藥之處一行。」

王夫人如受雷擊一般，尖聲叫道：「不行！」

江煙霞笑道：「老前輩不肯合作，晚輩只好勉強老前輩一行了，如若那地方很凶險，去者必死，但有老前輩作陪，晚輩死也不覺孤單了。」

王夫人道：「你為什麼不殺了我？」

江煙霞道：「因為晚輩不是王子方，待取出解藥後，晚輩就立刻釋放老前輩。」

王夫人搖搖頭道：「去那裏還想活著出來嗎？」

江煙霞道：「咱們碰碰運氣吧！如是咱們都得死，老前輩也是死在晚輩前面。」

王夫人不再接言，緩緩向地上坐去。

江煙霞一伸手，抓住了王夫人，冷冷地說道：「我記得那地方，就算夫人決定不和我等合作，晚輩也自信能夠找到。」

聲音突轉嚴厲地接道：「晚輩無意傷害老前輩，但老前輩如是不爲晚輩留一步餘地，那就不能怪晚輩手段惡毒了。」

王夫人緩緩說道：「你要老身怎樣？」

江煙霞道：「老前輩不能自絕，如是被晚輩發覺，晚輩不但要設法制止，且將以人間最殘酷的手法，使老前輩求生不易，求死亦難。」

王夫人道：「還有嗎？」

江煙霞道：「此刻，晚輩要老前輩同往那存放解藥之處一行，老前輩只說那裏面很凶險，但卻始終未說明那裏面詳細的內情，老前輩雖然已雙目失明，但也是女人，老前輩如是不能和我等衷心合作，咱們只有用老前輩先作試驗了。」

王夫人厲聲喝道：「只要你和我同行，老身際遇如何，你也同樣難逃。」

江煙霞道：「我不怕。」

王夫人奇道：「你不怕……」

江煙霞道：「是的，我心懷救世之仁，上刀山，下油鍋，也是毫無畏怕……」

牽起王夫人右腕，接道：「咱們走吧。」大步向外行去。

容哥兒道：「我為賢妻開道。」

江煙霞道：「你走後面。」牽帶王夫人加快腳步，向前行去。

江煙霞早已知曉那開啓石門的機關，輕易地啓開了石門。

三人行出石門，只見晚霞絢爛，已經是夕陽無限好的時分。

容哥兒仰起臉來長長吁一口氣，道：「那慈雲大師不知是否醒了過來……」

江煙霞接道：「你去瞧瞧吧！賤妾和王夫人去取解藥。」

容哥兒道：「那地方很凶險，賢妻一個人去，叫我如何放心？」

江煙霞道：「如是賤妾明晨還不回去，那就是已遭毒手，容郎再和鄧大俠研究良策吧。」

輕輕歎息一聲接道：「多少英雄豪傑，巾幗奇人，都在這場大劫難中消失死亡，而且下落不明，屍骨不見，賤妾死去何惜！賤妾唯一放心不下的，是我那位身歷慘變的妹妹，如是賤妾不幸身遭毒手，還望夫君能夠照顧舍妹，賤妾死亦安心了。」

容哥兒神情肅穆地說道：「處此情景，人人都朝不保夕。如若我能活著，當不至有負所托。」

江煙霞一笑，道：「容郎豪傑性格，大義、私情都能兼顧，賤妾放心得很。」牽起王夫人，大步向前奔去。

容哥兒低聲道：「賢妻止步。」

江煙霞停下腳步，道：「容郎還有什麼吩咐？」

容哥兒道：「賢妻可否留下路標，萬一你身遭不幸，我等也可繼承遺志。」

江煙霞略一沉吟，道：「我使用本門中的暗記，指明去路。」

容哥兒怔了一怔，道：「你金鳳門的標記，我不認識啊。」

江煙霞道：「鄧大俠一定認識。」

容哥兒道：「如是找不到鄧大俠呢？」

江煙霞道：「如是容郎一人，那也不必冒險了……」牽著王夫人，快步而去。

容哥兒望著江煙霞的背影，心中暗暗忖道：「就算我再問她，她也不肯告訴我，這用心很明顯，如是她明晨還不回來，我又無法找到鄧大俠，就要我帶著她妹妹，離開此地了。唉！你用心雖苦，但我豈是逃危避難的人？」抬頭看去，只見江煙霞和王夫人，早已走得沒了影兒。

容哥兒望著那一抹夕陽，長長吁一口氣，轉身快步奔去。

回到場中，形勢已又有了很大的變化。只見慈雲大師仍然閉目靜坐，神情木然，叫人無法預測他是西歸極樂，還是禪坐入定。慈心大師正自急得滿場遊走。

忽然間看到容哥兒，有如見到了救星一般，急急迎了過來，道：「容少俠。」

容哥兒微一頷首，目光轉動，只見那黃十峰等一群中毒之人，都已倒臥在地上。顯然，毒性已經發作。再看母親時，也閉著雙目，倚在木桌上，似是正在坐息。

容哥兒道：「大師，貴掌門怎麼樣了？」

慈心大師道：「服藥之後，坐息迄今。」

容哥兒低聲道：「還活著嗎？」

慈雲大師道：「氣若遊絲，一息僅存。」

容哥兒道：「黃幫主等情形如何？」

慈心大師道：「半個時辰之前，都從座位摔倒在地上。」

容哥兒道：「死了沒有？」

慈心大師道：「老衲查看過了，都是心跳未停，一息尚存。」

容哥兒道：「鄧大俠呢？」

慈心大師道：「去如黃鶴，不聞音訊。」

容哥兒心情煩亂，點點頭，舉步直對一明大師、岳剛行了過去。

自一瓢大師試服藥物，方便未歸，一明大師、無影神丐岳剛、上清道長及赤松子等四人，都不敢再逞強試服藥物。但四人並非是貪生怕死，而是想留下有用的生命，準備作最後的一擊。當容哥兒行向四人時，四人同時睜開雙目，八道目光射注到容哥兒的身上。

一明大師輕輕咳了一聲，道：「容施主見到鄧大俠了嗎？」

容哥兒道：「沒有，一瓢大師呢？」

容哥兒搖搖頭，道：「也沒有見到。」

岳剛道：「適才那一位帶你而去的黑衣人是……」

容哥兒道：「晚輩未過門的妻子江煙霞。」

岳剛道：「江姑娘呢？」

容哥兒道：「王子方謀後有謀，計中有計，果然留下部分未服藥物的親信。」

岳剛接道：「多少人？」

容哥兒道：「晚輩沒有見到，只是聽說而已。」

赤松子道：「什麼人說的？可信嗎？」

容哥兒道：「王夫人，自然可信了。」

赤松子道：「王夫人背叛了她的丈夫，把秘密告訴你一個不相干的人？」

容哥兒搖搖頭：「王夫人很守舊，也較善良，她因反對王子方的屠殺，而被王子方毒瞎雙目。」

赤松子道：「原來如此，積忿難平，道德不同，難怪她要背叛了。」

容哥兒又搖搖頭，道：「王夫人仍然不肯背叛她的丈夫。」

當下把會晤王夫人經過情形，說了一遍。

岳剛歎息道：「可惜我身中奇毒，無法瞧瞧那存藥之處，究是如何佈置。」

一明大師接道：「這些年來，我們運集了全身的功力，把內腑奇毒逼聚一處，但卻無法使它化去，也不能和人動手，就算是劇烈的行動，也是一樣不成，但我的武功並未失去……」

容哥兒接道：「晚輩聽諸位講過，似是諸位只能和人動手一次。」

赤松子道：「不錯，我們五人曾經研究了很久的時間，覺著聚積在內腹中的奇毒一旦散開，誰都無能再把劇毒回聚一起，只有等待毒發死亡……」

長長吁一口氣，接道：「我等都已是年過古稀的人，死亡對我們而言，並無威脅，但我們希望能夠死得有代價。」

上清道長接道：「我們幾人練過一種合擊的掌力，數掌齊發，不論如何高強的功力，都無法擋受我們合力的一擊，但我們只要全力發出一掌，奇毒就要散去，等待著死亡。」

岳剛道：「這中間，我們還有半個時辰左右的時間和人搏鬥，目下雖然少去了一個一瓢大師，不過，我們自信威力仍然極強，就算是鄧玉龍，也無法擋我們幾人聯攻之勢，我仔細地察

看一下，我們願助你完成拯救天下武林同道的心願，不過，一定要在最艱苦和最後的關頭，我們才能爲你除去最後敵人，使你取得解藥。」

一明大師道：「這是我們的心願，如何用我們四人之力，你去作安排好了。」

這四人不但武功都已到爐火純青之境，而且修養工夫，也都非常人能及，中毒後的數年靜坐，更使他們看破了生死之關，不論何等悲壯之事，在幾人口中說出來，都是那樣的輕描淡寫，那樣的平靜輕鬆。

容哥兒抱拳對四人一揖，道：「四位老前輩仁心俠膽，晚輩感激不盡，但晚輩認爲四位的生存，比死亡價值更大，王子方一網打盡了天下英雄，使多少絕技失傳……」

一明大師接道：「這個我們也知道，這也就是我們很多年來，不肯輕舉妄動的理由，但目下情勢不同，如是找不出別的好辦法，只有我們四人出手了。」

岳剛接道：「你要好好計畫，我們能夠助你的時間，必需妥善應用。」

容哥兒道：「好吧！再看看情勢發展如何，如若有需要四位老前輩的地方，晚輩自當邀請。」

岳剛笑道：「只看事情是否需要，不用顧慮我們的生死。」

容哥兒道：「晚輩記下了。」

語聲微微一頓，起身接道：「武林中是否能保存一些元氣、絕技，和四位的生死有著很大關係，還望四位善自保重。」

抱拳一揖，起身又行回到慈雲大師的身前，伸手一探慈雲鼻息，果然，只有一縷微弱氣息，心中突然一動，暗道：「如若他服用下去，是一種很烈性的毒藥，此刻，似是早已該毒發而死才是，如若他服用的藥物，和岳剛等一般，此刻，自然還不會發作，難道當年王子方召集這數十位名醫，一次研製了數種作用不同的藥物不成？」只覺此中甚多不解之處，頗費思量。

容哥兒雖然是憂心如焚，但他表面上仍然保持了鎮靜，望著慈心大師一笑，道：「大師氣息還有，雖然微弱，但很均勻。」

慈心大師道：「我們少林武功，有一種定息神功，和一般所謂『龜息術』有些類似，不過，在基礎上，卻是大不相同……」

容哥兒接道：「大師之意，可是說那慈雲大師，還在運行定息神功？」

慈心大師道：「這個，貧僧無法作答，不過，那定息神功，有一種特別的作用，就是可使內腑的心臟功用，減至最輕微的活動，延緩毒性的發作。」

容哥兒點點頭，道：「我明白了。」

轉身行到母親的身側，低聲叫道：「娘。」

容夫人緩緩睜開雙目，望了容哥兒一眼，道：「孩子，你很苦惱，是嗎？」

容哥兒點點頭，道：「孩兒方寸已亂，不知要如何應付目下的局面。」

容夫人道：「我能想到，別說你這年紀，就是老練如鄧玉龍者，也是一樣的心神無主，只不過，他沒有講出來罷了……」

長長吁一口氣，接道：「為娘的冷眼旁觀，鄧玉龍也是因為亂了章法，才為人所乘。」

容哥兒想不到母親竟然一直暗中在觀察著事情的進展。當下說道：「娘對此事有何高見？」

容夫人道：「你先鎮靜下來，忙中有錯，愈是面臨艱苦時，愈是要鎮靜應付。坐下來，先

做調息工夫，咱們再慢慢的談。」

容哥兒應了一聲，依言坐下，運氣調息。但他心中事端萬千，一時之間，如何能鎮靜得下來。

但容夫人的聲音，傳入耳中，道：「孩子，靜靜地聽著，不要讓別人發覺咱們談論事情。」

容哥兒心中大感奇怪，低聲說道：「談什麼呢？這次大劫過後，我要當天下英雄之面，宣佈娘的身分，大禮認母。」

容夫人臉上泛起一個歡悅的笑意，道：「我知道，子不嫌母醜，但爲娘的實不願天下人知道我還活在世上，當天下英雄之面，答應認母，那倒是不用了，只要你心中認我是娘，爲娘已經是心滿意足了。」

語聲一頓接道：「這是私情，咱們以後再說，現在，娘要就觀察所得，告訴你應付目前危局的方法，出娘之口，入你之耳，不要說出去。」

容哥兒道：「孩兒洗耳恭聽。」

容夫人道：「王子方確然在君山中留有實力，但他未料到會突然遇上鄧玉龍那等強敵，你那位養母，心有餘情，未對容俊下手，也是一大失算，但那位王子方也已經成了強弩之末，遲遲不見他有所行動，足見人手不夠分配。」

容哥兒低聲說道：「奇怪的是，那鄧大俠去如黃鶴，不聞訊息。」

容夫人道：「不論他遲遲不歸的原因何在，至少那王子方還未把他制服。」

容哥兒道：「母親何以知曉？」

容夫人道：「如是王子方制服了鄧玉龍和容俊，他早就來此了。」

容哥兒略一沉吟，道：「母親說得有理。」

容夫人低聲說道：「目下最大的問題是解藥，如若你能取得解藥，一時之間，咱們的力量，就可增加到數十倍。」

容哥兒道：「不錯，孩兒已知那王子方的解藥，也存在君山之中。」

容夫人道：「是否已經有人去取？」

容哥兒道：「江煙霞，江伯常的大女兒。」

容夫人道：「我知道江伯常……」

容哥兒道：「就目下情形，咱們母子們靜坐清談，十分悠閒，但孩兒內心之中，卻一直在擔心江姑娘的安危，不知是否能取得解藥？解藥不到我們手中，那王子方就不能算敗。」

容夫人略一沉吟道：「靜而能慮，慮而後得，記得娘的話，愈是身處危境，愈要鎮靜。」

容哥兒點點頭道：「孩兒知道，但心神卻無法自主。」

容夫人道：「盡量使自己鎮靜也就很好，這須要經驗和在歷練中培養出來，以你的年齡而論，你已經是很沉著的人了……」

語聲微微一頓，道：「孩子，爲娘有一個不情之言，說出你不要見怪。」

容哥兒道：「母親有什麼事，只管吩咐。」

容夫人道：「可否詳細告訴你和江煙霞認識的經過情形？」

容哥兒略一沉吟，把經過之情大略地說了一遍。

容夫人道：「她又怎知那解藥存放在君山之中呢？」

容哥兒道：「她從王夫人口中騙出，那王夫人目難見物，誤把她認作了我那養母。」

容夫人道：「既知解藥存放之處，爲什麼取不來呢？」

容哥兒道：「因爲放藥之處，設有很厲害的埋伏。」

容夫人道：「江煙霞沒有告訴你具體地點嗎？」

容哥兒道：「江煙霞一直不告訴孩兒，她說，如若她無法取得解藥，孩兒去了也是白送一條命。」

容夫人道：「那她是爲了你好，怕你涉險。」

容哥兒道：「不過，她告訴孩兒，她將在沿途之上，留下金鳳門的暗記，如若有人能認出金鳳門中的暗記，就可以找到了。」

容夫人目光四顧，用更低的聲音說道：「孩子，爲娘有個很奇怪的感覺。」

容哥兒道：「什麼感覺？」

容夫人道：「我覺著在目下的這群人中，似是還有一、兩個可疑之人。」

容哥兒一怔道：「你是說奸細？」

容夫人道：「是的，王子方的眼線，也或許是王子方的上司，真正首腦人物。」

容哥兒沉吟了一陣，搖頭道：「不會吧！孩兒實在想不出還有什麼人可疑了。」

容夫人道：「爲娘只是這樣想，也並未證實……」

長長吁一口氣，接道：「不過，孩子，如若要等那人露出馬腳，咱們都完了。」

容哥兒心中緊張得肌肉微微顫動，良久之後，才鎭靜下來，道：「娘可是指那慈心大師嗎？」

容夫人搖搖頭，道：「不是。」

容哥兒道：「那是什麼人呢？娘的心中，總會有一個腹案吧。」

容夫人道：「是的，孩子，但我說出來，你恐怕難以自禁，暴露出了隱秘。」

容哥兒道：「你說吧，孩兒鎮靜一些。」

容夫人道：「爲娘心中懷疑的人，是丐幫長老岳剛……」

容哥兒心中雖然有了很充分的準備，但仍然免不了心頭泛起一陣劇烈的震動，緩緩說道：「岳剛？不會吧。」

容夫人道：「我不相信王子方會有這麼大的能耐，竟然能夠把整個武林同道，攪得天翻地覆。」

容哥兒道：「母親這麼一說，孩子亦覺著十分有理，王子方不過一個開鏢局的人，怎麼有這等能耐？但適才孩兒看他和鄧大俠動手的情形，武功實極高強……」

容夫人接道：「還有一個破綻，不知你瞧出來沒有？」

容哥兒道：「什麼破綻？」

容夫人道：「那王子方施用的武功，十分複雜，包羅了少林、武當，其中尤以丐幫中的武功最多。」

容哥兒道：「娘，憑此一點，就下決斷，未免太過武斷了。」

容夫人道：「但願爲娘推斷有誤，那岳剛並非幕後人物，不過，這成份不大。」

容哥兒道：「那岳剛在江湖以剛正著名，怎會做出這等傷天害理、大逆不道的事？」

容夫人道：「唉！有一樁隱秘，爲娘的一直藏在心中，從未告訴過人。」

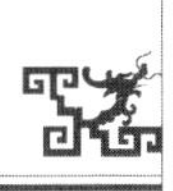

容哥兒道：「可是和岳剛有關？」

容夫人道：「是的，那時爲娘尚未嫁於容俊，在很偶然的機會中，遇上岳剛。」

容哥兒道：「岳剛怎麼樣了？」

容夫人道：「岳剛對爲娘心存不良，曾經出言調戲，爲娘敬他是武林名宿，再三隱忍不言，想不到他竟放大膽動手動腳，這才激怒了爲娘，嚴詞責罵他一頓，使他含羞帶愧而去。」

容哥兒道：「如若他真是壞人，也不是娘的言語能夠叱退。」

容夫人道：「鄧玉龍好色之名，天下皆知，但他亦不敢動武功迫人就範。」

容哥兒心中暗道：「聽母親口氣，岳剛果也不是好人了。」心中念轉，口中說道：「如若那岳剛果是可疑，又如何能夠使他暴露出身分呢？」

容夫人道：「眼下，還不能讓他動疑，因爲照爲娘的看法，那王子方此刻，也未必知道岳剛是幕後人物。」

容哥兒道：「岳剛既是幕後首腦，又怎會自己也中了奇毒呢？」

容夫人道：「他不會裝嗎？」

容哥兒道：「一裝很多年，此事談何容易。」

容夫人道：「孩子，這是最安全的辦法，成則成江湖盟主，敗則仍是英雄身分，假裝身中奇毒，是何等安全高明啊……」

容哥兒道：「娘說得固然有理，但孩兒總覺著太過武斷，咱們沒有任何證據，豈可輕易指一個名滿武林的大俠，爲大奸巨惡之徒？」

容夫人淡淡一笑，道：「你有這等胸懷，足證心地的磊落，不過，娘決非無的放矢，危言

聳聽……」突然，住口不言。

容哥兒轉頭看去，只見那無影神丐岳剛，正緩步向兩人行了過來。

容哥兒站起身子，一抱拳，道：「老前輩。」

岳剛一揮手，道：「不用多禮，老夫想到了一件事情。」

容哥兒道：「什麼事？」

岳剛道：「關於令堂。」

目光轉到容夫人的臉上，接道：「你是容夫人吧？」

容夫人道：「不錯，下堂之婦，羞於見人。」

岳剛微笑道：「咱們相識之時，你還是雲英未嫁之身。」

容夫人道：「岳大俠還記得嗎？」

岳剛微微一笑，道：「那時，你是武林中第一美人，江湖上有誰不知，有誰不曉。」

容哥兒突然接口說道：「老前輩，往事已逝……」

岳剛點頭應道：「我知道……」

容夫人道：「我和岳老前輩說往事，你不用多言接口。」

容哥兒怔了一怔，道：「母親說得是。」

容夫人目光轉到岳剛的臉上，道：「世人皆知我已爲容俊所逐，算身分，我該已不是容夫人了。」

岳剛道：「那是說夫人又恢復蔡玉蓮身分了？」一面說話，一面向容哥兒身側移動。

蔡玉蓮不理會岳剛，卻望著容哥兒道：「我和岳大俠談的盡屬數十年前往事，你聽了也不明白。」

容哥兒道：「母親之意？」

蔡玉蓮道：「你去遠些吧！」

容哥兒突然有所警覺，起身向旁側行去。

岳剛微微一笑道：「歲月催人，蔡姑娘也已兩鬢斑白了。」

蔡玉蓮道：「而且身體也已成了殘廢。」

岳剛道：「但姑娘心機仍存。」

蔡玉蓮緩緩說道：「岳大俠弦外之言，恕我這殘廢人無法聽懂，岳大俠心中有什麼事，還是請明說了吧？」

岳剛淡淡一笑道：「在下也正想請教，你們母子談些什麼？」

蔡玉蓮道：「岳大俠對我的事，一直很清楚啊！」

岳剛道：「好說，好說，但蔡姑娘是唯一可能了解在下的人。」

蔡玉蓮微微一笑，道：「什麼事？」

岳剛似是已自知說漏了嘴，重重咳了一聲，道：「在下之意，蔡姑娘和我相識較深，知曉我較多，因此……」

蔡玉蓮道：「因此怎樣？」

岳剛道：「因此……蔡姑娘最好是能夠自絕一死，免得活著受苦。」

語聲微微一頓，接著道：「反正，你已是殘廢的人了，活著也是無味得很。」

他說話的聲音，十分微小，而且平心靜氣，縱然是近在數尺的人，也聽不出兩人談些什麼。

蔡玉蓮搖搖頭道：「你一定要我死嗎？」

岳剛道：「唉！你活著幹什麼呢？眾人世事，都已經有了很大的改變，對你而言，實是生不如死了。」

蔡玉蓮道：「如是我不願死呢？」

岳剛道：「你如果一定不願意死，那我只好動手了。」

蔡玉蓮道：「我想不至於吧？」

岳剛道：「姑娘可是想試一試嗎？」

蔡玉蓮道：「你如殺了我，立時將暴露你的身分……」

岳剛道：「什麼身分？」

蔡玉蓮道：「我不知道，但我很明白，你如殺了我，將引起在場之人的懷疑。」

岳剛眉宇間，閃掠一抹殺機，道：「蔡姑娘，老夫可以想法子，殺了你，不要別人懷疑。」

蔡玉蓮道：「我想不通你用什麼法子，只要一出手，我就大叫。」

岳剛笑道：「老夫的手段，姑娘大約心中明白，我如殺你，決不會讓你叫出聲去。」

蔡玉蓮道：「話雖不錯，但目下情勢有些不同了。」

岳剛道：「哪裏不同了？」

蔡玉蓮道：「現在，有人在注視著你。」

岳剛道：「什麼人？」

蔡玉蓮道：「我的兒子。」

岳剛道：「容哥兒？」

蔡玉蓮道：「不錯。你如殺了我，不但犬子有了準備，而且也將引起少林、武當等諸位長老的懷疑，再說，你岳大俠爲什麼要殺我滅口呢。」

岳剛道：「很簡單，老夫一生俠名，天下無不欽敬，但老夫卻在你面前有過失禮的舉動，你把此事傳揚開去，老夫如何還能做人？」

蔡玉蓮微微一笑，道：「我要傳揚此事，只怕早已傳揚開去，那也不用等到今日啊！」

語聲微微一頓，接道：「此事已過了數十年，你岳大俠竟然還放在心上，當真是好記性啊！」

岳剛道：「老夫一生中，從未做過壞事，偶爾做了一件，自然是念念難忘了。」

蔡玉蓮道：「大害只做一件，那已足可流毒蒼生了。」

岳剛淡淡一笑，道：「看來你知道的事情很多。」緩步向蔡玉蓮行了過去。

容哥兒站在遠處，但對那岳剛的舉動，卻是十分留心，眼看他舉步向母親身側逼去，立時高聲說道：「岳老前輩？」

岳剛停下腳步低聲道：「令郎果然在監視我的舉動，定然是你囑咐他了。」

蔡玉蓮笑道：「岳大俠誇他日後能成領袖人物，足見對小兒的器重，這點才慧，他自然有了。」

五七　百密一疏

岳剛冷冷說道：「有一件事情，只怕你蔡姑娘還未想到。」

蔡玉蓮道：「我沒想到的事情很多，不知岳大俠說的哪一件？」

岳剛道：「一明大師和赤松子等，都已經中了奇毒。」

蔡玉蓮道：「岳大俠不是也中了毒嗎？」

岳剛乾笑兩聲道：「不錯，老夫雖然也中了毒，但我身之毒，已經解去，只不過，當今之世，還沒有人知道罷了。」

蔡玉蓮道：「你告訴我，我不是知道了嗎？」

岳剛道：「是的，除了老夫之外，只有你一個人知道了，但你可曾想到，老夫為何告訴你這椿秘密？」

蔡玉蓮道：「以堅你殺我之心。」

岳剛道：「不錯，但你還有一條生路。」

蔡玉蓮道：「難得啊，我還有選擇的餘地？」

岳剛道：「死亡和生存，由你選擇。」

蔡玉蓮道：「死亡之路，很簡單，不用說了，但生存之路，定然有很多條件？」

岳剛道：「咱們幾十年不見，你已年華老去，人也成了殘廢之身，但想不到你仍還是這般聰明。」

蔡玉蓮道：「不要緊，我的醜，人人皆見，自然是不放在心了。」

岳剛道：「看來你仍和昔年一般無疑。」

蔡玉蓮道：「有一度，天下不少自負英雄的人物，拜倒我腳邊裙下，說盡了頌讚、奉承之言；也有一度，武林同道中，人人咒罵我水性楊花。一個人，有了我這般的經驗，生死之關，自然是看得很淡了。」

岳剛道：「我知道你有此想法，所以，我要以令郎的生死，做爲條件之一」

蔡玉蓮怔了一怔，道：「我不信你敢殺他。」

岳剛道：「現在我就讓你看看！」

回頭舉手對容哥兒一招，道：「你過來！」

容哥兒略一沉吟，大步向前行來。

蔡玉蓮高聲說道：「別過來。」

岳剛道：「過來我們談談。」頭未回轉，目光仍然望著容哥兒，只憑心中的記憶，右手一探，既快又準地抓住了蔡玉蓮。

容哥兒大吃一驚，道：「岳老前輩有話好說，別傷了我母親。」

岳剛冷冷接道：「聲音低些，慢慢走過來。」

容哥兒點點頭，依言緩步而去，行向岳剛身前。這時，他心中已完全明白，母親說得不錯，這岳剛，實在是個大有問題的人物。

但聞那蔡玉蓮沉聲說道：「孩子，快些停下腳步……」

岳剛五指加力，蔡玉蓮立時感覺骨疼如折，無法再行接言。但她卻咬緊牙，不呼叫出聲。

容哥兒停下腳步，冷冷說道：「岳老前輩，你要傷了我的母親，在下雖然明知非敵，也要放手和你一拚了。」

岳剛回目看去，只見一明大師、赤松子等，都已回目望了過來，不禁一呆，緩緩放開了蔡玉蓮的右腕，低聲說道：「老夫先殺了你的兒子，再設法擊斃一明大師、赤松子和上清道長，最後再來殺你。」

蔡玉蓮心中明白，如若逼他過甚，他可能立刻施下毒手，目下情勢，似是不宜太過逼他，以免他情急拚命。

心中念轉，緩緩說道：「岳大俠是何等心機之人，只怕不致於這樣冒險吧？」

岳剛道：「老夫不願如此，但情勢迫人時，老夫也就顧不得許多了。」

蔡玉蓮道：「我已是殘廢之人，難道還吝惜這條命嗎？」

岳剛沉吟了一陣，道：「唉！老夫錯了一著棋。」

蔡玉蓮道：「知過能改，仍是完人，岳大俠如若能及時悔悟，設法拯救天下英雄，時猶未晚。」

岳剛緩緩說道：「老夫如若是一直靜坐不動，就算你心中懷疑，也不敢確定是老夫涉嫌其中了。」

蔡玉蓮道：「不錯！想不到你這大年紀了，竟然仍是沉不住氣，現在唯一能挽救的辦法，就是設法交出解藥，拯救天下武林同道，你如信得過我，那就告訴我取藥之法，由我要小兒設

法取藥，如是岳大俠信不過我，解藥由你自己設法取得，然後交出來，你交出解藥之時，我就自絕一死，那時，天下再無人知曉你的隱秘了。」

岳剛道：「好吧！容老夫仔細地想想再說吧。」

蔡玉蓮道：「我已經代你想了很長時間，這是你唯一可行之路。」

岳剛道：「老夫做事，一向相信自己，如我自己沒想清楚，決不受別人影響。」語聲微微一頓，接道：「老夫有些不明白，此事老夫自認進行得十分隱秘，連王子方也不知老夫在暗中主持，你怎會想到老夫呢？」

蔡玉蓮道：「本來，我也不知道，但我坐在此地，正望著你們坐的地方，望著諸位，我心中忽然感覺，王子方沒有那樣大的能耐。這些年來，我被囚於地下石府之中，深深地體會到，靜坐可思得很多疑難之事。」

岳剛道：「所以，你就想到了我的頭上。」

蔡玉蓮道：「起初之時，並未想到岳大俠，但我從幾位身上分析過之後，再加上那王子方和鄧玉龍動手時施展的武功，使我懷疑到了岳大俠。」

岳剛道：「那王子方武功博雜，施用了少林、武當，諸大門派的武功，你怎會單單想到了我？」

蔡玉蓮道：「自然是有原因了。」

岳剛道：「原因何在？」

蔡玉蓮道：「一則，那王子方施用的武功，雖然博雜，但他精奇的武功，多是你們丐幫招術；二則，我想到這些年來，丐幫中有很多近乎神奇的傳說，廣散於江湖中，想丐幫本是一個

忠義相傳的幫會，不應該有很多神奇事蹟的傳說，而岳大俠的神奇事蹟最多，因此，使我想到了岳大俠。」

岳剛道：「你能把這些片片段段的事蹟，連在一起，而想到了我，足見才智高明，你如不死，當真叫老夫席不安枕，食不甘味了。」

蔡玉蓮道：「目下已經到水落石出的時候，不論如何使自己隱蔽，都已無法再作完全掩飾，鄧玉龍雖然一度爲你所欺瞞，但他會很快地找出原因、內情，那時你將原形畢露。」

岳剛微微一笑道：「鄧玉龍回來的希望不大……」

略一沉吟，接道：「不過，也很難說，鄧玉龍一向是詭計多端，也許他能逃回來，至遲，今夜初更就可以知道他生死了，老夫做事，一向穩健，不願冒一點危險。」

蔡玉蓮道：「這麼說來，你還有些害怕那鄧玉龍了？」

岳剛道：「說老夫怕他，那倒未必，但他是老夫的一個勁敵，無論才智和武功，都可和老夫一較勝負。」

蔡玉蓮道：「所以，你要等待，等待最後一個消息，如是那鄧玉龍還活在世上，你就要多考慮，是嗎？」

岳剛道：「這是老夫的事，似是用不著和你談得太清楚。」

蔡玉蓮道：「岳大俠，時間無多，你堅持不允此事，只有先殺死我了。」

岳剛道：「你很想死嗎？」

蔡玉蓮道：「那樣，可暴露你的真實身分，此地有四個少林掌門人的護法高僧，再加犬子、一明大師、上清道長、赤松子等，還有足夠的力量和你一戰。」

這時，容哥兒突然舉步，直行過來。同時，一明大師、上清道長等，也都有了懷疑，三個人也聯袂行了過來。

岳剛回目一顧，瞧出情勢不對，才低聲對蔡玉蓮道：「給老夫半個時辰的思索機會，再給你答覆如何？」

蔡玉蓮道：「只有半個時辰，片刻不許延長。」

岳剛哈哈一笑，道：「不錯，自古美人名將，不許人間見白頭。」這幾句話說得前言不對後語，而且聲音很大，顯是有意讓一明大師和容哥兒等全都聽到。

赤松子接道：「岳兄，這位婦人是何許人物？你們談什麼談了這許久時間？」

岳剛道：「故人相逢，自是難免多談幾句，有勞諸位下問。」

赤松子道：「這位婦人和岳兄相識，自非無名人物了。」

岳剛道：「這位乃昔年我中原武林道上第一美人。」

赤松子道：「可是蔡玉蓮姑娘嗎？」

岳剛道：「不錯。」

赤松子一拱手道：「蔡姑娘還認得貧道嗎？」

蔡玉蓮道：「赤松子道長，賤妾豈有不識之理？」

岳剛微微一笑道：「好啊！原來道長認得蔡姑娘？」

赤松子道：「當年的蔡玉蓮，大名滿江湖，天下人，有誰不識蔡姑娘。」

岳剛道：「唉，昔年的一代佳人，如今竟落得這般模樣。」

赤松子道：「岳兄怎不照照銅鏡瞧瞧，咱們也已經老去了。」

岳剛道：「蔡姑娘已和區區談了很多，咱們不再打擾她了。」言罷，轉身向前行去。

赤松子等，望了蔡玉蓮一眼，看她靜坐不言，只好隨在岳剛身後而去。

容哥兒目睹幾人去後，緩步行到母親身側，低聲說道：「那岳剛談些什麼？」

蔡玉蓮道：「他要爲娘和他合作。」

容哥兒道：「合作什麼？」

蔡玉蓮道：「合作謀圖天下英雄。」

容哥兒道：「怎麼？那岳剛當真是幕後人物嗎？」

蔡玉蓮點點頭道：「不錯。」

容哥兒道：「他要母親如何合作？」

蔡玉蓮道：「要我助他完成霸業……」

容哥兒接道：「母親答應了他？」

蔡玉蓮搖搖頭，道：「沒有。」

容哥兒道：「他秘密已爲母親所知，怎會饒了你？如若他真是幕後人物，定然是沒有服用藥物了？」

蔡玉蓮道：「不錯，他沒有服用藥物，所以，他武功仍然未失。」

容哥兒道：「如若岳剛的武功未失，殺那一明大師等，豈不是易如反掌嗎？爲什麼不殺他們？」

蔡玉蓮道：「我想其中必有原因，只是咱們無法了然。」

容哥兒道：「目下咱們應該如何呢？」

蔡玉蓮道：「耐心地等著，希望鄧玉龍能在半個時辰之中趕回。」

容哥兒道：「咱們要想個完善之策，萬一他不回來，咱們要如何對付岳剛。」

蔡玉蓮道：「你坐下來，咱們好好談談。」

容哥兒依言坐了下來，緩緩說道：「娘有什麼吩咐？」

蔡玉蓮道：「孩子，就目下情形而論，除了鄧玉龍能夠及時回來之外，再無人能是岳剛之敵，如若真的激怒於他，立時將招惹上殺身之禍。」

容哥兒緩緩說道：「母親之意是……」

蔡玉蓮道：「此刻情景是鬥智重於鬥力。」

容哥兒道：「孩兒應如何？」

蔡玉蓮道：「如不能忍一時之氣，激起岳剛的殺機，咱們等於是以卵擊石。」

容哥兒緩緩說道：「如若能救得天下英雄，孩兒忍些氣，也不放在心上了。」

蔡玉蓮低聲說道：「所以，你要聽爲娘的話。」

容哥兒道：「母親只管吩咐吧！」

蔡玉蓮道：「從此刻起，你要置身事外，岳剛的事，有爲娘應付。」

容哥兒道：「母親身子殘廢，如何是他之敵？」

蔡玉蓮道：「我不會和他動手，我要以智力勝他。」

容哥兒道：「難道要孩兒袖手旁觀？」

蔡玉蓮道：「不是要你袖手旁觀，而是要你離開此地。」

容哥兒怔了一怔，道：「到哪裏去？」

蔡玉蓮道：「設法藏起來。」

容哥兒道：「藏到哪裏去呢？」

蔡玉蓮道：「避開岳剛就行了。」

語聲微頓，道：「這君山之上，現有無數困於藥毒、氣息奄奄的武林人物，你如能夠設法易容改裝其中，岳剛決無法找得到你。」

容哥兒道：「方法倒是上上之策，只是留下母親一人，要孩兒如何放得下心呢？」

蔡玉蓮道：「不必顧慮我，你離開之後，爲娘反更爲安全了。」

容哥兒道：「此地現有少林四位高僧，如若孩兒說明內情，他們定可助我。」

蔡玉蓮道：「不行，合你們五人之力，也決非那岳剛之敵。」

容哥兒道：「一明大師、赤松子等，如肯出手相助呢。」

蔡玉蓮道：「岳剛不會給你機會，讓你給他們說明內情。」

容哥兒沉吟了一陣，道：「只怕岳剛也不會讓孩兒離去。」

蔡玉蓮道：「所以，你要找機會離開。」

長長吁了口氣，接道：「孩兒，你要知道，那岳剛並未中毒，但一明大師、赤松子和上清道長，卻是真受了毒傷，他們並不是可以仗恃的援手，就算有心助你，也是無能爲力，聽娘的話，設法離開此地吧！」

容哥兒道：「孩兒離此，對大局有何補益呢？」

蔡玉蓮道：「你離開此地之後，那岳剛反而不敢殺害爲娘和一明大師等了。」

容哥兒道：「爲什麼？」

蔡玉蓮道：「因爲那岳剛做事，一向是精細無比。你如不在場中，他定然知曉你已經了然了全部內情，而且爲娘也可以此做爲要脅。」

容哥兒淡淡一笑道：「娘不用說下去了，孩兒知道娘的心情。」

蔡玉蓮微微一怔，道：「娘有什麼心情？」

容哥兒道：「娘怕孩兒留此受到傷害，讓我遠去。」

蔡玉蓮道：「可憐天下父母心，你知道雖有此私心，但說得也是實情。」

容哥兒道：「孩兒如太過忤逆母親，那是不孝了，不過，孩兒心中有幾點疑難之處，希望請教母親？」

蔡玉蓮道：「什麼疑難？」

容哥兒道：「那岳剛是此中首腦一事，王子方心中知曉嗎？」

蔡玉蓮道：「就爲娘默查內情，王子方並不知曉……」語聲微微一頓，接道：「那王子方只知在他身後，還有一個策動的首腦人物，但他並不知道是什麼人，也許他還沾沾自喜。」

容哥兒心中大奇，接道：「他自喜什麼？」

蔡玉蓮道：「他認爲幕後人物久未出現，整個天下爲他所得，所以他全力以赴，希望能爭得武林盟主之位，但他卻不知道，一切局勢發展，都在那岳剛控制之下。」

容哥兒道：「這個，這個……」

蔡玉蓮道：「孩子，你可是有些不信嗎？」

容哥兒道：「很難叫人相信。」

蔡玉蓮道：「岳剛的厲害之處，也就在此，他做了爲害天下的罪魁禍首，但卻又能隱於幕後，不著痕跡，今日若他能夠沉著一些，連爲娘也只能對他懷疑而已。」

容哥兒緩緩站起身子，道：「孩兒很奇怪，那岳剛爲什麼沉不住氣？」

蔡玉蓮道：「所謂智者千慮，必有一失，因爲他太聰明、太多疑了。」

容哥兒道：「好！孩兒去了，母親多多保重。」

蔡玉蓮道：「爲娘的相信你有自保之能，你放心去吧？」

容哥兒緩緩站起身子，正待轉身而去，瞥見一條人影，疾奔而來。凝目望去，不禁心中一喜。原來，來人正是他心中盼望的鄧玉龍。只見他奔行快速，轉眼之間，已到了容哥兒和蔡玉蓮的身側。這陡然的變化，大出了蔡玉蓮的意料之外，也使得容哥兒移動的身子，不覺間停了下來。

蔡玉蓮吁一口氣，道：「你回來了？」

鄧玉龍四顧了場中形勢一眼，道：「厲害，厲害，我幾乎回不來了！」

蔡玉蓮道：「容俊呢？」

鄧玉龍突然說道：「死了！」

蔡玉蓮怔了一怔，道：「死了？」

鄧玉龍道：「不錯，死了。」

蔡玉蓮道：「王子方殺死了他？」

鄧玉龍道：「王子方殺不了他。」

蔡玉蓮道：「那他是死於何人之手？」

鄧玉龍道：「死於王子方設計的埋伏之下。」輕輕歎息一聲，接道：「在下被困在埋伏之中，用一段靜坐以使混亂的心情靜下來，這一段靜坐之中，使我想到了一件事。」

蔡玉蓮道：「什麼事？」

鄧玉龍道：「那王子方雖是老謀深算的人物，但他的才智和魄力，都不足以做出這等大逆不道的事。」

蔡玉蓮道：「你懷疑他不是真正的首腦。」

鄧玉龍道：「不錯，我想在他身後，也許還有一位真正的首腦人物。」

蔡玉蓮道：「你心目中可曾想到那個人嗎？」

鄧玉龍道：「為了此事，我已經推思良久，想不出那人是誰。」

蔡玉蓮道：「目下最重要的事，是挽救這場大劫，似是也用不著節外生枝，追究那幕後之人了。」

鄧玉龍呆了一呆，道：「斬草不除根，春風吹又生，那人犯了這等大罪，實是死有餘辜了。」

蔡玉蓮緩緩說道：「那人至此還是不肯出面，也許是已有了悔悟之心。」

鄧玉龍臉上滿是懷疑地望了蔡玉蓮一眼道：「你好像在替他求情。」

蔡玉蓮道：「我替何人求情？」

鄧玉龍搖搖頭，道：「我怎知道他是誰，但你口氣很袒護他。」

蔡玉蓮道：「我是為了你好，並非袒護別人，如他既有悔悟之心，何不放他一馬，況且，

在目下不宜和他硬拚。」

鄧玉龍沉思了一陣，道：「聽你口氣，似乎是那人武功十分高強，我不是他的敵手。」

蔡玉蓮道：「我無法分辨你們武功，誰弱誰強，但我卻感覺到，目下不是你們拚命的時機，你勝了，也一樣於事無補，但你如敗了，那就不堪設想了。」

鄧玉龍緩緩說道：「不用勸我了，我自信，這些年的修養，已有足夠控制自己的能力，我不會冒失從事，你還是據實說出吧……」

長長吁一口氣，接道：「世人都知道鄧玉龍風流成性，做盡了壞事，我懺悔了二十年，還未能改變世人對我的口碑、印象，看來，只有以鮮血一洗昔年留在人間的污點了。」

蔡玉蓮冷靜地說道：「目下情勢，大危難的時候，已超越了個人的榮辱生死，你做錯了事，後人如何評論你，就此時情景而言，都已經無關重要了。」

鄧玉龍點點頭，道：「我明白。」

蔡玉蓮道：「唉！我一直相信，你的才慧超過我，只要你能夠冷靜下來，必能拯救千百位武林同道……」

目光凝注在鄧玉龍的臉上，緩緩說道：「在王子方的身後，還有一位人物，那人就是名動江湖的無影神丐岳剛。」

鄧玉龍怔了一怔，道：「想不到。」

蔡玉蓮緩緩道：「岳剛武功上的成就，就算非你之敵，也和你在伯仲之間。」

鄧玉龍緩緩說道：「不錯，放眼當今武林，他實是我唯一的勁敵，不過，他已經中了毒……」

蔡玉蓮接道：「他如真是幕後人物，中毒一事，自然是用來遮掩別人耳目了。」

鄧玉龍歎息道：「他的耐性很好，竟然僞裝中毒，和一瓢大師等相處數年之久。」

蔡玉蓮道：「現在，你準備如何對付岳剛？」

鄧玉龍道：「岳剛武功非同小可，最好能先把他制服之後，再作道理。」

蔡玉蓮道：「我的方法和你不同。」

鄧玉龍道：「願聞高見。」

蔡玉蓮道：「咱們不動聲色，也不用急急揭穿內情，全力尋求解藥，只要那岳剛不出手干涉，那就可證明他尙有悔悟之心，說不定他爲保持秘密，還會助咱們一臂之力。」

鄧玉龍沉吟了一陣，道：「就算那岳剛真是幕後主腦人物，但他也已到了山窮水盡之境，我倒和你有著不同的看法。」

蔡玉蓮道：「你有什麼高見？」

鄧玉龍道：「岳剛謀毒天下武林同道一事，那一明大師和赤松子等未必是同謀吧？」

蔡玉蓮道：「就賤妾所知，只有岳剛一人。」

鄧玉龍道：「如若咱們揭穿內情，那赤松子、一明大師決然不會助他，在未得到解藥之前，能一舉擊斃或生擒岳剛，先把真正的主腦消滅，然後，再全力對付那王子方，豈不是一舉可竟全功？如果留下岳剛這一條尾巴，日後難免他死灰復燃。」

蔡玉蓮道：「岳剛盛名卓著，除非有真憑實據，只怕無法使人相信了。」

鄧玉龍沉吟了一陣，道：「此言倒也有理。」

蔡玉蓮道：「唉！再說那岳剛的武功，也未必在你之下，目下情景，敵我雙方都只餘下了

最後一點實力，這一戰打不得。」

但聞慈心大師高聲叫道：「鄧大俠，貧僧有事請……」

鄧玉龍回身行向慈心大師，道：「貴掌門醒過來沒有？」

慈心大師搖搖頭，道：「敝掌門似是一直在暈迷之中。」

鄧玉龍道：「區區一生中見過不少用毒高手，但卻從未見過這等奇怪的毒藥。」

仰起臉來，長長吁一口氣，接道：「大師，目下整個中原的精英、高手，大都已身中奇毒，雖然，也被咱們找出主腦，只是晚了一著，此刻情景，十分明顯，這拯救天下武林同道的重責大任，都放在了大師和區區等幾人身上了……」

慈心大師道：「貧僧等從未在江湖上走動過，不解險詐，全憑鄧大俠所命，貧僧等萬死不辭。」

鄧玉龍道：「大師有此一言，在下放心不少。」

望了容哥兒一眼，接道：「萬一在下有了三長兩短，諸位大師就聽容公子的調遣吧！他年紀雖然不大，但他的才智武功，卻是常人難以及得。」

慈心大師皺了皺眉頭，欲言又止。

鄧玉龍卻長長歎息一聲，道：「天色已經入夜，這該是最重要的一夜，明日午時之前，在下相信，必然有一個結果，不是我武林同道重復舊觀，就是我武林同道沉淪於一段幽暗歲月中，但目下，我們只有六、七個可用之人，在抗拒這股洪流。」

突然，一聲尖厲的大叫，傳了過來，打斷了鄧玉龍未完之言。

鄧玉龍、慈心大師不約而同轉眼望去，只見一條人影，疾如流星般急奔而來。這時，夜色

幽暗，已無法看清楚來人模樣。但從那聲尖厲的叫聲中，可以聽出那是一個女子的聲音。

鄧玉龍目光轉到容哥兒的身上，緩緩說道：「小心一些，看看那人是誰，最好別要她跑過來……」

語聲一頓，目光又轉到慈心大師的臉上，道：「大師留下兩人，保護貴掌門，另外兩人，準備接應容相公。」

容哥兒聽得吩咐之後，早已急奔而去迎向那條人影。

慈心大師也急急而退，自去分配人手。

鄧玉龍卻舉步行向岳剛等坐息之處。

這是一個充滿奸詐和淒涼的環境，夜色中坐滿了無數江湖高手，但這些人，大都是困於劇毒，口不能言、手不能動的人。

且說容哥兒疾奔如電，迎到那奔馳而來的人影之前，伸手攔住了去路，冷冷說道：「站住！」

那人似已奔走得全身無力，看到容哥兒時，勉強收住奔跑之勢，道：「快去救我姊姊！」

這當兒，容哥兒才看清了來人，只見她長髮散亂，披在肩上，臉上是一塊塊破損的創傷，竟然是那化身水盈盈的江二姑娘。

容哥兒伸出手去，急急扶起了水盈盈，道：「你姊姊在哪裏？」

但見她口鼻間鮮血湧出，已是無法言語。顯然，她受了很重的內傷，勉強支撐著疾奔過來，見得自己人之後，精神力量驟然鬆懈，不支而倒。

容哥兒一面推拿江二姑娘背心的穴道，希望她清醒過來，說出內情，一面忖道：「那一聲慘叫距離不遠，那是說她受傷之處就在附近了！」心中念轉，目光卻不停地在夜暗之中搜尋。

這時，突然身後傳過來了一陣急促的步履之聲。

容哥兒回頭望去，只見那行來之人，正是慈心大師。

慈心蹲下身子，望了水盈盈一眼，暗道：「這女子怎的如此醜怪。」口中卻說道：「容施主認識她嗎？」

容哥兒點點頭，道：「認識。」

慈心大師不再多問，從懷中摸出一粒丹藥，揑開江二姑娘的牙關，投入口中。

容哥兒低聲說道：「大師，讓藥力行開再說，咱們要先研究一件重要的事。」

慈心大師道：「什麼事？」

容哥兒道：「也許咱們的行動，已在人暗中監視之下，所以要特別小心一些。」

慈心大師點點頭，默然不語。

容哥兒低聲接道：「剛才那一叫聲，大師聽到了？」

慈心大師道：「聽到了。」

容哥兒道：「那受襲之人，自然就是這位姑娘了。」

慈心大師道：「不錯。」

容哥兒道：「她受襲被傷之處，距此地不過五丈，那是說，在五丈之內，隱藏著一個很強的敵人。」

慈心大師道：「容施主推理正確，老衲佩服得很。」

容哥兒道：「那人決然不會離開，而且有兩個，或是一人，按照江二姑娘行來的路線，必可找到他。」

慈心大師道：「不錯，老衲去查查看。」

容哥兒道：「慢著，大師一人前去，只怕不妥，咱們先把這位姑娘送至貴掌門坐息之處，就近保護，大師再選擇一位同門隨行，在下從另一路合圍，那就不難找出他存身之處了。」

慈心大師道：「容施主多才，老衲佩服得很。」

容哥兒抱起江二姑娘，轉身向後行去，一面低聲說道：「敵我雙方，都已只餘下了最後一口元氣，雙方都不過餘下幾個人而已，都不能再承受死亡的打擊。」

慈心大師不明他言中之意，只好連連點頭，道：「不錯，不錯。」

容哥兒微微一笑，道：「所以，對付敵人，似是用不著君子手段了。」

慈心大師道：「施主之意是……」

容哥兒道：「一旦發現敵蹤，就不用和他講什麼武林規戒了。」

原來，他心知慈心大師自幼受佛法薰陶，雖然在極度危險的境遇之中，也不會想到先行出手，攻擊強敵，如若直接對他說明，怕也不肯聽從，只好大費一番唇舌。

慈心大師點點頭說道：「這個老衲知道了。」

容哥兒道：「咱們行動，要小心一些，借夜色的掩護，或可避過那岳剛的目光。」

慈心大師呆了一呆，道：「爲什麼要避開岳剛？」

容哥兒自知失言，急急掩飾道：「如若他喝問，勢必要洩露了咱們的行蹤。」這句話雖然很勉強，但那慈心大師乃是素無經驗的人，竟是深信不疑。

慈心大師帶了一位師弟，悄然出動，一切都遵照容哥兒的指示。容哥兒眼看二僧背影，消失於夜暗之中，立時繞道過去。

且說鄧玉龍緩步行到岳剛等停身之處，緩緩坐下。他心中早有戒備，選擇的位置，正好面對岳剛，不論岳剛有何舉動，都無法逃過他的雙目。

一明大師搶先說道：「鄧大俠，我那師兄怎麼樣了？」

鄧玉龍道：「未見屍體，想是還未遇害。」

一明大師歎息一聲，道：「鄧大俠胸羅玄機，江湖上素所敬佩，處此情境，鄧大俠是否還有良策？」

鄧玉龍道：「如若咱們不願坐以待斃，總要想出辦法才成。」目光一掠岳剛，道：「岳兄智謀卓著，不知有何高見？」

岳剛搖搖頭道：「這個麼，在下沒有法子。」

赤松子突然說道：「貧道忍不下這等不死不活的日子，當真還不如死去的好。」

岳剛冷冷說道：「道兄準備如何呢？」

赤松子道：「貧道還有攻出一招之能，我就去找他，劈他一掌。」

岳剛道：「找什麼人？」

赤松子道：「王子方。」

鄧玉龍道：「在下考慮再三，覺得王子方實不足以做出這等驚天動地的大事。」

上清道長道：「貧道亦有此感。」

赤松子道：「怎麼？你們可是說王子方身後還有主腦人物？」

鄧玉龍道：「在下只不過有此推想罷了。」

岳剛嗯了一聲道：「照鄧大俠的看法，什麼人才配做那王子方的幕後首腦？」

鄧玉龍心中明白，如若此刻指說那岳剛是幕後首腦，一明大師決然不肯相信，必得緩緩進行，使他們慢慢的心有所疑，屆時才不致太過突然。心念一轉，緩緩說道：「照在下的看法，我們這幾個老而不死的人，才有這等沉深心機。」

赤松子道：「鄧兄可是指我們幾人而言嗎？」

鄧玉龍道：「不錯，不過，要把在下也算在內。」

赤松子微笑道：「鄧兄說得不錯，放眼當今江湖，咱們幾個確是人所難及。」

岳剛道：「眼下之人有誰嫌疑最重？」

鄧玉龍道：「是啊！諸位都中了毒，只有兄弟還好好的。」

岳剛道：「這麼說來，鄧兄今宵準備和我等做最後一次的談判了。」

鄧玉龍道：「兄弟不會那樣笨。」

岳剛道：「此話怎說？」

鄧玉龍道：「如是兄弟今晚上想收拾諸位，至少要設法使你們分開的好。」

岳剛道：「反正我等都中了毒，至多只能擋得鄧兄一擊。」

鄧玉龍道：「這麼說來，岳兄已認定兄弟是那幕後主凶了？」

岳剛道：「鄧兄自己承認了，在下不信也是不行的了。」

鄧玉龍道：「岳兄稍安勿躁，如若兄弟有心使幾位屈服，自會露出本來面目，狐狸雖然狡猾，但總有一天露出尾巴。」

岳剛道：「鄧兄還有什麼狡計施展？」

鄧玉龍呵阿一笑道：「岳剛，咱們幾人之中，兄弟是第一個嫌疑人，但不知哪一個是第二個可疑人了。」

岳剛道：「這個麼……自然是區區在下了，對嗎？」

鄧玉龍道：「不錯啊！兄弟也是這般看法，除我之外就是岳兄了。」

岳剛道：「但如鄧兄無法自己洗刷清白，兄弟就疑而無嫌了。」

鄧玉龍道：「是的，現在咱們各解說自己的經過，哪一個說不明白，那人的嫌疑就最大了。」

岳剛道：「老叫化中毒之後，一直未離開過他們，還要什麼解釋，要解釋的是你鄧玉龍一個人。」

鄧玉龍微微一笑，道：「這麼說來，咱們這些人中只有你岳兄可以例外了？」

岳剛冷冷說道：「兄弟沒這麼說。」

鄧玉龍道：「那是說岳兄也和我們一般有嫌疑了？」

岳剛皺皺眉頭：「鄧兄專找兄弟的麻煩，不知是何用心？」

鄧玉龍道：「這個麼，岳兄未免是太過多疑了。」

岳剛道：「不是兄弟多疑，而是鄧兄處處對著兄弟，難免叫兄弟多疑了。」

鄧玉龍用心就在激怒岳剛，使他忍不住出手對自己施襲，只要能和他對手兩招，不見毒發，那就不用多費唇舌，多作解說了。

當下緩緩說道：「岳兄如是心中無鬼，自然不會有此等之疑了。」
岳剛皺皺眉頭，冷冷說道：「看情形，鄧兄似是受他人挑撥，衝著兄弟來了？」
鄧玉龍道：「岳兄覺著兄弟受了什麼人的挑撥？」
岳剛目光轉瞪了蔡玉蓮停身的方位，道：「能夠挑撥鄧兄的，自然不會是男子漢了。」
鄧玉龍哈哈一笑道：「兄弟有疾，天下皆知，在座諸位，又有哪一個不知道我鄧玉龍喜愛女人呢？」
岳剛臉色一變，道：「但在座之人，都還不知那看上去已經殘廢的女人身分。」
鄧玉龍淡淡一笑，道：「岳兄不妨說出來，兄弟嗎？還未把此事放在心上。」
岳剛冷笑一聲，道：「只怕兄弟說出來，鄧兄的臉上掛不住。」
鄧玉龍道：「不妨事，岳兄儘管請說。」
岳剛道：「容夫人蔡玉蓮，她本是武林中公認的一位美人，今日落得這番下場，全是閣下害的！」
鄧玉龍點點頭，道：「不錯，也只有蔡玉蓮才了解你岳剛的真正面目。」
赤松子一皺眉頭，道：「兩位不用爭執這些往事陳跡了，咱們此刻要找的，是王子方的身後主腦。」
鄧玉龍道：「如若那王子方身後還有操縱之人，就在咱們幾人之中，咱們這些人中，又以兄弟和岳兄嫌疑最大。」
赤松子道：「鄧大俠似是說得很有把握。」
岳剛突然站起身，道：「鄧玉龍，你是誠心和老叫化過不去了。」

鄧玉龍笑道：「岳兄身中劇毒，不宜和人動手，太暴躁只怕有傷元氣。」

岳剛突然而笑，道：「倒要你鄧兄失望，老叫化體內劇毒，早已化去了。」

一明大師呆了一呆，突然接口說道：「岳兄說的當真嗎？」

岳剛自知失言，但已無法改口，只好硬著頭皮道：「不錯。」

赤松子道：「怎麼？過去未聽岳兄提過？」

岳剛道：「老叫化憑武功化去內腑劇毒，難道非要告訴你們不可。」

鄧玉龍哈哈一笑，道：「岳兄爲什麼不敢講實話呢？」

岳剛道：「要老叫化講什麼？」

上清道長道：「不錯，岳兄不是解了內腑之毒，而是根本沒有服用。」

岳剛心中暗道：「對付一明大師、赤松子等中毒之人，並非難事，但目下有一個鄧玉龍，確是難纏得很，目下如能設法聯合三人力量，一舉搏殺鄧玉龍，再行設法除去他們三人，那是上上之策了。」

心念一轉，目光轉到一明大師的臉上，道：「大師相信嗎？」

一明大師緩緩說道：「也許老衲的功力，難及你岳大俠，但我師兄一瓢大師的功力，決不會在你之下，如若你能夠化去腹內的劇毒，在下那大師兄，也可能化去腹內奇毒了。」

岳剛搖搖頭道：「每個人的修爲不同，適應之能，自然也無法相同了。」

一明大師道：「岳兄這話就不通了。」

岳剛道：「爲什麼？」

一明大師道：「雖然修爲不同，但大家中毒一樣要內功逼出身上奇毒，何以岳兄能，我等

不能？」

鄧玉龍冷笑一聲，道：「岳剛巧言狡辯，都已經於事無補了，何以謹慎了十餘年，今晚卻自露口風，這就叫天網恢恢，疏而不漏。」

岳剛道：「閣下覺著很得意？」

鄧玉龍道：「找到了真正主持這次毒害武林大陰謀的首腦，自然是高興了。」

岳剛道：「你可是自覺勝定了嗎？」

鄧玉龍道：「鄧某人自覺一對一可和你岳剛一戰。」

岳剛冷笑一聲，道：「鄧大俠，一個人的口氣不能太過誇大，在下既未死去，總會有一天和你決一死戰。」

鄧玉龍談淡淡一笑，道：「其實岳兄此刻就有著和在下一決生死的能力。」

岳剛冷笑一聲道：「老夫運功化毒，體能未復。」

鄧玉龍緩緩說道：「岳兄是欲蓋彌彰，此刻在座之人，誰都是經過大風大浪的人，岳兄難道真把我們都當做小孩子看嗎？似這等自欺欺人的謊言，難道真還想欺騙過在座的高手嗎？」

岳剛在鄧玉龍連番諷刺之下，情緒大為激動，雙眉連連揚動，似乎是就要發作。

但聞赤松子接口說道：「岳兄，鄧大俠說的是真是假？」

岳剛冷冷地望了赤松子一眼，道：「道兄是相信老叫化呢？還是相信鄧玉龍？」

赤松子道：「依理而言，在下應該相信岳兄，不過，在下聽那鄧大俠說得十分有理，似非虛言。」

岳剛道：「那是道兄相信鄧玉龍了？」

赤松子忽然站起身子，道：「不錯，貧道越聽越覺著情形不對，咱們相處了很多年，竟然被你岳兄這份心機所騙，實足以自豪了。」

岳剛突然縱聲而笑道：「這麼說來，道兄對在下已經不相信了？」

上清道長歎息一聲，接口說道：「岳兄，狐狸尾巴已露，似是也不用再行設法掩飾了。」

岳剛冷笑兩聲道：「道兄似乎是已經被鄧玉龍說服了。」

岳剛道：「不是說服，而是他說的句句實言，叫人不能不信。」

岳剛道：「道兄別忘了，你們如是情緒太過激動，只怕身中奇毒，會突然發作。」

赤松子道：「岳兄也別忘了，我們在死去之前，還可以作最後的一擊。」

岳剛道：「看來兩位道兄，已準備和在下動手了？」

赤松子道：「我不相信你岳剛能擋我三人的聯手一擊。」

只見一明大師、上清道長同時移動身軀，和赤松子布成了合擊之勢。

鄧玉龍沒有想到，一明大師等三人竟然搶先出手，拚著毒發而死，準備搏殺岳剛。情勢的順利，大出了鄧玉龍的意外，當下說道：「三位且慢出手。」

赤松子道：「爲什麼？」

鄧玉龍還未及回答，上清道長已搶先接道：「我等三人聯手，各發一掌，就算不能一舉擊斃岳剛，但至少也可使他身受重傷，那時，鄧兄再和他動手，殺他是易如反掌了。」

一明大師道：「此人不除，終是禍害，鄧兄難道還要替他求情不成？」

鄧玉龍道：「三位發出一掌，固然可使岳剛身受重傷，但三位也將毒發而亡了。」

一明大師道：「反正我等已經身中奇毒，就算留下性命，也是無用之人了。」

鄧玉龍歎息一聲道：「岳剛造成這一次江湖大劫，使很多武林高手中毒死亡，也將使武林中無數絕技，從此失傳，三位必需要保下性命，指導後進，使武林中很多絕技，得以保留。」

赤松子道：「我們身中奇毒，如何還能傳人武功？」

鄧玉龍道：「在下盡力去找解藥，也許能夠如願，以解諸位身受之毒。」

赤松子搖搖頭道：「貧道如若不殺岳剛，實難解心頭之恨。」

一明大師道：「如是聽從鄧大俠之言，那就要放走岳剛了！」

鄧玉龍道：「此人乃罪魁禍首，元凶極惡，如何能夠放他？」

上清道長道：「鄧大俠不許我等出手，又不放他，那要如何？」

鄧玉龍道：「在下自信，可和岳剛一戰，如若在下非他之敵，諸位再行出手不遲。」

上清道長道：「那也好，對這等暴徒，實也不用和他講什麼單打獨鬥的武林規戒了。」

岳剛突然縱聲而笑，聲如龍吟，直沖雲霄。

鄧玉龍抽出長劍道：「你笑什麼？」

岳剛道：「老叫化笑的是武當、少林、崑崙三派長者，竟叫老叫化玩弄於股掌數十年而不自知，豈非是很可笑的事嗎？」

赤松子道：「你終於忍不住自行招認了。」

岳剛臉色突然一變，冷冷說道：「還有一件事，老叫化要告訴幾位。」

上清道長道：「什麼事？」

岳剛道：「諸位可是認爲老叫化，無能取你們之命嗎？」

五八　因果循環

上清道長冷笑道：「岳兄可是黔驢技窮，連這等嚇唬人的法子也用上了？」

岳剛道：「老叫化句句實言。」

赤松子道：「貧道倒想聽聽，你用什麼法子，能取我們之命。」

岳剛道：「你們是否記得，當年你們是聽老叫化的話，才把藥毒逼聚於一處？」

赤松子沉吟了一陣，道：「不錯，有這麼一回事。」

岳剛道：「那就是了，老叫化告訴你們逼毒之法，自然有讓它立刻發作的方法。」

一明大師道：「你那叫人逼毒之法大同小異，並無出奇之處，貧僧倒不相信，你能夠叫我們毒發而死。」

岳剛道：「諸位不信，那就不妨一試。」

鄧玉龍突然一揚寶劍，冷冷說道：「縱然他們要死，也要你死在他們前面。」

岳剛道：「好大的口氣，似乎你一定能夠勝我。」

鄧玉龍道：「區區確有勝你的決心。」長劍突然一振，點向那岳剛前胸，岳剛一閃避，卻未還擊。

鄧玉龍停下手，道：「閣下怎麼不亮兵刃呢？」

岳剛道：「各人造詣不同，你如認為手中之劍，能殺老夫，那就只管出手。」

鄧玉龍臉色一變，道：「不錯，閣下是以掌法馳名武林。」長劍突然一振，幻起了三朵劍花，分刺岳剛三處大穴。

岳剛連忙閃避，身移掌起，移動中劈出一掌。一股強厲暗勁，直對鄧玉龍撞了過去。

鄧玉龍縱身避開，強勁掠身而過，直擊向一明大師。一明大師吃了一驚，急急向旁側閃去。

鄧玉龍長劍一振，人隨劍走，化作一道白光，直追過去。岳剛雙掌連發，狂風湧起，撞向了鄧玉龍。

鄧玉龍亦是暗暗震駭，忖道：「這老叫化的功力，果非小可。」

岳剛掌勢連連劈出，暗勁不斷湧來，竟把鄧玉龍擋在六、七尺外，無法近身。鄧玉龍迅快地揮舞長劍，劍光一片白芒，但卻無法攻近岳剛。

赤松子低聲向上清道長道：「道長，這老叫化很難對付，貧道去助鄧玉龍一臂之力。」

一明大師笑道：「鄧玉龍反擊了。」

凝目望去，果見鄧玉龍劍勢大變，猶如長虹經天一般，逐步向岳剛逼進。

赤松子微微一笑，道：「鄧玉龍當年被稱為武林中第一劍容，貧道心中始終有些不服，今日一見，倒是名不虛傳了。」

突然，鄧玉龍一聲長嘯，那漫天劍影合而為一，衝向岳剛，兩條人影一合即分。仔細看去，場中形勢，已有極大的變化。只見岳剛鬚髮怒張，右臂上鮮血，緩緩滴落。鄧玉龍卻右手舉劍，肅然而立。

赤松子低聲說道：「鄧玉龍刺中岳剛一劍。」

一明大師道：「但岳剛也擊中了鄧玉龍一掌，目下情勢，咱們還無法分辨哪一個受的傷重。」

赤松子道：「就目下情勢而言，鄧玉龍勝算較大一些。」

一明大師道：「貧僧之見，道兄暫時不用出手。」

赤松子道：「爲什麼？」

一明大師道：「如看那鄧玉龍不是岳剛之敵，你出手也是沒有法子。」

赤松子道：「貧道拚命一擊，至少可給鄧玉龍一個殺死岳剛的機會。」

一明大師道：「所以，你不能隨便出手，萬一你出手一擊，未能傷到岳剛，但你卻必死無疑了。」

赤松子緩緩說道：「大師之意呢？」

一明大師道：「老衲之意麼，咱們一側觀戰，等那鄧玉龍確實不支時，再聯合出手，各用全力，劈出一掌，縱然不能擊斃岳剛，至少也可以使他身受重傷，那時鄧玉龍就有殺他的機會。」

赤松子歎息一聲，道：「看來你們都比我的修養好多了，貧道了然內情之後，心中實有著忍不下這口悶氣之感。」

上清道長道：「道兄也不用太悲觀，夜色中雖無法看清楚詳細情形，但只看兩人相對兩立的情形，兩個人可能都受了不輕的內傷，咱們不能不早作準備。」

赤松子道：「如何準備？」

上清道長道：「咱們二人要暗作準備，如若那鄧玉龍敗在岳剛手下，咱們三人就聯合出手，合力一擊。」

一明大師點點頭，道：「道兄之意甚佳，咱們各取方位，鄧玉龍一敗之後，咱們就聯合出手。」

三人邊說研商計議，那邊岳剛也正施展傳音之術，說道：「鄧玉龍，大約你心裏也明白，老叫化如和你全力相搏，咱們將是個兩敗俱傷之局，而且，我相信，兩人都將有性命之危，那時，你也無法享受到應得的榮譽，我也無法享受到數十年辛苦經營的成果了。」

鄧玉龍雖然刺了岳剛一劍，但他也中了岳剛一掌，這掌只打得鄧玉龍血翻氣蕩，站立不穩。他必須爭取時間，設法調息，以恢復再戰之能。因此，不得不設法應付岳剛的問話。

當下也施展傳音之術，應道：「岳兄說此話，是何用心？」

岳剛道：「如若鄧兄和兄弟合作，老叫化願和你共享這武林霸主之榮。」

鄧玉龍一面運氣調息，一面應道：「如何一個合作之法？」

岳剛道：「咱們共同主宰天下武林，完成千古以來，從未有人完成過的心願。」

鄧玉龍緩緩說道：「目下武林同道，大都已經中了奇毒，就算咱們成了武林霸主，那又有何人可統？」

岳剛道：「這個倒不勞閣下費心，在下心中早已有了計算。」

鄧玉龍道：「既然岳兄要和兄弟合作，難道還不肯說實話嗎？」他忽然靈機一動，想從岳剛口中，探聽出一點消息來。

岳剛道：「他們雖然大部份中毒，而且都已毒發，但他們並沒有死。」

鄧玉龍道：「那是說岳兄可以治好他們的毒傷了？」

岳剛道：「而且還要讓他們永遠忠於我們，不生背叛之心。」

鄧玉龍道：「這個靠不住吧？」

岳剛道：「老叫化子如是沒有把握，現在怎能這樣沉得住氣？」

鄧玉龍心中暗道：「這岳剛不知要的什麼花招，不妨聽聽，反正我需要時間調息，拖延一段時間，對我有益無害。」

心中念轉，緩緩說道：「岳兄的把握如何，先說給在下聽聽，如若在下能夠相信岳兄之言，咱們倒不妨合作一下了。」

岳剛微微一笑，仍施展傳音之術，答道：「兄弟一向不相信，一個人真不會陶醉在名利權勢之下。」

鄧玉龍道：「岳兄說得不錯，兄弟這些年來，也曾有過這等念頭，只是想到了岳兄和一瓢大師等幾人的武功，兄弟就只好知難而退了。」

岳剛道：「現在鄧兄可以不必顧慮，你心中忌憚的幾個人，都已身中劇毒。」

鄧玉龍心中暗道：「這頭狡猾之狼，也會上鉤。」

當下微微一笑，道：「其實兄弟最忌憚的人，還是岳兄，今日交手一陣，兄弟證實了推斷未錯。」

岳剛道：「好說，好說，老叫化今生中遇到的唯一敵手，也是你鄧兄了。」

兩人各逞心機，一則想從交談中，探知對方心中之秘，二則，剛才那一陣驚天動地的力搏，使兩人都承受不住，借說話機會拖延時間，以求恢復體能。

赤松子看兩人相對而立，口齒啓動，雖然未聽到兩人說些什麼，但心中卻動了懷疑，低聲對一明大師道：「他們似乎在談什麼。」

一明大師點點頭，道：「如若一瓢大師在此，他練有天聰之能，縱然兩人用傳音交談，也無法逃過他的雙耳。」

上清道長道：「此時此情，咱們不能不對那鄧大俠心生懷疑了，因爲此刻他要殺咱們易如反掌。」

一明大師道：「如若那鄧玉龍和岳剛難分勝負，握手言和，今日之局，那是悲慘難喻了。」

上清道長低聲說道：「不可能，二虎豈能同山，他們縱有此心，也難如願。」

這時，突見那鄧玉龍舉步向岳剛行了過去。

岳剛卻疾快地向後退了兩步，說道：「鄧兄意欲何爲？」

鄧玉龍哈哈一笑，高聲說道：「我們還未分勝負啊！」舉手一劍，刺了過去。

岳剛縱身閃開，怒道：「我們剛才談的事，還算不算？」

鄧玉龍道：「自然算了。」長劍疾起，連攻三劍。這三劍招招狠辣，俱都刺向岳剛的致命所在。

岳剛心中又驚又怒，一面縱身讓避，一面還擊了兩掌，冷冷說道：「你這招招致命的打法，哪裏是虛應故事，簡直是在拚命？」

鄧玉龍道：「兄弟剛才想過了，我們如若不假戲真做，打得像樣一些，豈不要引起他們的懷疑嗎？」

岳剛一面揮掌力拒，企圖扳回劣勢，一面說道：「你怕哪個起疑？」

鄧玉龍道：「一明大師、赤松子等，豈不早就對咱們動了懷疑之心嗎？」

岳剛道：「他們都已中了奇毒，何懼之有？鄧兄只要出手，殺他們不過是舉手之勞而已。」

鄧玉龍道：「他們如若聯手一擊，力量仍是極難抗拒。」

岳剛道：「如若鄧兄出手，對付一明大師，兄弟對付赤松子和上清道長，片刻之間，即可使二人授首了。」

鄧玉龍揮劍狂攻，不再多言。

岳剛已知曉鄧玉龍並非真意和自己合作，但爲時已晚。鄧玉龍的劍勢，已然搶占了先機。雙方實力，本在伯仲之間，但鄧玉龍占盡了先機，岳剛也相形見絀了。

這時，旁側觀戰的一明大師、赤松子、上清道長，都暗自舒了一口氣。原來，三人已從兩人劇烈的惡鬥中，瞧出了鄧玉龍在全力施展，劍招寒芒，著著指向岳剛致命所在。

兩人又經過數十招的惡鬥，岳剛更形不支。原來他全力圖搶失去的先機，心情大爲浮動，被鄧玉龍看出空隙，唰唰兩劍，趁隙而入，刺中了他的右腿、左肩。岳剛雖有絕世功力，但他身受三處創傷之後，實力大爲減弱。鄧玉龍勝算在握，攻勢更形凌厲。

岳剛漸呈不支之狀，劈出的掌力，力道也一掌弱過一掌。他心中明白，自己已難再撐過二十招，必需在二十招內，想出一個和鄧玉龍同歸於盡的法子才成。這時，鄧玉龍已經勝算在握，手中劍勢更爲凌厲。岳剛一吸丹田真氣，右手全力劈出一掌，身子陡然向後退了兩步。

鄧玉龍冷笑一聲，道：「想走嗎？」身子一探，連人帶劍，直向岳剛追去。

岳剛身子微微一側，避過要害。鄧玉龍劍勢奇快，劍尖刺入了岳剛的前胸，直透後背。岳剛左手一探，突然疾向鄧玉龍劈出了一掌。這一掌來得快如閃電，鄧玉龍閃避不及，正中左胸之上。但聞鄧玉龍悶哼一聲，整個身子飛了起來，摔出了六尺之遠。岳剛一掌擊中鄧玉龍後，狂笑一聲，帶劍奔向一明大師、赤松子等人。顯然，他準備拚盡最後一口氣，殺死一明大師等。但他傷得太重，奔行不過數步，人已經摔倒在地上。

上清道長疾快地行到鄧玉龍的身側，低聲說道：「鄧兄，怎麼了？」

鄧玉龍傷得似是很重，口中鮮血狂噴而出。

上清道長伏下身子，撕下一角道袍，揩去鄧玉龍口中血跡，扶起鄧玉龍身子。

鄧玉龍喘了兩口氣，道：「道兄，不用管我了。」

上清道長道：「鄧兄的生機如何？」

鄧玉龍道：「他一掌打碎了我內臟六腑，只怕是很難再活了。」

上清道長接道：「鄧兄，不要再說話了，護住真元，貧道當和一明道兄等，想辦法療治鄧兄之傷。」

鄧玉龍微微一笑，道：「不用了，趁我尚可壓制傷勢時，和你們說幾句話。」

上清道長道：「鄧兄的口齒很清，大約還會有救。」

鄧玉龍道：「不用費心了，這是報應，兄弟在死去之前，想告訴諸位幾句話。」

上清道長點點頭，道：「鄧兄，請吩咐吧！只要我等力所能及，無不答允。」

鄧玉龍道：「請他們過來如何？」

其實，不用上清道長招呼，一明大師和赤松子已行了過來，說道：「鄧大俠有何遺言，請

吩咐下來吧？」

鄧玉龍在上清道長扶持之下，抬起頭來，望了岳剛一眼，道：「他怎麼樣了？」

一明大師道：「縱然還未氣絕，大概也差不多了。」

鄧玉龍道：「三位對我的事蹟，十分了解，我也不用隱瞞諸位了，我一生中，雖然極力在行善救人，爲江湖除惡，但我犯了一個淫戒，萬惡淫爲首，我縱然做盡了天下的好事，也無法彌補這等大錯，今日死於岳剛掌力之下，也是應有的報應。」

一明大師道：「鄧大俠做此一件功德，已抵償你千百件罪惡。」

鄧玉龍道：「善與惡難相抵，如此舉當真能使武林中有些幫助，鄧玉龍死得也比較安心一些了。」突然張口，吐出一口鮮血，那血中，夾雜甚多紫色的血塊。

一明大師和赤松子都已瞧出那些紫色血塊，正是鄧玉龍的內腑肝臟。一個人，傷到如此程度，縱然是華佗再世，扁鵲重生，也無法使他生存了。一明大師、上清道長等，心中明白，鄧玉龍非死不可，不禁心頭黯然。

鄧玉龍吐出一口鮮血之後，緩緩說道：「諸位個個身負絕世武功，都是可信可托的人，只可惜身受藥毒所苦，無能和人動手了。」

赤松子道：「貧道還可劈出一掌，這一掌，足可碎石裂碑。」

鄧玉龍歎息一聲，道：「諸位必須要留下性命，如是我們無法取得解藥，兩、三日內，雲集於此的武林人物，都將死去，餘下的只有三位了，三位也將是繼承武林大統的人了……」

長長吁一口氣，接道：「在下還有一事，懇求三位。」

一明大師道：「什麼事？」

鄧玉龍道：「容哥兒，他已經得了我大部傳授，只恐怕短時間內，還無法把它融會貫通，他雖然年紀很輕，但卻是滿腔正義，萬一雲集於此的武林高手，無藥救助，還望三位能夠把武功傳於他。」

一明大師一皺眉頭，心中暗暗忖道：「我如答應於他，那是一諾千金了，萬一無法取得解藥，勢必要把武功傳給那容哥兒不可了，但少林武學豈能輕易傳授外人？」

其實，上清道長有著和一明大師同樣的煩惱，是以，三人同時沉吟不語。

鄧玉龍道：「如是我推想不錯，三位也一樣無法活得下去，不要誤信岳剛逼毒的謊言。」

一明大師道：「怎麼？內功逼毒，也是岳剛揑造的謊言嗎？」

鄧玉龍又吐出一口鮮血，道：「在下這樣想。」

上清道長接道：「大師、道兄，咱們都不要再說話了，鄧大俠只怕也支持不了多少時間，咱們先聽完鄧大俠的話如何？」

一明大師道：「不錯，應該聽鄧大俠說完遺言。」

鄧玉龍傷勢奇重，上清道長、一明大師、赤松子，都已瞧出鄧玉龍難再活下去。

赤松子輕輕咳了一聲，道：「咱們也不用安慰你了，看你吐出兩口鮮血之中，夾雜碎裂的心肺，只怕是沒救了，有什麼話你只管說吧！只要咱們能力所及，一定替你辦到，如是能力有所不及，也將盡力而爲。」

鄧玉龍臉上泛現出一片紅光，緩緩說道：「好！我也沒法支持了，我簡略說明心願，就是，第一、三位要保重身體，不能死去；第二、不要相信那岳剛運功逼毒的鬼話；第三、三位如是感覺奇毒將要發作時，希望能夠把武功錄記成冊，或是把武功傳給容哥兒，他是可信可托

的人……」突然垂下頭去，鮮血從口湧出。

一明大師沉聲說道：「鄧大俠，鄧大俠。」

鄧玉龍伏地不起，似是已暈了過去。

這當兒突聞衣袂飄風之聲，一條人影，疾躍而至。

赤松子急急閃開，揚掌戒備。

凝目望去，只見一個著黑衣，面貌奇醜的女人，坐在鄧玉龍的身旁。原來她雙腿已經殘廢，無法站立，只好坐在那裏。

只聽她喃喃自語，道：「報應、報應，你能落得全屍而死，皇天已經算對你仁厚了。」

突見鄧玉龍伸出手來，抓住了那黑衣女人的左手，道：「我一生之中，只對一個女……人，永……愛不……變……」

那黑衣女人道：「是俞若仙？」

鄧玉龍搖搖頭，道：「不……是……是你。」

那黑衣女人怔了一怔，道：「我？」

鄧玉龍道：「不錯，是你。」言罷，閉目而逝。

那黑衣女人道：「三位早知我是誰了。」

上清道長道：「武林中第一美人蔡玉蓮。」

蔡玉蓮道：「現在呢，很難看了吧？」

上清道長道：「紅顏總有老去時……」

蔡玉蓮苦笑一笑，道：「你們見到了武林中第一美人，但她現在卻是天下第一醜人了。」

語聲微頓，接道：「我的事情，江湖上人人皆知，諸位自然也已知道了。」

一明大師點點頭，道：「老衲等也聽說過了。」

蔡玉蓮道：「你們雖然知道了一些內情，但恐怕未必知曉全盤詳情。」

一明大師道：「就事而論，江湖上對姑娘並未深責。」

蔡玉蓮道：「把所有的錯誤，都推在鄧玉龍的身上了。」

一明大師道：「江湖上對鄧大俠，似乎是尙無定論。他不算壞，但他卻犯了江湖最使人忌諱的淫戒；除此一椿缺點，他一生都在盡他的心力做好事。」

蔡玉蓮道：「我無法批評他爲人的好壞，我也是身犯大戒的人，也不夠資格批評他了，但我要向諸位洩漏一椿秘密。」

上清道長道：「姑娘要講什麼？」

蔡玉蓮道：「那位容哥兒，是鄧玉龍的骨肉。」

一明大師怔了一怔，道：「原來如此！」

赤松子道：「無怪他要我們把武功都傳給那容哥兒。」

蔡玉蓮道：「容哥兒體內，有著鄧玉龍仁俠精神，但卻沒有鄧玉龍那喜愛女色的毛病。」

一明大師道：「女施主說出此言，用心何在？」

蔡玉蓮道：「我只是告訴諸位，他年事雖輕，但卻是可以信託的人。」

一明大師道：「老衲還是不太明白。」

蔡玉蓮道：「諸位慢慢想吧！賤妾要先走一步了。」突然一頭撞在石地之上。

但聞砰然一聲，蔡玉蓮一個腦袋，撞得破碎，當場氣絕而逝。

赤松子等料不到她說死就死，一時間，竟然救援不及。

赤松子輕輕歎息一聲，道：「他們似乎是有著很真摯的情意。」

一明大師黯然說道：「蔡玉蓮犯了大錯，但她又能始終如一，鄧玉龍死去之後，竟然以身相殉，是耶非耶，老衲也無法了然了。」

上清道長道：「咱們把他們埋了吧……」

赤松子由地下撿起鄧玉龍的長劍，緩緩說道：「貧道代他們挖一個土坑去。」

一明大師道：「不敢有勞道兄，道兄也不宜太過勞累，不如由老衲招呼少林弟子動手。」

赤松子也不堅持，放下手中長劍。

一明大師叫過一個少林僧侶，執劍動手，埋葬鄧玉龍和蔡玉蓮的屍體，口中卻低聲對赤松子道：「道兄，咱們應該如何？」

赤松子道：「什麼事？」

一明大師道：「那鄧玉龍的話，是否照著去做呢？」

上清道長道：「傳授容哥兒的武功？」

一明大師道：「傳授容哥兒武功的事，並非太急，但那鄧玉龍說那岳剛有意欺騙咱們一事，道長以爲如何？」

赤松子緩緩道：「不論鄧玉龍說的是真是假，咱們都不得不信，至少，應該準備一下。」

上清道長道：「如何一個準備之法？」

赤松子道：「咱們各把武功手錄藏好，如是覺著毒性發作時，再行設法把這武功手錄，交給容哥兒，就算咱們毒發而死，也可以保留了武功。」。

上清道長歎道：「貧道覺著，咱們幾人的生死，已然無足輕重，重要的是，鄧玉龍死去之後，應該由什麼人去完成這解救天下英雄大業的心願。」

一明大師道：「老衲也有此感，目下這孤島之上，還有著數百近千的武林同道，等待解救，除了少林幾個弟子和容哥兒之外，已然無有能夠行動之人。情勢如此，咱們似乎是無法再坐以待變了。」

赤松子搖搖頭，道：「只是，咱們應先把一身武功錄下來，然後，再行設法尋找解藥。」

上清道長道：「此地沒有筆硯，咱們如何錄下武功呢？」

赤松子道：「那就只有口授容哥兒了……」

語聲一頓，道：「道兄也許不同意貧道的看法，但貧道卻自有一番道理。」

一明大師道：「願聞高見。」

赤松子道：「那解藥渺不可期，如若動手尋藥，一旦不幸死去，不但未能救得天下英雄，而且甚多江湖絕學也將隨我們絕傳江湖，不如先行錄下武功，傳諸後世，一死也無遺憾了。」

一明大師道：「如是我等死於暗算之下，那容哥兒又怎能一定逃得過呢？」

赤松子怔了一怔，道：「大師說得也是。」

上清道長突然輕輕歎息一聲，欲言又止。

一明大師道：「道兄，有什麼話，只管請說不妨。」

上清道長道：「貧道心中忽想到一樁可慮的事，但又覺著它太不吉利，故而隱忍未言。」

一明大師道：「咱們的處境，生機茫茫，還有什麼忌諱呢？」

上清道長道：「如若是咱們無法尋得解藥，那將眼看著君山之上，千百位武林同道死於此地了。」

赤松子道：「連咱們一樣也活不了啊！」

上清道長神色嚴肅地說道：「這是已成的慘局，還有一個更爲悲慘可怕的後患，不知兩位是否想到了？」

赤松子道：「什麼事啊？」

上清道長道：「這山上死屍都是身遭毒害，無人收埋，必將腐壞，獸鳥爭食外，必將掉入湖中，毒傳魚蝦，魚蝦再傳人身，這等輾轉傳播，禍患所及，不知要有多少人身受其害了。」

赤松子道：「道兄所慮極是，但不知道兄有何良策對付。」

上清道長道：「貧道倒是想得一法，但不知兩位是否同意？」

一明大師道：「此乃救世大事，我等怎有不同意的道理？」

上清道長道：「咱們盡最後的人事，尋救解藥，大師請遣派寺中弟子離開，連夜搜集桐油等易燃之物，然後……」

赤松子道：「然後放起一把火，燒去武林中全部精英。」

上清道長道：「貧道願留主持火勢，殉身於此，如若咱們佈置得當，可一舉燒盡餘孽。」

一明大師道：「主意倒是不錯，只不知時間是否來得及？」

上清道長歎息道：「咱們早該行動才是，但卻自以爲身中奇毒，不能有所作爲。」

突然間，響起了一陣步履之聲，打斷了上清道長未完之言。

轉頭看去，只見一個步履踉蹌的人影，直行過來。

赤松子暗中提聚功力，大步迎了上去，道：「什麼人？」

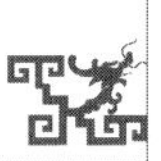

只見來人停下腳步，道：「我找容哥兒……」一跤摔在地上。聲音清脆，分明是女子口音。

赤松子趕忙伸手扶起了來人，低聲問道：「姑娘有何見教，我等洗耳恭聽。」他一連問了數聲，始終不聞回答。

上清道長搖搖頭，道：「她傷得很重。」暗中提聚功力，右掌按在那人背心上。一股強大的熱流順著掌心湧出，直攻入那黑衣人的體內。

來人得上清道長的內力相助，突然清醒過來，長長吁一口氣，道：「我要見容哥兒。」

上清道長低聲說道：「記著她的話，貧道只怕難以支撐多久了。」

赤松子黯然一歎，望著那黑衣女子，道：「容施主有事他去，姑娘有什麼話，對我們說吧。」

黑衣女子道：「你是……」

赤松子道：「貧道崑崙門中赤松子。」

黑衣女子道：「告訴他去取解藥。」

一明大師怔了一怔，道：「在哪裏？」

黑衣女子道：「在一個小洞中，但你們不能去。」

赤松子道：「救人濟世，任何人都是一樣，爲什麼一定要容哥兒呢？」

黑衣女子道：「因爲，因爲……」

她似是有著難言之隱，因爲了半天，才說道：「我姊姊在那裏。」

赤松子道：「你姊姊在那裏，就一定要容哥兒去嗎？」

黑衣女子道：「不錯，你們快找他來……」話未說完，便吐出一口鮮血。

上清道長左手一揮，點了那黑衣女子一處穴道，緩緩說道：「她只餘下了一口氣，保住護命的元氣，不能再讓她多話了。」

赤松子道：「她正說到重要之處，讓她多說兩句話就不行嗎？」

上清道長搖搖頭，道：「正因爲太重要了，貧道才不能冒險。」

赤松子道：「怎麼說？」

上清道長道：「道兄稍安勿躁，貧道用內力助她，自是比道兄清楚一些，目下她只餘下一口護命元氣，亦是貧道用內力助她，激出她保命潛能，萬一她無法把事情說明白，就氣絕而逝，那將是如何可悲的事呢！」

赤松子道：「貧道身上還帶有兩顆靈丹，它能醫傷，但卻無法療毒，因此，貧道一直未曾服用，剛才原想用做救助鄧玉龍，但他內腑已被震碎，縱有回生靈丹，也是無法挽救他的性命，此刻，倒可以用來救助這位姑娘了。」

一明大師兩道目光，一直深深望著上清道長，神情肅然，一語不發。

直待上清道長扶起那黑衣少女，探手取出丹丸時，才緩緩說道：「道兄覺著如何？」

上清道長奇道：「什麼事。」

一明大師道：「道兄助這位姑娘，耗去了不少內力，可有毒發之徵？」

上清道長略一沉吟，道：「目下爲止，貧道還沒有什麼感覺。」

一明大師道：「這麼說來，那鄧玉龍說的是實話，咱們服下之毒，有一定發作時間。」

上清道長道：「也許我用力不大，時刻還未到，再等等看吧！現在救人要緊。」打開手中

玉瓶，倒出兩粒丹丸，接道：「這兩粒丹丸，功效奇大，貧道相信可以救她。」

一明大師道：「道兄，救人事大，老衲雖然一生中，未和婦道人家有過肌膚之觸，但此刻也要破例，助她一臂之力了。」

赤松子道：「此時何時，人命關天，大師早該從權了。」

一明大師道：「好！老衲先用內力，舒展她的筋骨。」

他苦修數十年，從未觸接過女子肌膚，此刻爲了救人，破例從權，但他伸出的雙手，仍然不停地顫抖。但見那一明大師抖動的雙手，緩緩按在黑衣女子的身上，閉上雙目，手指開始移動，隨著那移動的手指，竟起了一陣微微的啵啵之聲。片刻之後，一明大師頂門上泛出汗水，豆大的汗珠兒，滾滾而落。

只見他揚動的手指，在那黑衣女子全身行過一周後，停了下來，舉手拭去了臉上的汗水，道：「老衲已然舒開她的筋骨，道兄可以給她服用藥物了。」

上清道長微微一笑，把手中藥丸，送入那黑衣女子的口中。

一明大師道：「但望道兄靈丹神效，能早些清醒。」

原來，一明大師和上清道長，都憂慮體內奇毒發作死去，希望她早些清醒，說明內情，在劇毒還未發作之前，能設法取到解藥。

赤松子輕輕咳了一聲道：「咱們證實了一件實情。」

上清道長道：「什麼事？」

一明大師道：「咱們被岳剛騙了很多年，既不敢和人動手，也不敢多管閒事，其實，那鄧玉龍說得不錯，咱們就是靜坐不動，藥性要發作時，也會一樣要咱們的命，似是不用再爲毒發之事擔心了。」

只聽一陣步履聲傳入耳際，愈來愈近。

赤松子道：「如是來了敵人，該由貧道對付了。」一閃身迎向前去。

凝目望去，夜色中只見容哥兒倒提長劍，緩緩走了過來。

赤松子輕輕咳了一聲，道：「是容施主嗎？」

容哥兒急奔兩步，口中應道：「不錯，正是在下。」目光轉注到一明大師的身上，緩緩說道：「貴門中兩位弟子，不幸戰死一人，慈心受了重傷。」

一明大師歎息一聲，道：「劫數使然，容施主不用抱歉了。」

容哥兒道：「怪晚輩救援不及。」

赤松子道：「什麼人和你們動手？」

容哥兒道：「王子方和他的屬下。」

赤松子道：「王子方呢？」

容哥兒道：「王子方負傷而逃，他兩個屬下，一個死於慈心大師之手，一個死於晚輩劍下。」

赤松子道：「還有一樁事，貧道覺著應該告訴施主。」

容哥兒以劍支地，四顧了一會兒，道：「可是鄧大俠有了變故？」

上清道長道：「鄧大俠和岳剛動手，兩人功力悉敵，戰了個兩敗俱傷。」

容哥兒道：「傷得重嗎？」

赤松子道：「重得不支而死。」

容哥兒道：「岳剛呢？」

赤松子道：「也死在鄧玉龍的劍下。」

容哥兒道：「他的屍體何在？」

赤松子道：「貧道等已經把他埋葬了。」

上清道長道：「還有令堂，也追隨鄧大俠於泉下了。」

容哥兒驚道：「家母也死於岳剛之手？」

上清道長道：「那倒不是，令堂自絕而亡，死於鄧玉龍的身側。」

容哥兒道：「那鄧玉龍鄧大俠，可有遺言告訴諸位？」

他雖然盡力壓著心中的悲痛，使語聲變得平和一些，但那父死母亡的悲痛，是何等巨大的創傷，仍是無法控制那抖動的聲調，和兩眶熱淚。

赤松子道：「他告訴我們很多，也說明了你的身世。」

容哥兒仰起臉來，長長吁一口氣，道：「世人大約再也沒有我這樣可悲的身世了，我既不能奉養生母，卻又和養母為敵，生我之父，是大俠，也是淫盜，生我之母，是武林一代名花，也是個身犯七出之戒的棄婦，她受盡了折磨，變成殘廢，仍不能安享天年，難道這都是上天給予的報應嗎？但為什麼這些痛苦，都加在我一個人的身上呢？天啊！天啊！」

這些日子來，他一直把這些痛苦憋在心中，隱忍未發，此刻，一旦發作，有如黃河決堤，忍不住熱淚如泉，滾滾而下。

一明大師沉聲喝道：「孩子，忍耐些，鄧大俠和令堂已經死去，但還有很多武林高手，等待援救，孩子，你必須要振作起來。」

容哥兒心中積忿，一旦爆發，情難遏止，伏地而哭，竟然忘記了本身的傷勢。根本就沒有聽到一明大師說些什麼。

一明大師輕輕歎息一聲，道：「咱們先行設法醫好他的傷勢再說。」

一明大師右手一揮，一掌落在容哥兒的背心之上。容哥兒哭聲頓住，人也同時暈了過去。

赤松子搖搖頭，道：「他傷得很重，咱們不能讓他哭下去。」

過了約莫一個時辰，容哥兒睜開眼，突然吐氣出聲，急欲挺身而坐。

上清道長及時伸出手去，掌勢抵在容哥兒的背心之上。一股暖流，攻入容哥兒內腑中，使容哥兒翻動的氣血，陡然間平復下來。

一明大師低聲道：「你傷處已經敷藥，老衲又助你五年功力，療好你的內傷。」

容哥兒回目望了一明大師一眼，正待接口，一明大師卻及時搖搖頭，道：「孩子，不要說話，你細聽老衲之言。」

容哥兒微微頷首，表示領會。

一明大師道：「老衲轉嫁你的五年功力，在沒有導入經脈之前，你還無法收爲己用，因此，它有極大的反應……」

語聲一頓，接道：「所以，老衲請上清道長以內力助你導入經脈，你要運氣相和。」

容哥兒點點頭，閉目運氣。果然覺著內脈中有一股流動的氣體，逐漸地收入於經脈之中。

一明大師輕輕咳了一聲，接道：「你不用心急，等運息一段時間，你才能把老衲轉嫁的內力吸收，爲自己所用。」

容哥兒閉目而坐，過了片刻，只見容哥兒張開眼睛，緩緩說道：「晚輩已感覺可以勉強適應了。」

一明大師微微一怔，道：「這麼快嗎？」

容哥兒道：「唉！目下的時間太寶貴了，晚輩能早一刻清醒，就可以早一刻說明經過，諸位老前輩也好早些設法了。」

赤松子道：「你說吧，咱們為岳剛所愚，不敢和人動手，以為只要耗力過多，就可能毒發而亡，事實上根本就沒有這回事，我等此刻已然了解和人動手無礙，你只要說出內情，用不到你再出手了。」

一明大師微微一笑，道：「道兄不要逼他，讓他慢慢地說，此時，情形已然如此，咱們急也沒有用了，沉著應付才不致忙中出錯。」

容哥兒緩緩接道：「我見到了一瓢大師。」

赤松子道：「那老和尚還活著嗎？」

容哥兒道：「老禪師還好好的活著，不過……」

一明大師急道：「不過什麼？」

容哥兒道：「在下記憶還好像被他打了一掌。」

一明大師道：「他不認識你了？」

容哥兒道：「這個晚輩不知，但就晚輩的看法，一瓢大師老前輩，似是有些神智不清。」

五九　絕境紅顏

一明大師望了上清道長一眼，道：「怎麼回事？」

上清道長道：「大約他是被另一種藥物控制。」

一明大師道：「一定是如此了。」

目光轉到容哥兒的臉上，緩緩接道：「敝師兄現在何處？」

容哥兒凝目沉吟了一陣，道：「大概和王子方在一起。」

赤松子道：「走！咱們找他去！」

上清道長道：「不用急，反正咱們要找他，免不了一場生死之搏，不過，咱們得事先計畫一下。」口中說話，雙目卻注在一明大師的臉上瞧看。

一明大師神情肅穆地說道：「敝師兄不知被他們用什麼藥物控制，致使他神智失常，無法自主，如若他見到咱們之後，非要動手不可，那就由老衲對付。」

上清道長道：「你們所學相同，動起手來，自然會有些分寸，至少，不會鬥出流血慘劇。」

一明大師道：「唉！這個麼，老衲也無法預料，一瓢師兄對我照顧很多，而且，一度曾代師傳我武功，如論情誼，其深如海，但目下情形不同，爲了挽救江湖上無數武林同道的性命，

必要時，老衲也無法顧及到師兄弟情意了。」

赤松子道：「貧道對付王子方。」

容哥兒道：「最重要的是設法去取解藥。」

上清道長道：「你已知那解藥存放之處嗎？」

容哥兒道：「就在這君山之上，一處隱秘所在。」

上清道長道：「那很好，只要咱們能找到那存放解藥之處，貧道等就算拚了命，也要設法把解藥取到手中。」

赤松子道：「容少俠的身體如何？」

容哥兒道：「晚輩已可以行動。」

赤松子道：「那很好，咱們先找解藥，取得解藥，再找那王子方算帳不遲。」

上清道長道：「我想那存放解藥之處，定然有著很嚴密的防守。」

容哥兒道：「不錯，晚輩雖未見過，但卻已聽人說過。」

赤松子道：「說過什麼？」

容哥兒道：「那存放解藥之處，有一種很奇怪的防守力量，據說很難抗拒。」

赤松子道：「是不是由人防守？」

容哥兒道：「這個晚輩不知。」

赤松子道：「如是他在那存放解藥之處，布下了奇毒，貧道自知無能應付，如若是人防守，貧道想不出當今武林之世，還有什麼高人，能和我們抗拒。」

一明大師道：「咱們既無法推測出內情，只有屆時見機而行了，老衲覺著，咱們先行制服

王子方，押他同往存放解藥之處，那時，他縱然有什麼詭計，諒他也無法再行施展了。」

容哥兒道：「老前輩說得不錯，咱們找他去吧？」

一明大師道：「你覺著體能是否已完全恢復了。」

容哥兒道：「晚輩好些了，已可勉強支持。」

一明大師道：「勉強不成，你再好好地休養一會兒。」

容哥兒道：「不用了，此刻是一寸光陰必爭之局……」

突然間想到了一件十分重大的事，急急說道：「諸位之中，哪一個知曉金鳳門中的暗記？」

一明大師搖搖頭，赤松子、上清道長亦齊齊搖頭，說道：「貧道等雖然常在江湖上走動，但對各大門派中的暗記，卻是毫無所知。」

容哥兒沉思了一陣，道：「江二姑娘。」突然轉身向前奔去。

一明大師急急叫道：「容施主，哪裏去？」

容哥兒一面向前奔走，一面說道：「晚輩去去就來。」

原來，他突然想起了江二姑娘，還在慈雲大師身側，不知是否傷勢已癒。

哪知行到慈雲大師身側一瞧，哪裏還有江二姑娘的影子，不禁爲之一呆，只好又轉身，行了回來。

一明大師道：「容施主找什麼？」

容哥兒道：「找一位姑娘，她受了重傷。多虧貴門中慈心大師賜贈靈丹兩顆，療治了她的傷，但卻不知道她跑到了何處？」

一明大師道：「長得如何，穿何衣服？」

容哥兒道：「長得很醜。」

一明大師道：「我等剛才救了一個女子，不知是不是容施主要找的人？」

容哥兒道：「那人現在何處？」

一明大師道：「就在旁側。」伸手指向正南方一團異物之處。

容哥兒轉身行了過去，凝目望去，果然正是江二姑娘。只見她閉上雙目，似是已經暈了過去。

一明大師隨後走來，道：「她傷得很重，上清道兄點了她的穴道，以保元氣。」

容哥兒回顧上清道長，道：「道長可否解開她的穴道，我要問她一件事。」

一明大師道：「什麼事？」

容哥兒道：「問那解藥所在，她是金鳳門中的二姑娘，剛剛她已經受了重傷，貴門弟子給她服下兩顆靈丹，放在慈雲大師身側，不知她怎的又到此處。」

一明大師道：「大約是靈丹有效，使她神智恢復了……」

容哥兒道：「解開她穴道之後，希望由晚輩一人問她，諸位老前輩可以聽，但望不要插口。」

一明大師道：「她來這裏，似是就爲了找你。」

上清道長伸出右掌，拍活了那黑衣女的穴道。

但聞那黑衣女長長吁一口氣，忽然睜開了雙目，道：「容少俠呢？」

她心中一直懷念著容哥兒，睜開眼睛的同時，就問起了容哥兒。

容哥兒低聲說道：「二妹，有什麼事？」

黑衣女舉手理一下亂髮，道：「姊夫，快去迎救姊姊。」

容哥兒道：「她在何處？」

黑衣女掙扎而起，道：「扶著我，我帶你去。」

容哥兒道：「你撐得住嗎？」

黑衣女道：「撐不住也得撐下去，姊姊恐怕已經完了……」

容哥兒蹲下身子，道：「我揹著你去。」

那黑衣女也不客氣，伏在容哥兒身上。

容哥兒揹起黑衣女，回顧了一明大師一眼，道：「諸位能和人動手嗎？」

一明大師道：「不要緊，我們都受了岳剛之愚，其實和人動手，並不妨事。」

那黑衣女接道：「我用口指示去路。」

容哥兒振起精神，道：「在下先行。」大步向前行去。

在江二姑娘的指引下，幾人轉過了兩個山彎。

容哥兒四顧了一眼，低聲問道：「轉向哪裏？」

他一連問了數聲，竟不聞那江二姑娘的回答之言。放下望去，只見那江二姑娘緊閉雙目，人又暈了過去。

一明大師一掌拍在江二姑娘的背心之上，暗中發出內力。

江二姑娘得一明大師內力相助，人又醒了過來，道：「誰有火摺子，燃起來，我要瞧瞧姊

姊留下的記號，我的眼睛不行了。」

一明大師、上清道長等，個個都聽得面面相覷，不知如何回答。

原來，幾人身上都無此物。

只聽江二姑娘說道：「放我下來。」掙扎落地，用雙手向前爬去。

容哥兒緊跟在江二姑娘的身後，也不伸手去扶。

只見江二姑娘一面向前爬行，一面用雙目不停地向四面望去。

但聞江二姑娘低聲說道：「在這裏了。」

容哥兒伏下身子，道：「怎麼樣？」

江二姑娘道：「照我的吩咐走，不要錯了路。」

容哥兒道：「他們呢？」

江二姑娘道：「要他們緊隨在你的身後，最好是照著落足之處而行。」

容哥兒道：「好！我告訴他們。」

回頭望向一明大師等高聲說道：「諸位老前輩請緊隨著我身後而行。最好，諸位能夠緊隨在我的身後，踏著我的腳印前進。」

一明大師道：「老衲等記下了，容施主可以放心向前走了。」

容哥兒低聲問道：「現在要怎麼走？」

江二姑娘道：「向左轉彎，前行五步。」

容哥兒應了一聲，依言向左行了五步。一明大師等緊隨在容哥兒身後，魚貫而行。容哥兒停下腳步之後，一明大師等也隨著停下了腳步。

但聞江二姑娘道：「現在向右面行進三步。」容哥兒依言施爲，向右行了三步。

容哥兒在江二姑娘指導下之，左折右轉，行了五、六次之多。一明大師等緊隨著容哥兒行進、停步。

又一次停下腳步時，容哥兒回目一望，估計這一次折轉，也不過行走了六、七丈，心中大爲奇怪，低聲說道：「江二姑娘，這是什麼機關？」

江二姑娘道：「這奇門陣圖，一步走錯，不但觸發機關，而且還要迷失去路。」

容哥兒道：「現在，咱們應該如何？」

江二姑娘道：「放我下來瞧瞧。」

容哥兒道：「瞧什麼？」

江二姑娘道：「瞧姊姊留下的記號，我出入數次，都仗依姊姊的記號。」

容哥兒依言放下了江二姑娘。

這時，天色大亮，景物清晰可見，江二姑娘凝目四下瞧望，道：「這邊走吧。」

容哥兒搶先一步，扶著江二姑娘向前行去。

一明大師輕輕咳了一聲，道：「容施主，咱們跟著去嗎？」

容哥兒怔了一怔，道：「我問問看……」

低聲對江二姑娘道：「可要他們一起去嗎？」

江二姑娘輕輕歎息一聲，道：「去不去都無關緊要。」

容哥兒道：「爲什麼呢？他們個個武功高強，都是一流身手，如若能夠和我們同行，自然是幫助很大了。」

江二姑娘搖搖頭道：「我要先問你一樁事。」

容哥兒道：「什麼事？」

江二姑娘道：「你是不是還要娶我姊姊爲妻？」

容哥兒道：「我們山盟海誓，情意不變，只要我們能活得下去，生離此地，自然是患難夫妻了。」

江二姑娘道：「如是她犯了很大的錯呢？」

容哥兒道：「什麼大錯？」

江二姑娘道：「如若她已經不是黃花閨女了，你是不是還要娶她？」

容哥兒道：「那要看經過之情形了。」

江二姑娘道：「她爲了拯救天下英雄，謀取解藥，犧牲了自己。」

容哥兒道：「謀取解藥，一定要犧牲自己的清白嗎？」

江二姑娘道：「不錯，不如此，無法過得此關。」

容哥兒道：「這個，我無法答覆你，我要弄清楚之後，才能決定。」

江二姑娘道：「你是否願看你妻子的狼狽模樣，都由你決定，我只是說明這件事，你是否要他們去呢？」

容哥兒略一沉吟，道：「要他們去！」

江二姑娘輕輕歎息一聲，道：「姊夫，姊姊的形狀很難看，你要他們同去可以，不過，咱們得先進去，然後，再要他們進去。」

容哥兒雖然無法了解她的用心何在，但卻想到了事態嚴重，當下不再多言，舉步隨在江二姑娘的身後。

但聞一明大師沉聲宣了一聲佛號，道：「兩位施主都是身受重傷的人，如若不許老衲等隨同前往，萬一遇上強敵，和兩位動起手來，兩位要如何招架？」

容哥兒略一沉吟，道：「好，三位老前輩一起來吧？」

一明大師轉眼望去，只見赤松子臉上隱隱泛起怒意，當下低聲說道：「道兄，也許他們確有苦衷，目下一個同舟共濟之局，道兄要多忍耐一下才是。」

赤松子道：「貧道想不明白的是，他們似是不太喜歡咱們參與此事一般，這是拚命的事，又不是去喝酒席……」

上清道長搖搖頭，低聲道：「道兄，請忍耐一二，這是救人救世的大業，就是要咱們受些委屈，也不用放在心上了。」

赤松子輕輕哼了一聲，不再多言，大步向前行去。

三人魚貫追隨在容哥兒身後，行在一處懸崖下面。

赤松子心中一股忿怒之氣，一直無法平息，冷笑一聲，道：「怎麼不走了？」

江二姑娘回顧了赤松子一眼道：「到了。」

赤松子流目四顧了一眼，道：「在哪裏？」

江二姑娘伸手一指面前光滑的石壁，道：「就在這石壁之內。」

赤松子望了江二姑娘一眼，只見她臉上疤疤斑斑，心中暗暗忖道：「這女娃兒如此醜怪，偏是花樣很多，醜人多作怪，看來是果然不錯了。」

但聞一明大師道：「這石壁之外，可有開放門戶的機關嗎？」

江二姑娘伸手從容哥兒身後拔出長劍，道：「有。不過，我有幾句話，在未開啓石壁之前，先要說明。」

一明大師接道：「女施主有什麼話，儘管請講，老衲等洗耳恭聽。」

江二姑娘道：「我開這壁門後，三位請候在門外，等我招呼之後，才能進去。」

上清道長道：「姑娘可能說出一個原因嗎？」

江二姑娘道：「自然有了。」

赤松子道：「如果姑娘能把我們說服，咱們自然是願意聽命，但姑娘如若不能說服我等，咱們仍是不聽姑娘的話了。」

江二姑娘一咬銀牙，道：「好吧，三位都是方外高人，賤妾本不願把內情說明，但諸位這般追問，我只好實說了。」

赤松子道：「此時此情，貧道實也想不出有何隱秘還有保留必要。」

江二姑娘道：「我姊姊爲了取得解藥，拯救天下英雄，犧牲了自己。」

赤松子怔了一怔道：「令姊死了？」

江二姑娘道：「她還活著，但卻比死去更慘。」

赤松子道：「貧道想不明白，你還是明說了吧。」

江二姑娘道：「王子方在這密室中布下了很多高手，保護解藥。」

赤松子道：「此事在意料之中，貧道等自信可以應付。」

江二姑娘緩緩說道：「那些人，食用之物內，都混有一種藥物，常年累月，使他們都變了性情，一個個暴戾無比，而且，人性已經完全絕滅。」

一明大師接道：「阿彌陀佛，好惡毒的手段！」

江二姑娘道：「他們在王子方藥物改變之下，脾性如惡犬，不復有人的慈悲心腸了。」

一明大師道：「等一會兒動手之時，我等手法用重一點就是。」

江二姑娘搖搖頭道：「誤會了。」

一明大師怔了一怔，道：「老衲確實不大明白，女施主可否說清楚些。」

江二姑娘道：「那些人在和人動手時，還可服用一種藥物，能把一個人的潛力完全激發出來，兩成武功能夠發揮到十成以上。」

赤松子呆了一呆，道：「有這等事？」

江二姑娘道：「他們還有著一種很特殊的能力，縱然受了重傷，還能支持動手，直到死亡爲止。」

赤松子道：「那裏面有多少人？」

江二姑娘道：「我見到的總在十人以上，其他是否還有就非我所知了。」

一明大師道：「咱們應該帶上兵刃，對方人性全滅，咱們也不能手下留情了。」

赤松子道：「姑娘說了半天，似乎是還沒有說出我等不能入內的原因何在？」

一明大師道：「姑娘說得如此凶險，你們兩人，豈不是很危險？」

江二姑娘道：「不要緊，有我和姐夫同行，他的險惡，就少得多了。」

赤松子道：「爲什麼呢。」

江二姑娘道：「必要時，我可以救他。」

一明大師茫然說道：「就算姑娘武功高強，但你已經身受重傷，容施主真如發生了危險，你又如何救他呢？」

江二姑娘道：「因爲，我是女人啊！自然可以救他了。」

一明大師道：「這個老衲還是有些想不明白。」

江二姑娘道：「唉！大師父，我要怎麼說，你才能夠明白呢？」

一明大師道：「姑娘請說明白些，不要轉彎繞圈了，老衲不就明白了嗎？」

江二姑娘道：「我已經說得很明白了。」

一明大師望了上清道長一眼，道：「道兄，你心中明白嗎？」

上清道長道：「貧道有些明白，但我心中沒有把握。」

一明大師道：「可否說給我聽聽呢？」

上清道長道：「大約是那些守護藥物的人，很喜歡女人。」

一明大師點點頭，道：「原來如此。」

江二姑娘道：「告訴你們吧！那些人，被藥物毒得神智俱無，只餘下了獸性、欲念，所以，他們看到了女人，就如同渴驥奔泉一般，只要施些手段，就可以使他們自相火併了。」

一明大師道：「老衲明白了。」

江二姑娘道：「你們明白了就好，我姊姊的遭遇之慘，你們也該明白了。」

目光突然轉到容哥兒的臉上，道：「姐夫，聽我兩句話好嗎？」

容哥兒道：「你說吧？」

江二姑娘道：「不論你以後，是否還準備要娶我姊姊，希望見她面後，不要使她太難堪，好嗎？」

容哥兒點點頭道：「好。」

江二姑娘微笑道：「她生性很要強，自會了斷，只希望你讓她死得安慰一些。」

容哥兒道：「你開門吧。」

江二姑娘舉起手中寶劍，點向石壁，回頭說道：「我和姐夫先進去，三位老前輩請在外面等候，聽我們招呼再進去。」

一明大師道：「好吧，我們在門外等候。」

江二姑娘回顧了容哥兒一眼，低聲說道：「咱們進去瞧瞧吧！」

容哥兒搶先一步，走在江姑娘的前面，低聲說道：「我替你開路。」

江二姑娘微微一笑，道：「不要慌，現在，石門還未開啊。」

容哥兒道：「這石門幾時才開？」

江二姑娘道：「如我啓門的方法不錯，大概一盞熱茶工夫內，就可以開了。」

容哥兒啊了一聲，不再多言。

片刻之後，突聞一陣軋軋之聲，石壁上裂現出一個門戶。

容哥兒道：「我走前面。」一側身，行入門內。

江二姑娘急急說道：「慢一些，扶著我一起走。」口中說話，人卻急急地行進去，她受傷甚重，勉強支持而行，這一向前奔行，立時支持不住，奔行的身軀幾乎跌摔在地上。

容哥兒急急伸出手去，一把扶住了江二姑娘。凝目望去，只見一條甬道直向山腹之中通去。

江二姑娘低聲說道：「姐夫，這甬道很遙長，一共有三處轉彎的地方。」

容哥兒道：「不見有把守的人呢？」

江二姑娘道：「原來這裏有守護，但都被我姊姊殺了。」

容哥兒道：「屍體呢？」

江二姑娘道：「我姊姊身上帶有一瓶化屍藥粉，只要在屍體上彈上少許，屍體即將化作一攤黃水。」

談話之間，行到了一處轉彎的所在。只見一道鐵柵，橫裏攔住了去路，鐵柵之內，盤膝坐著兩個人。洞中的光線很暗，但容哥兒目力過人，仍然瞧出鐵柵內人的人物形勢。只見兩個人盤膝而坐，滿身浴血，髮鬍虬結，閉著雙目，似是都受了很重的傷。

容哥兒輕輕咳了一聲，道：「這兩個人都受了很重的傷，是嗎？」

江二姑娘道：「嗯！傷得不輕。」

容哥兒道：「什麼人傷了他們？」

江二姑娘道：「他們自相殘殺，彼此互傷。」

容哥兒道：「爲什麼？」

江二姑娘道：「爲了爭我姊姊。」

容哥兒前胸上似被人重擊一拳般，長長吁一口氣，道：「你姊姊現在何處？」

江二姑娘道：「咱們闖過兩道鐵柵，才能見到她。」

容哥兒抬頭望了鐵柵之後，道：「還要再闖過一道鐵柵，是嗎？」

江二姑娘點點頭，低聲應道：「不錯，但咱們要先行設法解決一道，鐵柵內的受傷之人。」

容哥兒道：「如何一個解決之法呢？」

江二姑娘道：「你隱在背後，瞧著這些失去人性之人的行動。」

容哥兒略一沉吟，道：「你要小心一些。」容哥兒依言隱在江二姑娘的身後。

但聞江二姑娘嬌聲地說：「兩位傷很重嗎？」

兩個閉目而坐，身受重傷的怪人，突然睜開雙目，哈哈大笑起來。

兩個滿身劍傷，鮮血染衣的怪人，再加上那聲如受傷的野獸怒鳴的怪笑聲，不覺間使人生起了一絲恐怖之感。

江二姑娘嬌聲說道：「開開門讓我進去啊？」

兩個大漢突然停下了怪笑之聲，一齊起身，奔向那鐵柵。

容哥兒隱在江二姑娘的身後，看兩個帶傷之人，舉動仍然是迅快無比，不禁吃了一驚，暗道：「這兩人傷得如此之重，但竟似毫無痛苦的感覺。」

但見兩個怪人同時伸出手來，抓住了門上鐵鎖。

江二姑娘又發出嬌笑之聲，道：「快些啊！」

兩個怪人同時用力，啪的一聲，扭斷了柵上鐵鎖。

容哥兒心中一動，暗道：「這兩個受傷之人，竟還有如此大的腕勁。」

但見兩人同時向後一收右臂，鐵柵大開。兩個血淋淋的怪人，餓虎一般地撲向了江二姑娘。

容哥兒想一閃身出手，卻聽那江二姑娘啊喲一聲，向後退了兩步。

兩個怪人倒似是有著憐香惜玉之心，聞得那江二姑娘呼叫之聲，突然停了下來，瞪著四隻

大眼睛望著江二姑娘。
但聞江二姑娘嬌聲說道：「你們很好嗎？」
容哥兒心中暗道：「這兩個怪人，大約連頭腦也受了影響，所以，那江二姑娘，才以最簡單的話，以便兩人聽得明白。」
忖思之間，突聞兩個怪人吼叫一般地應道：「我很好，很好。」
江二姑娘伸出手去，握住了左面一人的右腕。
右面大漢臉色一變，冷冷說道：「放開他。」
江二姑娘眨動了一下眼睛，緩緩放開了左面大漢的手腕。
但聞右首大漢大喝一聲，右手一指，突然向江二姑娘抓了過去。但聞嚓的一聲，江二姑娘的衣服，被那大漢撕破了一個大洞，露出雪白的肌膚。
但聞左首大漢冷厲地喝道：「住手。」呼的一拳，擊向右首大漢。右首大漢，舉拳相還，兩人立時間展開了一場惡鬥。但見拳來拳往，呼呼風生，竟然是一場生死之搏。
兩個人都受了很重的傷，全身浴血，揮拳惡戰，似是全無痛苦之感。
江二姑娘回過頭來，微微一笑，道：「很簡單是不是？」
容哥兒點點頭，道：「不錯，但我很奇怪。」
江二姑娘道：「奇怪什麼？」
容哥兒道：「他們當真的沒有瞧到我嗎？」
江二姑娘道：「瞧到了。」
容哥兒道：「瞧到了，為何不肯合力對付我，兩人卻自相殘殺起來？」

江二姑娘微微一笑道：「他們沒有工夫對付你。」

容哥兒道：「爲什麼？」

江二姑娘道：「他們急於要自己分個勝敗，好霸佔我。」

容哥兒道：「原來如此？」

語聲微微一頓，接道：「他們都受了很重的傷，是嗎？」

江二姑娘道：「不錯啊！」

容哥兒道：「一個人武功再強，傷得如此之重，只怕也沒有再戰之能，但看兩人的惡鬥，卻是剽悍絕倫，似是全然不知傷痛。」

江二姑娘道：「我不是說過了嗎？王子方給他們服用的藥物，不但使他們的神智受損，而且體能上也發生了很大的變化，耐受痛苦之力，強過常人十倍。」

容哥兒長長吁一口氣，道：「果然是可怕得很。」

但聞砰砰兩聲，兩個人各擊中對方一拳，各自向後退了三步。但略一猶豫，兩人又開始鬥在一起。

容哥兒道：「現在，咱們應該如何？」

江二姑娘道：「等他們再打一會兒，都到了筋疲力盡之時，咱們再出手殺了他們，這第一道關口，就算破去了。」

容哥兒口中啊了一聲，道：「原來如此。」

心中卻暗暗地忖道：「這江二姑娘看起來，比起她的姊姊，還要惡毒一些。」

但聞兩聲怒喝，兩個浴血大漢，突然纏在一起，互相抱住對方，摔倒在地上。

江二姑娘提一口氣，咬牙突然一揮手中長劍，只聽「咔嚓」的一聲，兩顆人頭，同時滾出去了四、五尺遠。

江二姑娘長長喘了口氣，伸手抓住容哥兒，穩住了搖搖欲倒的身子。

容哥兒疾快地伸出手去，挽住了江二姑娘右臂，道：「你已經沒有和人動手的能力，遇上敵人，不用出手了。」

江二姑娘搖搖頭，道：「姊夫，這些守護鐵柵的人，一個高過一個，我已是殘花敗柳，實也談不上什麼節德二字……」突然住口不言。

容哥兒一皺眉頭，道：「你怎麼不說了？」

江二姑娘道：「下面的話，很難出口了，說出來，你只怕聽不入耳。」

容哥兒道：「不要緊，你儘管說吧！」

江二姑娘道：「我的身體已遭人摧殘，所以，對這具軀殼我已經不再重視了。」

容哥兒道：「你的意思是……」

江二姑娘道：「我意思是，想以捨身餵虎之法，任他們糟蹋我這具殘破的軀體，以求美化我的靈魂……」

長長吁一口氣，接道：「日後，武林中提起我江玉鳳，大家會罵我一聲很壞的女孩子，但若也讚揚我幾句捨身救世，這就好了。」

容哥兒暗一沉思道：「我明白了。」

江玉鳳道：「那很好，你看入眼中，希望能忍耐一二。」

容哥兒道：「你要佈施色相……」

江玉鳳道：「我色在何處？我容貌已遭破壞，我想世上再也沒有比我更難看的女人了。」

容哥兒望望江玉鳳那一張醜怪之臉，心中暗道：「她說的也是實話，這張臉的確夠醜的了，奇怪的是，那些人，怎的竟肯爲這樣一張醜臉，捨身相搏。」

江玉鳳緩緩把長劍交還給容哥兒的手中，道：「答應我一件事。」

容哥兒道：「你說吧。」

江玉鳳道：「把握著殺敵的機會，不要有一分仁慈之心，你對敵人多一分仁慈，我就多受一分傷害。」

容哥兒心中雖然十分難過，但還是強自忍了下去，未再多言。

江玉鳳道：「我怕你瞧了難過，但也是無法逃避的事了，只好讓你瞧瞧吧！」

容哥兒道：「我很慚愧，但卻無法保護你，咱們走吧？」他心中已知曉發生些什麼事，但自己又無能阻止，也無法幫助她，內心痛苦，無與倫比。

江玉鳳道：「慢一點好嗎？」

容哥兒已然舉步向前行去，聞聲停下腳步，道：「什麼事？」

江玉鳳道：「讓我把自己裝飾得好看一些。」

容哥兒道：「你還要戴面具。」

江玉鳳道：「不錯，我自己裝飾得好看一些，死了也甘心一些。」

容哥兒點點頭道：「我，我等你。」

江玉鳳輕輕歎息一聲，道：「你轉過臉去，不要看我。」

容哥兒應了一聲，依言轉過臉去。

大約過了一頓飯工夫之久，突聞那江玉鳳緩緩說道：「你轉過來吧！」

容哥兒回頭看去，只見那江玉鳳正在舉手束髮。那一張醜怪的臉，突然間變成了白裏透紅。

容哥兒歎道：「玉鳳，你算是天下最可憐的女孩子了。」

江玉鳳嫣然一笑，道：「我已經無法在人間留下一個美麗的軀體，現在，我要留下一個美麗的靈魂。」

容哥兒道：「唉！我知道，你準備捨身救世，這是人間最為博大的精神，如若能夠取得解藥，天下英雄都將永遠懷念著你。」

江玉鳳道：「你呢？」

容哥兒道：「我也一樣崇敬你的偉大。」

江玉鳳道：「如是你的妻子，犯了這等大錯，你能原諒她嗎？」

容哥兒道：「你可是在替你姊姊說情嗎？」

江玉鳳道：「不錯，我們江家無後，只有我們姊妹兩個人，我已是滿身罪惡，死不足惜，但姊姊並非壞人，她捨身就賊，那是為了救世，縱然她身非完璧，但她的靈魂卻一樣貞潔。」

容哥兒點點頭道：「我明白，到時我自會酌情而做，你不用擔心了。」

江玉鳳淡淡一笑道：「好吧！你們夫妻間事，我也無法管得太多，但姊夫已看到了我的悲慘景象，對待我姊姊時，希望你有一份仁和之心。」

容哥兒道：「我會三思而行。」

江玉鳳淒涼一笑，舉手理一下散披肩頭的長髮，舉步向前行去。容哥兒緊隨身後，轉過一個彎，果然又見一道鐵柵，攔住了去路。那鐵柵中端坐著一個髮鬚虬結的怪人。

江玉鳳道：「過此鐵柵，就是存放藥物之處了。」

容哥兒突然感覺一陣心跳，道：「你姊姊就在此地嗎？」

江玉鳳點點頭道：「不錯，你守在轉彎處，藏好身子，未聽到我的呼叫之聲，不可現身，我去誘他開門。」

向前行了兩步，突然又回過頭來道：「不論發生什麼事，你都要沉得住氣，未聽我呼叫之前，不可擅自現身。」

容哥兒道：「不可太過涉險。」

江玉鳳理理衣衫道：「記著我的話。」轉身向前行去。

容哥兒望著江玉鳳的背影，心中暗道：「她一個身受重傷的女孩子，爲了搭救武林的劫難，臨死佈施色相，這究是蕩婦，還是聖女？」只覺思潮起伏，兩方面都有著很多的理由支持，一時間竟然無法分辨江玉鳳是對是錯。

突然間，身後傳來了一陣步履之聲，驚醒了容哥兒的思潮。轉頭看去，只見一明大師、上清道長、赤松子等，魚貫而來。

容哥兒生恐幾人呼叫出聲，急急迎了上去。

一明大師低聲說道：「老衲等久候兩位，不見回音，就自己行了進來。」

容哥兒道：「諸位小聲一些，江二姑娘正在……」只覺下面，很難有適當的措詞形容出口，只好住口不言。

一明大師道：「江二姑娘正在什麼？」

容哥兒道：「江二姑娘在……在……你們自己看吧？」

一明大師探頭望去，只見江玉鳳站在鐵柵外面，正和那柵內之人談話。

一明大師道：「江二姑娘面臨強敵，處境極是危險，老衲去助她一臂之力如何？」

容哥兒搖頭，道：「不用去幫她了，她無法用武功勝人。」

一明大師啊了一聲，道：「她要說服那守護鐵柵的人嗎？」

容哥兒搖搖頭道：「不是，她在施用手段。」

一明大師幼小出家，對人間諸般複雜事務，知曉有限，仍是聽不出容哥兒話語中的弦外之音，當下說道：「江二姑娘可是準備在暗中下毒？」

容哥兒搖搖頭，道：「她在佈施色相。」

一明大師心中還是不太了解，正待開口相詢，瞥見那關閉的鐵柵，突然大開。柵中人有如餓虎撲羊一般，飛躍而出，雙臂齊伸，竟然把那江玉鳳抱入懷中。奇怪的是，那江玉鳳並未讓避，竟然讓那柵中人抱個滿懷。最使一明大師不解的是，江玉鳳竟然也張開雙臂，把那怪人抱住。一明大師很少看到過男女相擁之事，急急地別過頭去，不敢多看。

低聲說道：「容施主，那人和江姑娘很熟識嗎？」

容哥兒道：「他們素不相識。」

一明大師道：「那她……」

但聞江二姑娘嬌喝一聲，突然間向後退了五步，一跤跌坐在地上。凝目望去，只見那怪人，小腹上鮮血泉湧而出。一把短劍，刺入了那怪人的小腹之中。

赤松子大喝一聲，突然急步而出。容哥兒想待攔阻，已自不及。只見那赤松子奔如閃電，

行到那怪人身前，舉手一掌，拍在那怪人前胸之上。這一掌落勢奇重，那大漢吃赤松子一掌，打得倒退了三步，仰面倒摔在地上，氣絕而逝。

赤松子一掌擊斃那怪人之後，回頭去扶江玉鳳。

江玉鳳一皺眉道：「誰要你們進來的？」

赤松子一怔，道：「姑娘……」

江玉鳳急急接道：「你既然來了，還不快些搶入鐵柵？」

赤松子道：「但姑娘受了重傷。」

江玉鳳一揮手，連聲催促著道：「快些搶入鐵柵，不用管我。」

赤松子看她催促急迫，也不知道是怎麼回事，只見一條人影，疾如流星一般急奔而來。赤松子恍然大悟，縱身而起行入鐵柵之中。那出現的人影，亦以極快的身法，衝向鐵柵。兩人幾乎同時奔行到鐵柵前面。赤松子左手抓到鐵柵，側身而入。他身軀進入鐵柵一半，那人長劍已然出鞘，揚手一劍，刺了過來。赤松子手中無劍，但卻又不能向後退避，那鐵柵粗逾兒臂，堅實無比，如是讓對方重行關上鐵柵，再想破除鐵柵，可是大不容易的事了。

心中念轉，右手突然一揮，打出一股強勁的掌力，震得對方劍勢一偏，就在對方劍勢一偏之際，赤松子屈指向劍上彈去。對方武功亦甚高強，出手的劍勢，沉重穩固，赤松子強力一掌，只不過震得對方劍勢微微一沉，劍掌交錯而過，劃破了赤松子右腕上的衣袖。

赤松子雙腳連環飛起，踢向那人小腹，口中喝道：「好劍法！」

那人一身黑衣，臉上也用黑布包起，只露出一對眼睛。但見那黑衣人疾退兩步，避開了赤松子的連環飛腳。

赤松子全身衝入了室中，運用掌風搶先攻去。他本是劍術大家，和那蒙面人，對了一招，已知對方劍術造詣極深，自己赤手空拳，決然非敵，必得搶制先機，才可支撐一陣。那蒙面人似是有意相讓，待赤松子掌勢連環擊出之後，才揮劍反擊。赤松子搶了先著，對方手中有劍，暫時保持秋色平分之局。

這時，上清道長、一明大師、容哥兒全部趕到。

容哥兒抱起受重傷的江玉鳳。

上清道長卻撿起地上長劍，閃電一般行入鐵柵，道：「道兄閃開，這一陣讓給我吧？」赤松子空手搏人兵刃，鬥得十分吃力，聞聲退後三步。

上清道長長劍一振，冷冷說道：「閣下劍上造詣甚深，不知何以不肯以真正面目見人。」口中說話，手中長劍卻連環擊出，指向那蒙面人的要害大穴。那蒙面人一語不發，全力運劍反擊。兩人劍來劍往，展開一場搶制先機的快攻。但見雙劍交錯，寒芒輪轉，片刻之後，已然無法分出敵我。上清道長乃武當門長老，劍術上成就甚大，但那蒙面人竟然能從容應付。一明大師和赤松子一側觀戰，都看得呆呆地出神。原來，那上清道長劍招變化神奇，極盡玄奇之妙，但那蒙面人都能見招破招，見式破式。

搏鬥中，突見上清道長急攻兩劍，向後退了兩步，道：「住手！」

那蒙面人停下手中劍勢，雙目盯注在上清道長臉上瞧著。

上清道長神情肅然，緩緩說道：「閣下和武當有何淵源，竟然深通武當劍法變化之妙。」

那蒙面人點點頭，又搖搖頭，卻不肯開口說話。

上清道長一皺眉頭，道：「閣下叫什麼名字？」

那蒙面人又搖搖頭，仍是不肯開口。

上清道長怒道：「你不肯說話，難道是天生的啞巴？」

蒙面人又搖搖頭。

上清道長冷笑一聲，道：「你既不肯說出和武當有何淵源，貧道殺了你咎不在我了！」

容哥兒突然接口說道：「老前輩，他在回答你的問話。」

上清道長道：「他回答貧道什麼了？」

容哥兒道：「他告訴你不是天生的啞巴。」

上清道長微微一怔，目光又轉到那蒙面人的臉上，道：「那你是半途變啞了？」

蒙面人點點頭。

上清道長心中大感煩躁，回頭望了容哥兒一眼，道：「這種打啞謎的事情，貧道無能應付，容少俠請來幫貧道一個忙吧？」

容哥兒向前行了兩步，一拱手，道：「閣下的舌頭，可是被人割了？」

那蒙面人點點頭，發出怪聲怪氣長歎。

容哥兒凝目望去，只見那蒙面人目光閃爍不定，似乎是有著無限焦慮，心中大感奇怪，暗道：「這人看上去有些神智不清，不知道是怎麼回事。」

正待出言詢問，突聞一陣急促的鈴聲，傳了過來。那蒙面人聞得鈴聲之後，有如發狂一般，突然揮劍向上清道長攻去。上清道長揮劍接架，兩人又展開激烈絕倫的惡鬥。

不一會兒工夫，兩人已鬥五十餘招。

容哥兒回顧了一明大師和赤松子一眼，道：「看兩人搏鬥情勢，似是個秋色平分之局，咱

們卻不能等他們分出勝敗再走。」

赤松子道：「貧道去助他一臂之力。」仗劍向前行去。

容哥兒一側身，攔住了赤松子，低聲說道：「道長武功高強，如若一出手，對方勢必傷在道長手中不可。」

赤松子道：「傷了他，咱們才能夠過去，不是嗎？」

容哥兒道：「但上清老前輩並無殺害對方之心，如老前輩殺錯了那蒙面人……」

赤松子接道：「他和咱們動手，攔阻咱們去路，動手相博，不是你死，便是我亡，還要手下留情？」

容哥兒道：「晚輩有一個奇想，覺著上清道長顧慮不錯。」

赤松子道：「什麼奇想？」

容哥兒道：「如若那蒙面人是武當掌門，是否可能？」

赤松子怔了一怔，道：「這想法不錯，上清道長乃武當名宿，兩人的劍路相同，除了武當派的掌門人之外，還有何人能夠有此能耐。」

突然間赤松子對容哥兒生出了敬重之心，拍拍容哥兒的肩頭，笑道：「令尊才智、劍術冠絕一代，令堂乃武林中第一美人，才能生出你這等聰明的孩子，小娃兒，你說咱們應該如何？」

這番話雖是讚美之言，但聽在容哥兒的耳中，卻是別有滋味，苦笑一下，道：「晚輩之意，讓他們兩人在此搏鬥，我們衝進去瞧瞧。」

赤松子道：「好！貧道帶路。」一側身閃過上清道長和那蒙面人，大步向前行去。

六十　江湖滄桑

上清道長道：「大師放心，貧道實有足以自保之能。」一面答話，一面一緊劍勢，迫得那蒙面人退到一側。

一明大師一側身，望著容哥兒道：「兩位先請。」

江玉鳳道：「我不行了，你們去吧！見了我姊姊之後，她自會告訴你們對敵之法。」

容哥兒蹲下身子，道：「我揹著你走吧？」

江玉鳳道：「我已無和人動手之能，你揹著我豈不是礙了你的手腳。」

容哥兒道：「不要緊。」

一明大師緊追容哥兒身後而行，隱隱有保護之意。

這時，那急促的鈴聲，漸轉緩慢，但並未完全斷絕。

江玉鳳低聲說道：「姊夫，快些叫住那位道長，不要再向前走了，以免涉險。」

容哥兒知她言必有證，立時高聲叫道：「道長止步！」

赤松子回頭問道：「爲什麼？」

容哥兒道：「鳳妹，如何回答他？」

江玉鳳提高聲音道：「前面危險，道長要小心一些。」

赤松子道：「貧道……」兩個字剛剛出口，耳際間突聞衣袂飄風之聲，挾帶著一道銀芒，迎面刺到。只覺右臂一麻，身不由己地被震得向後退了一步，不禁心頭大震，輕敵之念，一掃而空。

赤松子心中雖然驚駭，但長劍疾急反擊，右腕一震，揮劍刺去。只聽噹的一聲，手中長劍，又被震開。

交手兩劍，使得赤松子大為震動，對手功力之深，腕勁之強，乃生平未遇過的勁敵。那人也穿著一身黑衣，而且也用黑巾包住了面孔。手執著一把明晃晃的戒刀，封開赤松子的劍勢，立時揮刀還擊。兩人立時又展開了一場激烈絕倫的惡戰。

赤松子一面揮劍力戰，一面暗暗忖道：「不知王子方從何處找來這麼多高手，如是再有一個，還有一明大師可抵，但如再多一個，容哥兒就難是對方之敵了。」就這心神一分，已被對方搶去先機，快刀如電，攻了五招，迫得赤松子一連向後退了三步。

一明大師道：「好刀法，道兄，這一陣讓給老衲如何？」

赤松子急急揮劍搶攻，一面說道：「貧道還可以支持。」劍幻一片寒芒，急攻三招。

一明大師心知他生了誤會，急急說道：「老衲看此人的刀法，有些奇怪。」

赤松子道：「不錯，這人的刀法，不在那蒙面人劍法之下，內力之強，尤有過之。」

一明大師道：「老衲是說他的刀法路數……」

赤松子道：「我知道，他這刀法之中，正蘊藏著詭奇，詭奇中似含正大，乃貧道生平未曾見的奇刀。」

一明大師道：「道兄，可否聽老衲把話講完，你再接說如何？」

赤松子道：「你說什麼……」精神一分，被那蒙面人一連三刀，迫得向後退了兩步，幾乎劃破了衣服。

一明大師手中沒有兵刃，只好搶上兩步，揮手劈出兩掌，兩股掌風，直撞過去，那蒙面人目光一轉，望了一明大師一眼，手中戒刀一緩。赤松子及時而上，刺出兩劍，這兩劍快如電奔，那黑衣人閃避不及，被劍芒劃破了左臂，衣服破裂，隱見鮮血。蒙面人大爲震怒，戒刀一揮，搶攻過來，兩人劍來刀往，又展開一場惡鬥。

容哥兒低聲說道：「大師可是有些懷疑嗎？」

一明大師道：「老衲有一個奇想。」

容哥兒道：「和那上清老前輩一樣，覺著他是你們少林高僧。」

一明大師道：「不同的是，老衲想得更爲具體一些。」

容哥兒道：「你想可能是一瓢大師？」

一明大師一怔，道：「小施主果然聰明，可惜老衲手中無刀……」

容哥兒道：「有刀又能如何？」

一明大師道：「如是老衲手中有刀，十招之內，可以試他是否一瓢大師了？」

容哥兒道：「好，老禪師請照顧江姑娘的安危，晚輩去替老前輩尋刀去。」

一明大師道：「不用了，老衲自己去找吧！」

容哥兒道：「你太正派了，很難找到，還是晚輩去吧！」

一明大師心中暗道：「如論智謀詭計，我是萬萬難以及他。」當下微微一笑，不再多言。

容哥兒回顧了江玉鳳一眼，低聲說道：「你要保重，我去去就來。」

江玉鳳道：「這件事有些奇怪。」
容哥兒道：「什麼事？」
江玉鳳道：「這兩個人，武功如此高強，怎麼沒有聽姊姊說過呢？」
容哥兒道：「那是說這些人都是新來的了！」
江玉鳳道：「不錯。」
容哥兒低聲對一明大師說道：「大師猜得不錯，這位蒙面人可能是令師兄。」
一明大師道：「那位和上清道兄交手的人，又是何許人物呢？」
容哥兒道：「晚輩推想，他可能是真的武當掌門人。」
一明大師道：「容施主和老衲見解相同。」
容哥兒一轉身，向外奔去。大約去了有一盞熱茶工夫，和上清道長聯袂而來。
容哥兒左手拿著一柄長劍，右手拿著一把單刀，緩緩把單刀交給一明大師，道：「戒刀難找，這把單刀，大師將就著用吧！」
一明大師掂了掂手中的單刀，道：「分量輕了一些。」
目光轉到容哥兒的臉上，接道：「怎麼回事，那蒙面人呢？」
上清道長搶先接道：「容小俠助了我一臂之力，點了他的穴道。」
一明大師道：「原來如此……」
語聲一頓，接道：「那人是何身分？」
上清道長道：「貧道無暇仔細問他，只好先行點了他的穴道，聽容小俠說，你們又遇上了一個強敵打得十分激烈，貧道想趕來相助一臂之力。」

轉目望去，只見赤松子和那蒙面人已打入生死關頭，刀劍交錯，搏鬥得激烈絕倫。

表面上看去，兩人打一個不勝不敗之局，實則，一明大師、上清道長都已瞧赤松子在勉強支持。如是無人援手，十招之內，赤松子不死亦要重傷。

一明大師長長吸一口氣，道：「道兄，請退後一步，讓老衲會會這位高人。」

赤松子應了一聲，向後退了兩步。

一明大師快速地搶前兩步，橫裏一刀，斬了過去。那蒙面人不讓不避，橫刀一封，硬接了一刀。但聞噹的一聲金鐵大震，兩人硬碰硬地接了一招。一明大師早已用了九成內力，希望一擊能夠把對方的兵刃震飛。哪知雙方兵刃交接之下，竟是個秋色平分之局。隱隱間，一明大師感覺到右臂發麻。

一明大師心頭微震，暗道：「當世武林高手中，能夠和我一較內力的人，屈指可數，這人是何許人物，竟然有此能耐？」

心中念轉，口裏卻不自主地叫道：「一瓢師兄。」

這幾句話，聲音雖然不高，但卻因內力，一字一字地送入了那蒙面人的耳中。因他臉上蒙著黑紗，使人無法瞧出他的神色表情，唯一的辦法，只有從他的眼睛中，瞧出一點蛛絲馬跡。所以，一明大師叫出一瓢大師的姓名之後，立時將目光投注在那蒙面人的雙目中，希望能從他的目光中，瞧出他的反應。只見那蒙面人內心之中，似是受到了激動，雙目中閃出了一種奇異的神光。

但聞鈴聲傳來，那蒙面人目中奇異的神光，突然消失不見。只見他一揮手中戒刀，疾向一明大師刺了下去。一明大師長歎一聲，施展開手中單刀，全力還擊。兩人同時施展出少林刀

法，展開了一場惡鬥。

上清道長低聲說道：「看兩人搏鬥形勢，似是也非一、兩百招內能夠分出勝敗，咱們不能等他們了。」

容哥兒道：「好！咱們一同進去瞧瞧。」抱起江玉鳳，側身向前行去。

赤松子低聲對上清道長道：「道兄，你留此助一明大師，貧道和容施主同行。」

上清道長搖搖頭，道：「不用留此助他，一明大師決不會敗。」

赤松子道：「爲什麼？」

上清道長道：「以貧道剛才的經驗，兩百招後，對方的力道就愈來愈弱了，一明大師足可應付，咱們先設法取得解藥要緊。」一面說話，一面已搶在赤松子身前，緊追容哥兒身後而去。

赤松子沉聲說道：「道兄，請走在前面。」

上清道長應了一聲，搶在容哥兒的前面。

赤松子也急行了兩步，緊追在容哥兒的身後，兩人一前一後，隱隱有保護之意。幾人又行數丈距離，到了一座石門前面。

江玉鳳低聲道：「姊姊就在這間石室之中，咱們進去瞧瞧吧。」

容哥兒突然一側身，搶在上清道長前面，行入石室之中。抬頭看去，只見一座鋪著虎皮的石榻之上，躺著一個身著青衣的少女。

江玉鳳低聲說道：「姊姊嗎？」

容哥兒放下了江玉鳳，快步行近石榻，扶起了榻上少女，低聲說道：「你受了傷？」

那少女緩緩說道：「你是容郎？」

容哥兒道：「正是小兄。」原來，那躺在石榻上的少女，正是江煙霞。

江煙霞道：「扶我坐起來。」

容哥兒依言扶起了江煙霞，道：「王子方現在何處？先設法找到王子方，咱們再說不遲。」

江煙霞道：「不用找他了，榻旁石案上，有一盞油燈，油燈旁有火摺子，你先燃起燈火，咱們再仔細地談。」

容哥兒伸手摸去，果然有一個火摺子，晃燃火摺子，燃起燈火。室中頓時光亮起來。容哥兒借著燈光望去，只見那江煙霞原本帶有病容的臉上，此刻病容更爲明顯。

容哥兒黯然歎息一聲，道：「我知道你受了很多委屈，不用解說了，目下最爲要緊的事，是先設法找到王子方，除去元凶首惡，取得解藥。」

江煙霞道：「王子方作法自斃，不用急著找他了。」

上清道長接道：「解藥呢？」

江煙霞長長吁一口氣，道：「我知道，不過那存放之處，很凶險。」

上清道長道：「不要緊，我們既然來了，不論何等凶險的地方，也要設法取到解藥。」

江煙霞望了容哥兒一眼，道：「容郎，讓我休息一下好嗎？」

赤松子輕輕咳了一聲，道：「姑娘只管休息，既然已找到了此處，急也不在一時。」

室中燈火明亮，景物清晰可見。容哥兒凝目望去，只見江煙霞身著衣裙完好如初，並非如江玉鳳所言，慘相如何難看。

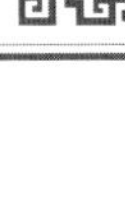

心中懷疑，忍不住低聲問道：「賢妻，令妹對我說，你的際遇很慘，但在下並未看出有何不同啊！」

江煙霞搖搖頭，歎息一聲，道：「她說得不錯，你如早來一個時辰，就可以看到我那等披頭散髮的狼狽之狀了……」

容哥兒道：「我堂堂七尺男兒，不能保護妻子，想來，實在是慚愧得很。」

江煙霞道：「賤妾已然是殘花敗柳，已不配為你的妻子。」

容哥兒道：「事情不能怪你……」

江煙霞突然站起身子，格格一笑，道：「我只要聽這一句話，已經心滿意足了，咱們走吧！」

容哥兒道：「到哪裏去！」

江煙霞道：「取解藥去。」

容哥兒道：「急什麼？咱們多休息一會兒再去不遲。」

江煙霞道：「我現在覺著好多了，唉！在我想像之中，你見我之後，心中一定非常仇怒，想不到你竟然這樣待我。」

突然流下傷心的情淚，接道：「容郎，你如果罵我一頓，我也許會好過些。」

容哥兒道：「事情已經過去了，不提也罷！」

江煙霞道：「我本來已覺著無顏再見你之面，早已想到死亡，但我想到，自己既然是已經犧牲了，為什麼不設法取得解藥之後再死呢！」

赤松子道：「姑娘取得解藥之後，即將是天下武林人人敬慕的人物了，為什麼還要死

呢？」

江煙霞道：「道長不懂，一個人的生命固然可貴，但還有比生命更珍貴的事物，尤其是對我們女人而言。」赤松子碰了個軟釘子，默然不再多言。

江煙霞伸手按在容哥兒的肩上，低聲說道：「容郎，那存放解藥之處，十分危險，你要先答應我，屆時不可涉險。」

容哥兒道：「我不涉險，由何人涉險呢。」赤松子、上清道長，都已經聽到了這句話，但他們卻未接口。

但聞江煙霞道：「由為妻上前。」

容哥兒道：「咱們已有夫妻之名，應該生死與共才是。」

江煙霞道：「這不是爭名稱雄的比武，機智和武功，都沒有多大用處，完全要靠運氣才成。」

容哥兒緩緩說道：「那是一處什麼樣的所在？」

江煙霞道：「充滿著恐怖和惡毒。」

容哥兒道：「這麼辦吧！咱到時再作商量如何？」

江煙霞搖搖頭道：「不行，你要答應我，我才能帶你去。」

容哥兒無可奈何，道：「好吧！我答應你。」

江煙霞微微一笑，緩步行到江玉鳳的身側，道：「玉鳳，你傷得很重嗎？」

江玉鳳強忍著傷疼，道：「我傷得不輕，但我現在覺著自己不會死了。」

江煙霞苦笑一下，道：「妹妹，現在，我才體會到你過去內心的痛苦。」

江玉鳳嗯了一聲，道：「苦與樂，成強烈的對比，姊姊心目中早有情郎，你應該比我幸運多了，但也正因如此，你內心中的痛苦，比我更深十倍。」

江煙霞扶起江玉鳳道：「妹妹，我扶你去休息一下。」

江玉鳳道：「不要我同去幫忙嗎？」

江煙霞道：「不用了，你傷得這樣重。」扶持江玉鳳登上石榻。

江玉鳳人早已不能支持，登上石榻之後，立時倒臥下去。

赤松子望望石榻上的江玉鳳，低聲道：「容少俠，可要留個人下來保護這位江姑娘嗎？」

江煙霞道：「不用了，你們制服了武當掌門人之後，王子方已然逃走，這裏不會再有人傷害她了。」

上清道長怔了一怔道：「那蒙面人就是我們武當掌門？」

江煙霞道：「不錯。」

赤松子突然接口說道：「第二個和我們動手的，又是何許人呢？」

江煙霞道：「你們應該想到才對。」

赤松子道：「可是少林門中的一瓢大師？」

江煙霞道：「是的。」舉步向前行去。

容哥兒緊行一步，和江煙霞並肩而進，一面低聲問道：「那王子方還有多少相從的高手？」

江煙霞道：「很多很多，但他作法自斃，那些人都已成爲廢人了。」

容哥兒道：「爲什麼呢？」

江煙霞道：「因為他們服用了毒藥。」

容哥兒淡淡一笑，道：「王子方手中現有解藥，為什麼不給他們服用呢？」

江煙霞道：「王子方不敢給他們服用。」

赤松子接道：「那又為何？」

江煙霞道：「因為那解藥乃是絕對之物，服用之後，不但一個人體能上的變化，受到影響而解除控制，就是他心智上的變化亦將解凍，那時，那些人不但不再助他，而且個個都將成為他的死敵了。」

赤松子點點頭，道：「原來如此。」

上清道長突然一皺眉頭，道：「貧道覺著還有一事，至為可憂。」

赤松子道：「什麼事？」

上清道長道：「如若那王子方毀去解藥，咱們該當如何呢？」

赤松子道：「不錯，咱們得快些趕去。」

江煙霞搖搖頭道：「不用急，如若那王子方要毀去，咱們趕去也來不及了，不過，賤妾想他不致毀去解藥。」

赤松子道：「願聆姑娘高論。」

江煙霞道：「那王子方如若自知必敗，將會留下解藥，用以保命。」

赤松子道：「那王子方罪惡深重，難道還寄望我們寬恕於他嗎？」

江煙霞道：「這是一樁很奇怪的事情，愈是大奸巨惡，愈是怕死，賤妾分析王子方，人雖聰慧絕倫，但他素有求倖之心。因此，經常以解藥換來生存。」

赤松子道：「姑娘說得也有道理。」講話之間，已到了石洞盡處，一道小壁橫攔去路。

上清道長道：「前面已無去路，咱們可是走錯了路嗎？」

江煙霞道：「沒有錯。」說話之間，舉手在石壁上按了三下。但聞一陣軋軋之聲，石壁裂開了一道石門，一股強烈的腥味，直撲入鼻中。赤松子、上清道長、容哥兒都不禁舉手掩鼻。

容哥兒低聲問道：「這是什麼地方？」

江煙霞道：「蛇陣，要到那存放解藥之處，非先經過這蛇陣不可。」

容哥兒道：「就這樣目難見物的摸黑過去嗎？」

江煙霞道：「不，有很少的燈光可以照明。」

容哥兒道：「那還好些……」

語聲一頓，接道：「燈光何在？」

江煙霞探手在石門內壁間一摸，摸出了一個小燈籠，晃燃火摺子，點起來燈火。這小燈籠果然是小，小的只可照亮身前數尺左右。

江煙霞道：「你們在門外等我，我進去取解藥。」

上清道長道：「貧道和姑娘同行如何！」

江煙霞回顧了上清道長道：「你要去？」

上清道長道：「爲了救天下蒼生，貧道豈敢後人。」

江煙霞道：「你過不了這毒陣。」舉起手中燈火，向門外一探。群豪凝目望去，只見燈光耀照之下，蛇群蠕蠕而動。

上清道長雖然武功絕倫，但見那密集的蛇群，不禁心頭駭然，暗道：「這蛇群如此密集，

簡直無落足之處，如何一個過渡之法呢？」

只聽江煙霞輕輕歎息一聲，道：「不論如何高強的武功，也無法逃避被毒蛇咬傷的厄運。」

江煙霞道：「蛇群之上，本有一座浮橋，但那浮橋的機關，操在對岸，咱們除了踏蛇而過之外，別無他法。」

上清道長道：「這蛇陣有多長的距離？」

江煙霞道：「大約有十丈以上，而且其間有三個轉彎。」

上清道長道：「貧道果無越渡之能，但姑娘又如何能夠越渡呢？」

江煙霞道：「只有一個辦法。」

上清道長道：「忍受那毒蛇咬傷之疼？」

江煙霞道：「不錯，我說一般人無法越渡。」

上清道長掂了掂手中寶劍，道：「姑娘可以冒險，貧道如何不能？」

赤松子道：「不過是千條毒蛇嘛，咱們先行殺死牠一部份，然後再設法越渡。」

江煙霞道：「這陣中毒蛇不下萬條以上，咱們如何能殺得完呢？」

赤松子笑道：「殺一條蛇，咱們就少一個被咬的機會。」

江煙霞搖搖頭道：「這些蛇別無去路，如是激發牠們的狂性，勢必要迫得追襲咱們不可……」語聲一頓，接道：「就賤妾所知，原本有一個馴蛇的人，但那王子方不放心他的忠實，因此，就讓他服下了毒藥，如今毒性發作，已然無法控制這些毒蛇了。」

赤松子道：「姑娘，現在要緊的是，咱們要如何渡過這些蛇陣？」

江煙霞道：「只有一個辦法。」

赤松子道：「什麼辦法，快說。」

江煙霞道：「咱們慢慢地走過去，不要使這些毒蛇受驚。」

赤松子呆了一呆道：「這陣中毒蛇太多，咱們隨便走過去，就可能踏在一條毒蛇身上，豈能不被毒蛇咬傷。」

江煙霞道：「就算被毒蛇咬傷了，也要忍下去不講話。」

赤松子道：「如是毒性發作呢？」

江煙霞道：「所以，你們要事先運功，閉住血脈，不使奇毒隨行血攻入內腑。」

上清道長道：「這個貧道自信還可以支持，不過有一點，貧道要先行明白。」

江煙霞道：「什麼事？」

上清道長道：「過了這道蛇陣，是否還有險阻？」

江煙霞道：「如若那王子方不願束手就縛，自然還要有一場拚搏了。」

上清道長略一沉吟，道：「貧道先試一下，如是在一個時辰左右，還沒有消息傳來，那就是死傷在對方手中了。」

江煙霞搖頭道：「你如被毒蛇咬傷之處太多，只怕也無法支持得下去。」

上清道長道：「但目下情形，似是尚無兩全之策。」

江煙霞道：「所以，只有我過去了。」

赤松子道：「姑娘不怕蛇咬嗎？」

江煙霞道：「我不怕。」舉步向前行去。

只見她躍入蛇陣，緩步前行。她步履從容，神態輕鬆瀟灑，似乎和行走在常路上無異。

容哥兒急急叫道：「霞妹，等我一下。」

江煙霞回過頭來，冷冷說道：「咱們說過了，你不能去。」

容哥兒道：「但你一個人，要我如何放心！」

江煙霞道：「你如一定要去，只有一個法子。」

容哥兒道：「什麼法子？」

江煙霞道：「跳在我的背上，我揹你過去。」

容哥兒道：「那怎麼成？」

江煙霞道：「不成，你就不要過去。」

容哥兒無可奈何，道：「好吧！你要小心一些了。」縱身而起，躍落在江煙霞的背上。

江煙霞回目一笑，道：「兩位請在這裏等著，我們去了。」

上清道長、赤松子互望了一眼，齊聲說道：「如是在兩個時辰之內，你們還不回來，我們就趕去瞧瞧。」

江煙霞道：「好吧！不過兩位要注意一件事。」

赤松子道：「什麼事？」

江煙霞道：「不許任何人趕進去。」

赤松子笑道：「除非那人能把我們兩個殺掉。」

江煙霞突然一皺眉頭，欲言又止。

上清道長吃了一驚，道：「姑娘，可是破毒蛇咬了一口？」

江煙霞搖搖頭，道：「沒有的事。」舉步向前行去。

上清道長輕輕歎息一聲，對赤松子道：「道兄，江姑娘的年事雖輕，但她的仁俠之心，卻是咱們難及萬一。」

赤松子道：「如是這位江姑娘真能取得解藥，救了天下英雄，貧道非要說服天下英雄，贈她一個盟主身分不可。」

上清道長道：「這個麼？貧道一力贊助。」兩人一面交談，一面等待，心中卻是焦慮無比。

大約等過一個時辰左右，突見燈光冉冉，江煙霞仍然揹著容哥兒，緩步行了過來。她步履從容地行在群蛇陣中，竟似若無其事。

赤松子心中大感奇怪，低聲說道：「道兄，那毒蛇似乎是不咬江煙霞。」

上清道長道：「她身上已經是蛇傷處處，只是她忍耐著沒有出聲罷了。」

赤松子道：「這件事不容易啊！」

說話之間，江煙霞已然行近兩人身前，伸出手去，道：「拉我上去。」

上清道長伸出手去，抓住江煙霞的右腕，用力向上一拖，把兩人拉了上來。

赤松子低聲說道：「姑娘的傷勢如何？」

江煙霞道：「還沒有死。」

上清道長道：「姑娘受了很重蛇傷。」

江煙霞道：「那不要緊，我不是還好好地活著嗎？」

語聲一頓，接道：「容郎，把解藥給他們。」

容哥兒輕輕歎息一聲，把手中一個大包裹交給了上清道長，道：「兩位快拿解藥，救天下英雄，在下留在這裏陪江姑娘。」

赤松子心中雖然有很多問題想問，但想到救人的事，更爲重大，只好強自忍下，低聲對上清道長道：「咱們走吧。」兩人轉過身子聯袂而去。

容哥兒目睹兩人背影遠去，才回頭對江煙霞道：「霞妹，王子方也已死於你的劍下，武林道上受此巨創，只怕要有一段平靜的日子，你也將因此受到天下武林道上無比敬重……」

江煙霞苦笑道：「容郎，解藥是你交給他們的，這些榮譽，都是容郎所有。」

容哥兒道：「你認爲我會掠美嗎？我要把個中經過之情，很詳細地告訴他們。」

江煙霞道：「何苦呢？事實上，你是我的丈夫，妻的榮辱，丈夫爲什麼不能承受呢？」

容哥兒淡淡一笑道：「你如真是我的妻子，你就應該活下去。」

江煙霞道：「我身心都受了無與倫比的巨創，實已無法活下去了。」

舉手一掠長髮，接道：「過去，有一股力量支持著我，那就是殺死王子方，取得解藥，完成我救世之願，如今，此願我已得償，實也無意再活下去。」

容哥兒道：「我呢？你如是死去，我一個人如何活下去呢？」

江煙霞雙目凝注在容哥兒的臉上，瞧了一陣，突然流下淚來，道：「容郎，你說這些話，可是由衷之言嗎？」

容哥兒道：「句句出自內心，發於肺腑。」

江煙霞淡淡一笑，道：「謝謝你，就是今生我不能爲容郎之婦，願來世自薦枕席。」

容哥兒搖搖頭，道：「來生太遙長，我要你現在好好地活下去，你一定知道自救之法。」

江煙霞答非所問地道：「你知道我早已非女兒之身嗎？」

容哥兒道：「這個，我早就知道了！」

江煙霞淒然地笑了，道：「殘花敗柳之身，怎可與天下盟主匹配？」

容哥兒呆了一呆，道：「什麼天下盟主？」

江煙霞道：「你不知道嗎？」

容哥兒突然臉色微變，急急接道：「你幾時和一位天下盟主有了婚約，你……怎地早不對我說出來……」惶急激動之情，溢於言表。

江煙霞瞧著他那等神情，心中大大一震，兩顆淚珠，順腮滴落！

容哥兒見她沒有答話，卻是流淚，越發地大爲不安，急急問道：「霞妹，那天下盟主是哪一位啊……」

容哥兒話聲一落，江煙霞忍不住噗哧一聲，笑了起來。這一笑，只把容哥兒笑得楞了。

江煙霞長長吁一口氣，道：「容郎，那天下盟主，遠在天邊，近在眼前！」

容哥兒悚然一驚，轉向身後望了過去，只見來處一片漆黑，哪裏有半絲人影！

他劍眉聳動，怒道：「他在哪裏？」

江煙霞微微一笑道：「哪一個？」

容哥兒道：「天下盟主啊！你不是說……他遠在天邊，近在眼前嗎？」

江煙霞見他當了真，不由得芳心甚是喜悅，但口中卻道：「容郎，這石洞之中，除了蛇陣，只有你我夫妻兩人，你想還是誰呢？」

容哥兒怔了一怔道：「霞妹，你……」敢情此刻他已然有些明白！

江煙霞淡淡一笑道：「不錯，那天下盟主是容郎你啊！」
容哥兒被她說得滿頭霧水，急道：「霞妹，你覺得怎樣，可是毒性發作了？」
江煙霞道：「沒有！妾身清醒得很！」
容哥兒道：「那……你怎會說我是天下盟主？」
江煙霞低低地歎了一口氣道：「容郎，你不是取了解藥，給那赤松子、上清道長兩位去救天下蒼生了嗎？」
容哥兒道：「這個，我不敢掠人之美……」
江煙霞搖了搖頭，道：「這不是你掠人之美，妾身一死，那取藥之功，自然是歸在你的名下！何況，那解藥本是你親手交給他們兩位，以這兩位德高望重的道長心性，他們必然會推舉你做那武林盟主的了！」
容哥兒道：「我不信！」
江煙霞笑道：「你不相信，何妨拭目以待呢！」語聲一頓，接道：「容郎，你心裏應該明白，妾身實在是不能做你之婦，爲你操持家務的了。」
容哥兒失聲道：「只是爲了這個？」
江煙霞道：「很夠了！容郎，你不能讓武林同道，不齒於你啊！」
容哥兒搖頭道：「我不要再見他們，我只要和你找一處名山勝水，結廬隱居，廝守一生。」
江煙霞道：「不可能，你如不見他們，他們定會找你，天下武林同道，都動員找你，不論躲到天涯海角，也一樣會被他們尋到，所以，你無法……」

舉手理一理亂髮，接道：「何況，我已經被劇毒侵入內腑，就算容郎你大度海涵，不嫌我殘花敗柳，我也是無法操持箕帚，伴你終生了。」

容哥兒略一沉吟，神情嚴肅地說道：「霞妹，聽我幾句由衷的肺腑之言好嗎？」伸出手去，攬住了江煙霞的柳腰，和他並肩而坐，接道：「我的身世，你已經知道了，我父非我父，母非我母，生母一念失足，自懺悔恨，故意去嘗試那些非人所能忍受的痛苦折磨，她覺得多受一分痛苦，就可能減少一分內心的愧疚，養我之母，卻是我們中原武林道上的公敵，我和養母作對，雖是大義所在，但卻負了她十餘年養育之恩，不管她用心何在，但她卻是養我長大成人的……」說至此處，不禁黯然長歎，淚滾腮邊。

江煙霞伸出手去，拭了容哥兒臉上的淚痕，道：「這些事怎麼怪你，你沒有錯。」

容哥兒道：「賢妻也許不會怪我，但我每憶及此，總覺著自己是一個忤逆不孝的人，我愈是有名氣，這身世之謎，也愈難保密，一旦宣揚出去，我還有何顏面在江湖之上立足。」

江煙霞道：「大丈夫豈可自輕，這些往事，都無損你救世功勳，和我又大不相同了，容郎，我如還是清白女兒身……」

容哥兒搖搖頭，接道：「我初聞二妹說出內情時，確有著無比的激動，我也曾反反覆覆，思索此事，現在，已被我想通了。」

江煙霞道：「怎麼樣？」

容哥兒道：「如若我爲了大義救世，負了養我之人的恩情，不能算忤逆不孝，你也是爲了解救天下武林同道，那又何謂失節呢？」

江煙霞眨動了一下眼睛，道：「你……」

容哥兒接道：「聽我說，他們只不過是傷害了你的軀體，卻無損你貞潔的靈魂，我親眼看到了鳳妹的際遇，那些被藥毒逼失人性的人，已不能稱爲人了。」

江煙霞道：「唉，這話能出於你之口，縱要我立刻死去，我也感覺到心滿意足了。」

容哥兒輕輕歎息一聲，道：「我知道，你有著自救之能，只是不肯自救罷了。」

江煙霞道：「你要我活下去？」

容哥兒道：「我求你活下去，好嗎？」

江煙霞輕輕歎息一聲，道：「你可知道，我只有一個活命的機會。」

容哥兒道：「什麼機會？」

江煙霞道：「那是很淒慘的求生之法，而且，死與活各占一半。」

容哥兒道：「不論你用什麼方法，只要你能活下去就行。」

江煙霞道：「那很苦，而且我也將變爲殘廢之人。」

容哥兒道：「不論你如何殘廢，我都會盡我心力的照顧你。」

江煙霞道：「我要斬下兩條腿。」

容哥兒道：「斬下兩條腿？」

江煙霞道：「不錯。」

容哥兒道：「斬下兩條腿一定能夠活下去嗎？」

江煙霞道：「也許不能，但卻有活下去的機會。」

容哥兒略一沉思，道：「如你斬下兩條腿，即有活下去的機會，那就不妨試試。」

江煙霞道：「你知道我斬下兩條腿，會變成什麼樣子？」

容哥兒道：「我自然知道。」
江煙霞道：「什麼樣子？」
容哥兒道：「那是缺憾美，一種光榮的標誌。」
江煙霞道：「你不覺著那很難看嗎？」
容哥兒道：「但你有一顆美麗的心。」
語聲一頓，接道：「而且也可以給我多些機會。」
江煙霞道：「什麼機會？」
容哥兒道：「為你效勞啊，我要揹著你走遍天下的名山勝水。」
江煙霞不再答話，兩行情淚，順腮而下。那泉湧而出的淚珠兒，一顆接一顆，流下腮邊。
容哥兒用衣袖拭去了江煙霞臉上的淚水，道：「霞妹，我一生中從未求過人，現在我要求你一件事。」
江煙霞滿臉淚痕中，微微一笑，道：「求我什麼事？」
容哥兒道：「求求你為我活下去。」
江煙霞嚶嚀一聲，倒在容哥兒懷中大哭起來。
容哥兒微微一笑道：「不用難過了，最痛苦的日子已經過去，現在，我只要求你好好地活下去。」
江煙霞道：「你真的不要我死？」
容哥兒道：「不錯，我求你好好活下去。」
江煙霞道：「你現在這樣，但過了一些時日後，你心中厭倦了，要我如何做人？」

容哥兒淡淡一笑，道：「不要這樣想，我會盡我心力，好好地待你。」

江煙霞道：「好吧！我試試看能不能活下去，不過，有一件事，我要先行說明，以後，你心裏不喜歡我時，不要罵我，只要告訴我一句話就行了。」

容哥兒道：「我會盡我心力，永遠地照顧你……」

語聲微微一頓，接道：「告訴你什麼話？」

江煙霞道：「告訴我你不喜歡我了，我就會自己安排自己了。」

容哥兒道：「你準備如何安排自己呢？」

江煙霞道：「天地這等遼闊，我隨便找個地方就可以住下去了。」

容哥兒道：「這個你可放心，只要我容哥兒有得三寸氣在，決不會讓你受半點委屈。」

江煙霞點點頭，道：「好！我盡力求生，不過……」

容哥兒心中大急，說道：「不過什麼？你又想變卦嗎？」

江煙霞道：「不要急，我只是要你幫助我。」

容哥兒道：「好！要我如何幫助你？」

江煙霞道：「斬去兩條腿。」

容哥兒怔了怔，道：「斬去你兩條腿？」

江煙霞道：「是啊！你要我活下去，就要斬下我兩條腿。」

容哥兒道：「這個，要我如何能夠下得了手。」

江煙霞道：「我中毒已深，可以運內力，把身上之毒，全逼在雙腿之上，這是我唯一的求生辦法，除此之外，就是當世第一名醫，也無法再救我了。」

容哥兒道：「好吧！你身上可帶有金創藥？」

江煙霞道：「沒有。」

容哥兒道：「我去找一些來。」

江煙霞道：「來不及了，要動手就要快一些，我運氣逼毒，你執劍準備動手。」

容哥兒道：「沒有金創藥，生生把兩條腿斬下來，如何能受得了呢？」

江煙霞搖搖頭，道：「不用金創藥。」

容哥兒道：「這個，這個……」

江煙霞道：「不用這個那個了，快些動手吧！」

容哥兒咬咬牙齒，舉起手中長劍，向下斬去。長劍將要觸到江煙霞的雙腿時，突然又停了下來。江煙霞本來已經閉上雙目，但等了半天，卻不見容哥兒的寶劍落下。睜眼看去，只見容哥兒手中仍然舉著寶劍，沒有落下。

不禁一皺眉頭，道：「你怎麼不落下寶劍呢？」

容哥兒道：「我實在無法下手！」

江煙霞道：「好！你下不了手，把寶劍給我。」伸手奪過了容哥兒手中寶劍，右腕一揮，長劍疾落而下。但見紅光一閃，江煙霞雙腿，齊齊落地。

容哥兒輕輕歎息一聲，道：「霞妹你受得了嗎？」

江煙霞道：「快些替我包起傷勢。」

容哥兒應了一聲，伸手撕下身上的衣服，把江煙霞雙腿包了起來。

江煙霞面色鐵青，緩緩說道：「快些把我抱起來。」

容哥兒道：「你傷得這麼重，如何能動？」
江煙霞道：「我痛得受不了。」
容哥兒道：「疼得受不了，如何能夠讓我抱你。」
江煙霞道：「抱著我，抱著我，抱得越緊越好。」
容哥兒怔了一怔，依言抱起了江煙霞。
江煙霞痛得全身微微抖動，雙目中淚光盈盈，但她嘴角間仍然帶著喜悅的笑意。
容哥兒低聲說道：「咱們到哪裏去？」
江煙霞強忍著痛苦，道：「容郎，抱緊我，親親我，好嗎？」
容哥兒應了一聲，垂下頭去，親了江煙霞一下，雙手加力，抱緊了她。江煙霞雙臂加力，也抱緊了容哥兒的頸子。斷腿、鮮血，和無盡纏綿的情意，構成了一幅淒然哀豔的畫面。
大約過了頓飯工夫之久，江煙霞突然鬆開了緊抱在容哥兒頸間的雙臂。容哥兒低頭望去，只見江煙霞雙目微閉，氣息微弱，人似是已經暈了過去，不禁心頭大駭，急急向前奔去，一口氣跑到石室之內。
只見孤燈一盞，伴著閉目側臥的江玉鳳。容哥兒望望斜臥在榻上的江玉鳳，又望望懷中的江煙霞，心裏泛起一種莫名的淒涼之感。他緩緩放下了江煙霞，手放在她的鼻息之上，只覺她呼吸微弱，似乎是已經到了氣息奄奄之境。
容哥兒長長吁一口氣，暗中提聚功力，伸出右手，在江煙霞前胸之上，緩緩推拿起來。只聽江煙霞長長吁一口氣，啓開雙目望了容哥兒一眼，緩緩道：「不要擔心，我不會死。」
容哥兒輕輕歎息一聲，道：「但你失血過多，如若不及早治療，只怕要撐不下去了。」

江煙霞道：「你用真氣助我，最危險、最痛苦的時間已過去，只要我能再撐過兩個時辰，就可以自己運氣調息了。」

此時，容哥兒心中已無主意，暗中運氣，一掌按在江煙霞的前胸之上。一股熱流，攻入了江煙霞前胸之中。江煙霞點點頭，臉上泛現出一個淒迷的微笑，緩緩閉上眼睛。容哥兒雙手運功，在江煙霞身上推拿了足足有一刻工夫之久，只累得滿頭大汗，滾滾而下。

江煙霞啓目望了容哥兒一眼，道：「好了，容郎，謝謝，看看我妹妹怎樣了。」

容哥兒舉手用衣袖拭一下臉上的汗水，道：「好！你好好休息一下，不用擔心玉鳳的事，我會好好地照顧她。」

江煙霞道：「爲了你這體貼柔情，我也會好好地活下去。」言罷，閉目休息。

容哥兒緩緩行到江玉鳳的身前，伸手搖搖江玉鳳的肩膀，道：「二妹，你清醒了些嗎？」

江玉鳳緩緩睁開雙目望了容哥兒一眼，道：「姐夫。」

容哥兒一皺眉頭，道：「原來你沒有睡著。」

江玉鳳道：「你認爲我是裝的嗎？」

容哥兒道：「那倒不是……」

江玉鳳接道：「我像是做夢，你搖我肩頭時，我才醒了過來。」

容哥兒嗯了一聲，道：「你現在怎麼了？」

江玉鳳苦笑一下，道：「離死不遠了。」

容哥兒歎息一聲，道：「你姊姊傷得更重，她存心尋死，是我苦苦求她，要她活下去。」

江玉鳳道：「她答應了沒有？」

容哥兒道：「答應了。」

江玉鳳道：「那很好，姊姊性格，和我不同，她穩重堅毅，不似我這般輕佻，她如是答應了，那就會想盡方法活下去。」

容哥兒淡淡一笑，道：「二妹，你姊姊活得很辛苦，知道嗎？」

江玉鳳道：「她怎麼一個活法？」

容哥兒道：「她斬下兩條腿……」

江玉鳳道：「啊！斬下兩條腿？那不是要變成殘廢嗎！」

容哥兒道：「是的，不過，不要緊。」

江玉鳳道：「你說得輕鬆，一個人斬去了雙腿，那痛苦豈不比死更爲難過嗎？」

容哥兒道：「有我啊！」

江玉鳳道：「你也不能代替她走路啊！」

容哥兒道：「我可以揹著她走，她想到哪裏，我就帶著她去。」

江玉鳳沉吟了一聲，道：「你說得不錯，那和她自己有兩腿一模一樣。」

容哥兒道：「你姊姊托我一件事。」

江玉鳳道：「什麼事？」

容哥兒道：「她要我勸你和她一樣地活下去……」

六一　雙鳳傳奇

江玉鳳苦笑一下，道：「她要你勸我活下去？」

容哥兒道：「是啊！她說，咱們三個人一般的苦，以後，最好能生活在一起。」

江玉鳳道：「姊夫，你瞧過我的真面目了？」

容哥兒道：「瞧過了。」

江玉鳳道：「醜得嚇人，是嗎？」

容哥兒輕輕歎息一聲，道：「知過能改，善莫大焉，只要你的心恢復了冰清玉潔，外貌的醜美有何關係？」

江玉鳳微微一笑，道：「真的嗎？」

容哥兒道：「自然是真的了，我幾時騙過你。」

江玉鳳道：「好吧！那我跟著你們，做個丫頭。」

容哥兒道：「我會盡心盡力把你當做自己的妹妹看待。」

江玉鳳道：「我知道，姊夫說一句話，那就像釘在牆上的鐵釘一樣。」

容哥兒笑道：「那很好，你既然這樣相信我，那就好好地活下去。」

江玉鳳點點頭，道：「姊姊斬去了兩條腿，就算有姊夫體貼照顧，她能夠活下去，只怕也不是短時間可以養好。」

容哥兒歎息道：「只怕咱們要在這裏休養一段時間。」

江玉鳳道：「所以，要勞動姊夫一下，把這山洞中的屍體，清理出去，咱們在這裏休息幾日，等姊姊傷勢好一些，咱們再離開此地，找一個清靜之處，讓姊姊養息傷勢。」

容哥兒突然間想起來一件事，急急說道：「玉鳳，你不是中了毒嗎？我身上帶有解藥。」

江玉鳳道：「姊姊早給我解藥用過了。」

容哥兒長長吁一口氣，道：「那我就放心了。」轉身行出石室，清理出石洞中的屍體。

時光匆匆，轉眼之間，容哥兒和江氏姊妹，已在這石洞中停留了七日之久。七日中，石洞中靜寂異常，無一人入洞打擾。江煙霞以無比的堅強意志，度過了一段危險的日子，在容哥兒細心照顧之下，大見起色。石洞存有食用之物，容哥兒學習炊食，三人日子度得很艱苦，但每人的心情，都很快樂。

第八日中午時分，突然聽到了一陣步履聲傳了過來。

容哥兒正在生火煮食，聞聲突然一驚，低聲對江玉鳳道：「看著你姊姊，我去瞧瞧是什麼人？」抽出長劍，步出石室。

原來，江玉鳳經過這一段的養息，人已大見好轉。

這石洞中太寂靜，空谷傳音，聲聞甚遠，容哥兒步出石室，仍未見來人蹤跡。

突然間，傳過來一個清亮的聲音，道：「容少俠？」

容哥兒聽出是赤松子的聲音，心中一喜，高聲應道：「晚輩在此。」

但聞步履之聲，奔了過來，赤松子當先而至。

容哥兒抬頭看去，只見赤松子身後緊隨著上清道長。

兩人行到容哥兒身側，齊聲說道：「江姑娘好嗎？」

容哥兒鎮靜了一下心神，反問道：「那解藥有效嗎？」

赤松子道：「有效，所有服用解藥的人，都已經清醒過來。」

容哥兒喜道：「那是說武林得救了。」

赤松子道：「不錯，武林得救了，唉！雖有一部分人，已經死去，但大部分人，都在服藥之後，神智恢復。」

容哥兒長長吁一口氣，道：「那就好了，能使天下武林得救，也不枉我們經歷之苦了。」

赤松子道：「一明大師向天下英雄，宣佈了這場求取解藥的經過，引起了人心的震動。」

容哥兒道：「唉！那很好，賤內的傷勢，也稍見好轉，天下得救，我們夫婦的心願已完，從此我要埋名息隱了。」

上清道長道：「目下君山情勢一新，各方豪雄都雲集於山谷之中，希望能拜見江姑娘一面，還望容少俠代為說項，使天下英雄一睹鳳儀。」

容哥兒道：「這個，我看不必了吧？」

上清道長道：「為什麼？」

容哥兒道：「因為她已成了殘廢之身。」

上清道長啊了一聲，道：「怎的落下了殘廢之身？」

容哥兒道：「她雙腿為毒蛇咬傷，兩位都已經親眼看到了。」

上清道長道：「不錯，江姑娘的定力，貧道難及她萬一。」

容哥兒歎息道：「她本來已決心以身殉難，但我苦苦求她活下去。」

赤松子道：「她答應了沒有？」

容哥兒道：「答應了，所以自斷雙腿……」

上清道長輕輕歎息一聲，道：「她自殘肢體以救天下，可敬啊！可敬！」

容哥兒道：「所以，勞請兩位前輩代她向群豪致意，晚輩們已決定今夜離去了。」

赤松子道：「這個怎麼行……」

上清道長一拉赤松子的衣角，接道：「既是如此，我們也不便勉強了，勞請容少俠轉告江姑娘，天下英雄致敬之心意。」

容哥兒點點頭，道：「我想她知曉其情，心中定然很高興。」

上清道長合掌說道：「貧道再奉告一事，就可告別了。」

容哥兒道：「什麼事？」

上清道長道：「那位和貧道動手的蒙面人，正是本派掌門人，只是他已被王子方毀去容貌，而且又助王子方做過甚多惡事，得江姑娘解藥之助，使他神智恢復，回想前情，盡屬恨事，因此，決心退隱，要貧道暫行代理掌門之位。」

容哥兒道：「恭喜道長了。」

上清道長長歎一聲，道：「貧道雖然盡力相勸，但敝掌門心意已決，無法挽回。」

容哥兒道：「晚輩知道了，但晚輩和賤內，都已經不願再多問江湖中事。」

赤松子接道：「那位和一明大師動手的人，正是一瓢大師，他托貧道向容少俠問好。」

容哥兒點點頭道：「多謝一瓢大師的關注，有勞道長代我向他致好。」

語聲一頓，道：「兩位還有什麼事？」

上清道長道：「容少俠準備幾時動身？」

容哥兒沉吟了一陣，道：「有勞道長下問，但在下和拙荊都已厭倦江湖，此後，也不願再和武林中人往來，兩位不用再多問我們夫婦的事了。」言罷，轉身行回石室，不再理會兩人。

赤松子輕輕歎息一聲，道：「容少俠這點年紀，正是朝氣蓬勃的時候，竟被這一場折磨，鬧得意志消沉。」上清道長輕輕一拉赤松子，轉身而去。

容哥兒行入石室，只見江煙霞擁被而坐，立時急步行了過去，道：「你怎麼坐起來了？」

江煙霞臉上洋溢著幸福的微笑，道：「不用擔心，我已經好多了……」

抬手理一下散亂的長髮，接道：「我聽了你和他們的談話。」

容哥兒道：「我自作主意，未和賢妻商量。」

江玉鳳道：「姊姊聽得高興死了，她雙腿殘廢，我醜若妖女，自然不願見人了，但姊夫正值英年，陪我們退隱林泉……」

容哥兒搖搖手，接道：「我對兩位的負欠太多，但願有生之年能夠補償此疚。」

江煙霞道：「你欠我們什麼？」

容哥兒道：「如非爲我，賢妻也不會落得這般下場了。」

江煙霞道：「不要這樣想，我是爲了救人救世，與你何干？」

容哥兒道：「我知道，如不是爲了我，你們決不會付出這般大的犧牲。」

江煙霞淡然一笑，道：「爲你也好，爲救天下英雄也好，反正事情已經過去了，目下要緊的是，咱們要設法早些離開此地。」

容哥兒道：「賢妻準備幾時動身？」

江煙霞道：「如是不想見他們，動身得越早越好，今晚上動身如何？」

容哥兒道：「你能夠走嗎？」

江煙霞道：「賤妾傷勢已癒，想今晚上就動身。」

容哥兒沉吟了一陣，道：「你們好好地休息一下，咱們今晚就走。」

江玉鳳整理一下衣服、兵刃，幾人又進些食用之物，估計天到初更時分，容哥兒揹起江煙霞，出了石洞，抬頭看去，只見繁星滿天，正是個無月之夜。

江玉鳳仗劍當先開路，容哥兒揹著江煙霞緊追在江玉鳳身後而行。這君山之上，原本到處坐有身中奇毒之人，現卻不見一個人影，想是都已經服用過解藥之後，毒傷痊癒而去。

容哥兒目光轉動，四顧了一眼，道：「看來，那解毒藥物，果然是對症之藥，中毒之人，都已經清醒而去。」

江煙霞道：「這本是一片清靜之地，但被王子方等一鬧，鬧成了一片惡土，現在，總算又使它重歸清靜了。」

容哥兒突然想到那地下石府，急急說道：「還有一大禍害，要設法把它毀去才好。」

江玉鳳道：「這倒不勞姊夫煩心，姊姊早已把它毀去了。」

容哥兒道：「當真嗎？」

江煙霞道：「不錯，我已經把它毀去。」

容哥兒道：「怎麼一個毀法？」

江煙霞道：「我打了一個洞，放了湖水進去。」

容哥兒道：「這法子好極了，既簡便省事，又可永絕後患。」

江煙霞道：「過去一段時間，從沒有船隻敢靠近君山，如今雨過天晴，不知是否還有船隻靠岸了。」

容哥兒笑道：「試試運氣吧！」三人談話之間，行到湖岸。凝目望去，只見一艘漁舟，高掛燈火，似是正在捕魚。

容哥兒高聲喊道：「漁管家，漁管家。」

漁舟上有人高聲應道：「什麼人？可是呼叫老漢嗎？」

容哥兒聽那聲音很蒼老，高聲應道：「老丈請助我們渡過湖面如何？」

那捕魚老人沉吟了一陣，道：「那好吧！你們有多少人？」

容哥兒道：「我們一共三個人。」

那捕魚老人緩緩應道：「好吧！老漢立刻把船搖過來。」

捕魚老人答過話之後，果然收了漁具，搖過魚舟。容哥兒縱身躍上漁舟，四顧了一眼，只見甲板上放著活鮮的魚蝦，顯是剛剛捕獲不久的。那捕魚老丈，大約有五十餘歲，赤足竹笠，身體十分健壯。

容哥兒道：「這漁舟上只有你老丈一個人嗎？」

捕魚老人道：「老漢原本有一兒一女，助我捕魚，大兒子不幸染恙，小女為了照顧犬子，留在家中，今宵只有老漢一人在此了。」

容哥兒道：「老丈請把我等送往對岸，我等登舟之後，自會重謝。」

捕魚老人微微一笑，道：「重謝倒不用了，不過，老漢有幾句話，不得不先作說明。」

容哥兒道：「什麼話？」

捕魚人道：「老漢年邁力衰，行舟很慢，諸位要擔待一二。」

容哥兒道：「你盡力而爲就是。」

那老人微微一笑，道：「好！諸位請入艙中坐吧！」

容哥兒望了懷抱中江煙霞一眼，無限愛憐地說道：「舟上夜風寒冷，咱們到艙中坐吧！」

江煙霞眉宇間無限歡愉之色，點頭一笑。

容哥兒緩步行入艙中，江玉鳳隨後入艙。

那老人收了漁具，搖櫓而行。小舟在湖中緩緩而行，容哥兒等期望著漁舟早些靠岸，早離此地，哪知心中越急，卻感到那漁舟走得越慢了。

大約過了一個時辰左右，容哥兒忍了又忍，終是忍耐不住，道：「老丈，還要多少時間，才能靠岸？」

捕魚老人應道：「快了，快了，至多再要一個時辰。」

容哥兒道：「還要那麼久嗎？」

捕魚人道：「老漢已先行告過罪了，我年邁力衰，行舟甚慢。」

江玉鳳道：「我來幫你如何？」舉步向外行去。

容哥兒伸手阻止了江玉鳳，道：「讓他慢慢地划吧。」

又行一個時辰，天色已近四更，漁舟已靠岸而停。

捕魚人高聲說道：「靠岸了。」

其實，不用他開口，容哥兒已抱著江煙霞行出艙外，舉步登岸。

江玉鳳探手從懷中取出一片金葉子，道：「這個補償老丈捕魚的損失。」

捕魚人淡淡一笑，道：「這個老漢不敢收受，姑娘帶著用吧。」

江玉鳳怔了一怔，道：「爲什麼？」

捕魚老人笑道：「老漢能送三位一程，已是莫大的榮幸，怎敢再收厚賜？」

江玉鳳雖然覺著他話中弦外有音，但見容哥兒已然行出數丈，無暇多問，把手中一片金葉子丟在船板上，縱身一躍登岸。

江玉鳳追上容哥兒，低聲說道：「姊夫，那老漁人有點奇怪。」

容哥兒道：「什麼地方奇怪？」

江玉鳳道：「他不肯收我的酬償。」

江煙霞道：「我也覺著有點奇怪，這湖中君山，早成死亡之地，這老人怎敢在君山附近捕魚，而且只有他這一艘魚舟……」

話猶未完，突見火光一閃，緊接著響起了一聲佛號，道：「老衲一明，率天下英雄，恭迎容少俠和兩位姑娘。」

容哥兒怔了一怔，道：「大師怎會在此？」

但見火光連閃，片刻間，四周亮起了十餘支火把，熊熊的火光，照得方圓數十丈一片通明。火光下，只見那一明大師、上清道長、赤松子三人並肩而立。在三人身後，一併排列了十

餘人。容哥兒目光一轉之間，看到黃十峰、俞若仙，還有幾位長衫老者，和僧道等雜列一排。這些人似是早已在列隊等候，靜伏暗處不動，燈光亮起時，隊形早成。

容哥兒還未來得及開口，上清道長已搶先接道：「貧道先向容少俠請罪。」

容哥兒輕輕歎息一聲，道：「這是怎麼回事？」

一明大師道：「天下英雄，聞知容少俠冒險犯難，江姑娘捨身取藥的事，無不感動萬分，希冀能夠一見諸位之面，拜謝挽救武林危亡的恩德。」

赤松子接道：「貧道和上清道兄，雖然再三說明，三位大願已償，不願再事多留，準備相攜歸隱，但天下英雄，各方雄主，各幫派的掌門、幫主，執意要見一面，情非得已，我等才作此安排，用漁舟渡三位到此，容少俠不論有什麼責罰，貧道等都願領受，決無一句怨言。」

一明大師道：「千百年來，從未一人，能使天下武林同道，千百人受救命大恩，我佛慈悲，也不過如斯了。」

容哥兒接道：「大師言重了，我等如何敢當！」

一明大師道：「上清、赤松兩位道兄，確是依照三位的心意轉述。用此法誘請三位到此的，老衲也是主謀之一，三位如要責怪，老衲亦願領受，但求三位，能留此幾日，讓他們謝過相救之恩，三位再行離此，三位都受了劇傷，此後江湖中事，決不致再麻煩三位，也不致阻攔三位歸隱。」

容哥兒低頭望望懷中的江煙霞，說道：「咱們應該如何？」

江煙霞道：「事已至此，容郎自作處置吧！」

容哥兒抬頭望了一明大師一眼，道：「大師等盛情，我們卻之不恭，不過，在下想先說明

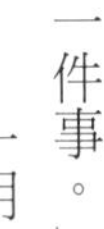

一件事。」

一明大師道：「好！容少俠只管吩咐。」

容哥兒道：「我等實已不願再留戀江湖，留此時限，不能超過三天。」

一明大師道：「老衲受天下英雄之托，挽留三位，容少俠既是不願在此多留，咱們就以三日爲限吧！」

上清道長道：「江姑娘傷勢未癒，我等已爲三位備好了休息的地方。」

一明大師道：「老衲爲三位帶路。」轉身前行。群豪紛紛讓道，分列兩側，抱拳作禮。

江玉鳳迅速從懷中摸出一方長巾包住了一張怪臉，隨在容哥兒的身後而行。

容哥兒目光轉動，只見兩側人影分列，原來那火光之後，還有很多人列隊恭迎。夜色中容哥兒約略一看，人數至少百位以上。人數雖然眾多，但卻是一片靜寂，靜得聽不到一點聲音。

一明大師帶三人穿過群豪，到了一座高大的宅院門前。只聽木門呀然，兩扇黑漆大門，突然大開，兩個勁裝大漢，高舉紗燈，緩步由大門內迎了出來。

容哥兒抬頭看去，只見燈光連綿，由大門口處，直到大廳。這是三進院子的大宅，由大門口至大廳，足足有五、六丈遠，每隔十尺，都有一個人高舉著火把，這些人又大都是武林中甚具名望的人物。

武林中千百年來，從無任何一個人，有過此等榮耀，使得這麼多武林中大具聲望的人物，爲他這等操作。

容哥兒心中突然泛起來一種莫名的傷感，熱淚盈眶，但他卻強忍著，不讓那淚水落下。那是一種很複雜的情緒，是榮耀和痛苦，揉合出的感傷。

一明大師帶著容哥兒等行入了大廳。只見大廳中燈火輝煌，高燃著八支兒臂粗細的巨燭，只照得整個大廳一片通明。大廳正中，放著一張八仙桌，桌上早已擺好了豐富的菜餚。

一明大師低聲說道：「三位在那石洞中，住了很久，每日以乾糧充饑，從未好好的吃過一餐飯，天下英雄，一片誠心，爲諸位準備了一些食用之物，三位請先進些食物之後，老衲還有下情奉告。」

容哥兒、江煙霞等，確是很久未進過這等佳餚美味，只覺一陣酒菜香氣，撲入鼻中，頓覺腹中饑餓。

容哥兒把江煙霞扶入上位坐好，自己和江玉鳳分坐兩側相陪，一面低聲說道：「二妹，他們一番盛情，替咱們準備好了美味佳餚，咱們如果不吃，豈不辜負了他們一番盛情美意？腹中饑餓，只管放量食用。」

廳中火燭高燒，但卻只有容哥兒三個進餐食用之人，而且，那一席酒菜上，也只擺了三副碗筷，顯然，這一席酒菜，只爲了三人食用準備。三人放量而食，吃個酒足飯飽。

容哥兒最後放下筷子，擦擦嘴，還未來得及開口說話，一明大師、上清道長、赤松子等三人，魚貫而入。

一明大師合掌說道：「三位吃好了？」

容哥兒道：「多謝大師的酒菜。」

一明大師道：「這是天下英雄的心意，老衲只能算得其中一份。」

上清道長雙手捧著一個布包，道：「這布包中是滄州陳神醫家傳的金創藥，專治刀劍之傷，江姑娘雖然傷勢已然大好，但敷上此藥，也可使傷勢好得快一些。」

容哥兒接過藥物，道：「請大師代我們謝過那陳神醫。」

赤松子道：「天下英雄，都很感謝諸位救命之恩，希望能得三位應允，見上三位一面。」

江煙霞道：「容少俠已答允留此三日，我們就留此三日，三日之後，我們再行離開……」

江玉鳳接道：「請三位老前輩轉告天下英雄，盛情高誼，我們已經心領，希望不要阻擾我們的退隱之路……」

一明大師合掌笑道：「這個，老衲已經對他們說明，決不敢阻擾三位歸隱之路。」

上清道長道：「只要三位履行諾言，在此留住三日，三日之後，任憑諸位離去，我們決不會從中阻撓。」

容哥兒道：「我們留此三天可以，但我們希望不要受到驚擾，拙荊傷勢初癒，必須要靜靜養息一下。」

一明大師笑道：「容少俠但請放心，他們心中對三位崇敬萬分，決不敢使三位有著一點驚擾之事。」

上清道長接道：「天下英雄對三位相救之恩，個個感激不盡，他們本要對三位盛大歡迎，卻為貧道等攔阻。」

容哥兒道：「經過的事蹟，三位可都已經告訴了天下英雄嗎？」

上清道長道：「貧道說得很簡略。」

江煙霞道：「說得越簡單越好。」

赤松子道：「這大廳之後，就是替三位準備的臥室，我們知道三位不喜人家打擾，所以，也沒有派人來招呼三位。」

容哥兒道：「那倒不敢有勞了，我們希望越靜越好。」

一明大師道：「我等盡量安排，使三位生活得安靜一些，不過，要請三位答應一件事。」

容哥兒道：「什麼事？」

一明大師道：「希望三位答應，後天中午時，能和天下英雄見上一面。」

容哥兒回顧了江煙霞一眼道：「賢妻之意呢？」

江煙霞道：「不見他們也不行了，那就索性答應下來吧！」

容哥兒點點頭，回顧了一明大師一眼，道：「就依大師的安排。」

一明大師合掌應道：「只怕容少俠，早已嫌我等囉嗦了，我們就此告退。」言罷，轉身而去。上清道長、赤松子等魚貫隨在他身後，退了出去。

江玉鳳望著三人的背影，低聲說道：「姊夫，我心中有些懷疑。」

容哥兒道：「你懷疑什麼。」

江玉鳳道：「他們為什麼不讓咱們此刻會見天下英雄，一定要我們等三天？」

容哥兒道：「這中間定然有什麼作用，只是一時，我也不明白罷了。」

江煙霞道：「他們在準備一件事，大約要兩天後才能完成。」

江玉鳳道：「準備什麼事？」

江煙霞淡淡一笑，道：「他們準備什麼我不知道，但和咱們有關，那是不會錯了。」

江玉鳳道：「他們會不會留難我們？」

容哥兒道：「我看不至於吧！迄今為止，他們似是對我們十分尊重。」

原來，那江玉鳳心中對留此一事產生顧忌，她本是如花似玉的美人，如今竟被害得臉上疤

痕斑斑，心中那份痛苦，自是比死亡還要深刻得多。容哥兒和江煙霞對她的愛顧，使她稍減去了尋死之心，但如要她把一張醜臉，公諸世人，在她的感受中，實是生不如死了。是以對留此一事，她反對得最為激烈。

兩日時光，彈指即逝，那一明大師和上清道長等，果然是備守諾言，兩日時光中，未再進來打擾三人。每日，都有人替三人擺好酒飯，準備好應用之物，但那些僕從之人，都早已得到了關照，盡量地避開三人，不和他們見面。

第三日中午時分，三人進過午餐之後，一明大師、上清道長、赤松子，緩緩行了進來。

容哥兒還未來得及開口，江玉鳳已搶先說道：「今日是第三天了。」

一明大師道：「這個老衲知道。」

江玉鳳道：「至遲在日落之前，我們要離開此地。」

一明大師道：「是的，今日，是三位留此最後一日了。」

江玉鳳道：「我們幾時可以走？」

一明大師道：「三位立刻可以動身。」

目光轉到容哥兒的臉上，道：「容少俠，此刻，他們可否進來見見三位呢？」

容哥兒望望江煙霞，低聲說道：「他們要見的是你，你來決定吧！」

一明大師道：「是的，女施主捨身救世的經過，天下英雄，都已經知曉了。」

江煙霞道：「事情過去就算，大師不用再提起了……」

語聲一頓，接道：「他們有幾個人來？」

一明大師道：「連同老衲等三人，大約十五個人，他們都是天下英雄推舉出來的代表。」

江煙霞道：「好吧！請他們進來吧。」

容哥兒拉一下江煙霞身上羅裙，掩去她斷去的雙腿，扶正她坐在太師椅上的身子，低聲說道：「夫以妻榮，我也分得一些榮耀。」緊傍在江煙霞左側而立。

江煙霞低聲笑道：「如若論功行賞，你該是第一大功才對，如若不是你，也許我還不會覺悟，也沒勇氣去取解藥。」

容哥兒笑道：「如沒有你的大智大勇，就算能夠剿滅王子方，天下英雄也是無法得救。」

江煙霞回顧了江玉鳳一眼，道：「還有二妹，如若非她相助，只怕我們也難有這份成就了。」

江玉鳳道：「小妹只是聽命行事而已。」隨在江煙霞的右側坐了下去。

江煙霞低聲說道：「如非必需，你們盡量不要講話，由我一人應付他們。」

談話之間，一明大師和上清道長及赤松子等帶著十餘人，緩步而入。容哥兒目光一轉，只見進來的人群之中，有矮有胖，但大都是穿著長衫。顯然，他們對江煙霞有著無比的敬重。

只見一明大師合掌說道：「江姑娘，這幾位都是目下武林中聲望極高的人！」

江煙霞頷首一笑，接道：「恕賤妾雙腿不便，無法對老前輩行拜見大禮了。」

以一明大師為首的群豪個個抱拳，道：「我等來拜謝救命大恩，如何敢當姑娘的大禮？」

江煙霞道：「賤妾只是碰巧而已，如何敢當諸位的大禮呢！」

赤松子道：「貧道等幾位，代表天下英雄，有一點小禮物，奉獻給江姑娘。」

江煙霞道：「賤妾雖然取得解藥，但那是僥倖成功，算不得什麼，何況，我等歸隱山林之

後，珍寶、古玩，對我等也是無用之物。」
一明大師道：「但他們敬謝姑娘的，並非是珍寶與古玩。」
江煙霞道：「那是什麼？」
一明大師道：「是一面鳳旗。」
江煙霞道：「鳳旗？送我何用？」
上清道長道：「那代表天下英雄的心意，姑娘請收下。」說完，舉手一招。
只聽樂聲響起，四個勁裝少年，舉著繡著兩隻金鳳的白旗，緩緩行了進來。
容哥兒凝目望去，只見那白旗長不過三尺，寬不足二尺，用上好白緞子做成，旗的本身，並無什麼新奇之處，但那兩隻金鳳，卻繡得栩栩如生。在那雙鳳之下，密密麻麻的寫了很多字，字跡有草有正，顯非出於一個人的手筆。那鳳旗很輕，就算是三歲之童，也可輕易拿起，但那四個大漢，卻如負重千斤一般，個個神色嚴肅。
一明大師低聲說道：「江姑娘對江湖的功業，實是無一物能夠代表，天下英雄，原想各集珍玩，並為三位築一座美輪美奐的高殿，供三位修身養性之用……」
江煙霞搖搖頭，道：「他們想錯了，我們要息隱之處，應該是青山翠谷，茅舍數幢，晨聽鳥語，夜聞松濤，人跡罕至的地方。」
一明大師道：「這個老衲明白，所以，老衲等和上清道兄等一一商量，覺著那樣做太俗氣，所以，才想出了做一面雙鳳旗，送與江姑娘。」
江玉鳳忍不住心中衝動，說道：「你們送我姊姊這面鳳旗，用意何在？」
一明大師道：「兩位對武林同道的恩德太大了，可以說是再造武林，不敢以俗物奉獻，恐

瀆三位崇高。這鳳旗之上，有著天下英雄的親筆簽名，再用金線繡上，也代表天下各派各門的崇信之物，鳳旗所指，天下各門各派，都將聽候遺命。鳳旗行經之地，百里內武林同道，都將動員，暗中保護……」

江煙霞淡淡一笑，接道：「很威風，可是這些榮耀和權位，都非我們心中的期望，我們息隱林泉，與世隔絕。」

容哥兒道：「雙鳳旗權位如此高大，和武林霸主何異？」

上清道長道：「那是大不相同了。這是出於天下英雄的心願，也是出於他們的崇敬。」

江煙霞道：「鳳旗之威，全在人爲，只能對君子，不能制小人，如是一個惡毒之徒，再起狂焰之人，我不信一面鳳旗，能夠使他俯首聽命。」

上清道長道：「這個，我等早已想到，旗中自然有制敵之法。」

江煙霞道：「你們……」

一明大師急急接道：「玄機不可洩，這一面鳳旗，姑娘非收不可。」

江煙霞沉吟了一陣，道：「這樁事，使賤妾很感爲難。」

一明大師道：「天下英雄一片誠心，姑娘就承受了吧？」

江煙霞沉吟了一陣道：「如若這雙鳳旗還有別的作用，希望它不要再成爲人間一個禍害。」

一明大師臉色一凜，道：「所以，老衲希望姑娘，收存了它，然後再使它變成了一個單純的鳳旗，不含別的作用。」

江煙霞道：「如此說來，我是受也得受，不受也得受。」

上清道長道：「天下英雄，一片誠心，姑娘如再推託，那就未免使人難堪了。」
江煙霞道：「好！我接受。」
但聞一個長衫老者高聲道：「上旗。」
突聞一陣砰砰之聲，傳入耳際。原來，那大廳之外，早已備好了爆竹，聽得上旗二字，立時有人燃放起來。砰砰的爆竹聲中，加上陣陣悅耳的樂聲。四個捧旗少年，緩緩向前行了幾步，神色間一片恭謹。
一明大師等爲首的十五位長老，齊齊拜了下去。
江煙霞伸手接過鳳旗，緩緩問一明大師道：「我們可以走了嗎？」
一明大師道：「一年後，各大門派要在我少林寺中聚首，敬祈旗主能親臨主持其事。」
江煙霞道：「這個，屆時再說吧。」
回目一顧容哥兒，道：「容郎，咱們走吧？」
容哥兒應了一聲，揹起了江煙霞，大步向外行去。江玉鳳長巾蒙面，緊追在容哥兒的身後。
大門外站滿了人，那震耳的爆竹聲，仍然未絕。
大院外站滿了人，但每個人都高舉雙手，閉住了雙目，似是不敢瞧看那江煙霞。
只聽身後傳來了那一明大師的聲音，道：「車馬都已備齊，請隨意乘用。」
江煙霞抬眼看去，只見兩側列隊相送之人遠遠排出，一眼看去不著邊際。
當下低聲說道：「容郎，咱們上車吧。」
容哥兒應了一聲，登上篷車。

車上坐墩、墊被，早已備好，容哥兒放下了江煙霞，一提韁，篷車向前轉動。三人內心中，都受了很重的創傷，對這等前無古人的盛大歡送，竟是視若無睹。

江玉鳳長長吁一口氣，道：「俞若仙沒有死，四燕八公都還好好的健在，實力絲毫未動搖。」

這時，三人乘坐的馬車，已然離開了那很長的歡送行列，篷車孤獨地行在西下的大道上。

江玉鳳的話引起了容哥兒無限關切，忍不住回話問道：「二妹，你說什麼？」

江玉鳳道：「我說那俞若仙的實力未損，她在這場大搏鬥中，一直保護著自己，不受兩方的傷害。」

容哥兒道：「她實力未損，難道會有害武林不成？」

江玉鳳道：「很難說，我曾經聽那王子方無意中談過，他說俞若仙是比他更聰明的人，這話的詳盡含意，我不知道，但它卻若有所指。」

容哥兒道：「俞若仙組成萬上門，羅致了很多高手，至少她這批高手避開了毒藥的傷害。」

江煙霞突然取過雙鳳旗，輕輕歎息一聲，道：「也許這裏有答案。」

輕輕一扯，雙鳳旗應手而開。敢情那鳳旗一面，竟然是一個活結，只見那鳳旗裏面，貼滿了白綾、白箋，上面俱都是記載著各大門派的奇技絕學。

江煙霞凝目望了一段，不禁歎息一聲，道：「是了，是了。」

容哥兒道：「是什麼啊？」

江煙霞道：「上清道長、一明大師、赤松子，手持解藥要他們交出絕技，使他們心存顧

忌，不敢再妄生惡念，借此旗出鎮武林。」

江玉鳳道：「他們把天下絕技，交入了我們之手，難道就不擔心我們妄動異念嗎？」

江煙霞道：「唉！他們只要掌握到解藥，就可使武林同道盡行歸服，又何苦再繞這一個圈子呢？何況，天下奇技，百藝雜陳，他們心中明白，一個人窮一生工夫，也無法練成百藝。」

容哥兒道：「如是咱們息隱之後，喜愛武功，這天下奇技，夠咱們練上幾十年了，如是不再喜愛武功，這東西交到咱們手中，也是無用啊？」

江煙霞笑道：「他們還有一個用心。」

容哥兒道：「什麼用心？」

江煙霞道：「看看什麼人會來動咱們這面鳳旗的念頭。」

容哥兒道：「這樣說來，他們永遠有人跟著咱們了？」

江煙霞道：「是啊！一個人成就太大了，就將失去自己，這面雙鳳旗，將變成野心者追求之物，義俠人物保護的對象，咱們都是執旗的主人，仲裁天下武林紛爭。」

江玉鳳哼了一聲道：「天下共欽的雙鳳旗，原來竟是一個圈套。」

江煙霞道：「只要咱們慎重一些，倒可消去今後武林中不少禍源，唉！一個人只要捲入江湖是非之中，就很難再脫身出來了。」

容哥兒長歎一聲，揚鞭催馬，篷車如飛而去。

全書完

臥龍生武俠經典珍藏版 36

雙鳳旗（四）大結局

作者：臥龍生
發行人：陳曉林
出版所：風雲時代出版股份有限公司
地址：10576台北市民生東路五段178號7樓之3
電話：(02) 2756-0949
傳真：(02) 2765-3799
執行主編：劉宇青
美術設計：許惠芳
業務總監：張瑋鳳
出版日期：臥龍生60週年珍藏版 2023年4月
ISBN ：978-986-5589-77-6
風雲書網：http://www.eastbooks.com.tw
官方部落格：http://eastbooks.pixnet.net/blog
Facebook：http://www.facebook.com/h7560949
E-mail：h7560949@ms15.hinet.net
劃撥帳號：12043291
戶名：風雲時代出版股份有限公司

風雲發行所：33373桃園市龜山區公西村2鄰復興街304巷96號
電話：(03) 318-1378　　傳真：(03) 318-1378
法律顧問：永然法律事務所 李永然律師
　　　　　北辰著作權事務所 蕭雄淋律師

行政院新聞局局版台業字第3595號 營利事業統一編號22759935

定價：320元　**版權所有　翻印必究**

國家圖書館出版品預行編目資料

雙鳳旗／臥龍生 著. -- 臺北市：風雲時代出版股份有限公司，2021.06- 冊；公分（臥龍生武俠經典珍藏版）

ISBN：978-986-5589-74-5（第1冊：平裝）
ISBN：978-986-5589-75-2（第2冊：平裝）
ISBN：978-986-5589-76-9（第3冊：平裝）
ISBN：978-986-5589-77-6（第4冊：平裝）

863.57　　110007331